改变人生的励志经典

影响你一生的

习惯

林 敏◎编著

中国长安出版社

图书在版编目(CIP)数据

影响你一生的习惯:2008 最新版/林敏编著. –北京:
中国长安出版社,2008
ISBN 978 – 7 – 80175 – 822 – 4

Ⅰ.影...Ⅱ.林...Ⅲ.习惯 – 培养 – 通俗读物 Ⅳ.
B842.6 – 49

中国版本图书馆 CIP 数据核字(2008)第 067328 号

上架建议:社科类 – 励志

影响你一生的习惯

林敏　编著

出版:中国长安出版社
社址:北京市东城区北池子大街 14 号(100006)
网址:http://www.ccapress.com
邮箱:ccapress@yahoo.com.cn
发行:中国长安出版社　全国新华书店
电话:(010)65281919　65270433
印刷:北京建泰印刷有限公司
开本:787mm×1092mm　　　1/16
印张:17
字数:276 千字
版本:2008 年 6 月第 1 版　2008 年 6 月第 1 次印刷

书号:ISBN 978 – 7 – 80175 – 822 – 4
定价:32.80 元

前 言

在一座大山里,住着父子俩,他们每天都要赶牛车下山卖柴。父亲较有经验,坐镇驾车。山路崎岖,弯道特多,儿子的眼神好,总是在要转弯时提醒道:"爹,转弯啦!"

有一次,父亲因为生病没有下山,儿子独自驾车下山。行至途中,到了弯道,牛怎么也不肯转弯。儿子用尽各种方法,下车又推又拉,用青草诱之,牛始终一动不动。

到底是怎么回事?儿子百思不得其解。最后只有一个办法了,他看看周围没人,便贴近牛的耳朵大声叫道:"爹,转弯啦!"牛应声而动。

从这个看似有些老掉牙的故事让我们获得了这样一些启发:牛之所以如此,是由于条件反射——习惯了主人每天的吆喝方式。同样,人活在这个世界上,习惯对我们有着非常重大的影响。根据行为心理学的研究结果显示:一个人一天的行为中,大约只有5%是属于非习惯性的,而剩下的95%的行为都是习惯性的。

亚里士多德说:"人的行为总是一再重复。因此,卓越不是单一的举动,而是习惯。"

有时候,一个不经意的习惯性动作可能改变人的一生。

大家都知道,美国福特公司名扬天下,不仅使美国汽车产业在世界占居鳌头,而且改变了整个美国的国民经济状况。而该奇迹的创造者福特当初进入公司的"敲门砖"仅仅是"捡废纸"这么一个简单的动作。

当初,福特刚从大学毕业,来到一家汽车公司应聘。一同应聘的几个人学历都比他高,在其他人面试时,福特感到没有希望了。当他敲门走进董事长办公室时,发现门口地上有一张纸,很自然地弯腰把他捡了起来,看了看,原来是一张废纸,就顺手把它扔进了垃圾篓。董事长对这一切都看在眼里。福特刚说了一句"我是来应聘的福特"。董事长就发出了邀请:"很好,很好,福特先生,你已经被我们录用了。"这个让福特感到惊异的决定,实际上源于他那个不经意的动作。从此以后,福特开始了他的辉煌之路,直到把公司改名,让福特汽车闻名全世界。

拿破仑·希尔说:"播下一个行动,你将收获一种习惯;播下一种习惯,你将收获一种性格;播下一种性格,你将收获一种命运。"或许,我们还有很多的人未能意识到习惯的巨大力量。但是,习惯影响人的一生这一点是客观存在、毋庸置疑的。

生活中,我们经常会听到有人抱怨,说上天对自己多么不公平,未能给自己提供一个良好的环境,从而导致自己一直碌碌无为。那么,人生的结局真的是由于外界环境所造成的吗?当然不是。正如世界著名潜能学大师安东尼?罗宾所说:"影响我们人生的绝不是环境,也不是遭遇,而是我们持所养成的习惯。"前面这个例子就是最好的证明。

习惯是把双刃剑:它能成就未来,也能摧毁未来。每个人都有各种各样的习惯,在我们众多的习惯当中,能够成就未来的自然是那些好习惯。而那些坏习惯,就像一堵无情的墙,把成功与我们隔离开来。

在我们每一个人的身上,好习惯总是与坏习惯并存,那么,唯一能够有效改变我们生活的手段便是去有效地、最大限度地改变我们的坏习惯。当然,改变坏习惯,养成好习惯,并不是一蹴而就的事情,它需要我们用毅力、恒心和不断的自我提醒才能做到。幸运的是,我们每个人都具备这些能力——只要你肯用心。

本书有别于同类书籍的最大的特色所在就在于,为那些渴望成功的读者提供具体而实用的方法与技巧,并有可读性很强的故事和案例来说明问题,指导你如何来培养好习惯,摒弃坏习惯,走出习惯的误区,从而一步步踏上幸福完美的人生之巅。

目　录

第七章 行动起来，心动更要行动

第八章 推陈出新，创新改变未来

第一章　好习惯带来好人生

　　习惯能成就未来，也能摧毁未来。每个人都有各种各样的习惯，在我们众多的习惯当中，能够成就未来，给我们带来好运的自然是那些好习惯。人类几千年的文明史也告诉我们：良好的习惯能帮助我们获取健康、幸福和财富，而坏习惯则反之。

◉ 成功源于良好的习惯

　　好的习惯是成功的阶梯，成功源于良好的习惯。一个人要想在事业上取得成功，就必须养成良好的习惯。

　　1978 年,75 位诺贝尔奖获得者在巴黎聚会。有人问其中一位："你在哪所大学、哪所实验室里学到了你认为最重要的东西呢?"

　　出人意料,这位白发苍苍的学者回答说:"是在幼儿园。"

　　又问:"在幼儿园里学到了什么呢?"

　　学者答:"把自己的东西分一半给小伙伴们;不是自己的东西不要拿;东西要放整齐;饭前要洗手;午饭后要休息;做了错事要表示歉意;学习要多思考,要仔细观察大自然。从根本上说,我学到的全部东西就是这些。"

　　这位学者的回答,代表了与会科学家的普遍看法:成功源于良好的习惯。

　　2001 年 7 月份,南方一家颇有名气的青年刊物,隆重地推出一篇调查——《告诉你一个真实的安子》,使人们再次聚焦 20 世纪 90 年代初期民工潮中出现的成功人物。

　　那年,17 岁的乡下姑娘安丽娇(安子),初中没毕业,怀揣着希望和茫然,独自一人从广东梅县扶大乡闯到深圳。像成千上万打工妹一样,安子在一家港资电子厂,成了流水线上的插件工。插件工枯燥苦累。一天工作 12 小时,没干多少天,手指上便是一团团黑黑淤血,十指连心地痛。但在繁重打工之余,安子还是用学习来充实自己的每一天:从自学初中课程,一直到深圳大学中文系大专课程,打工 7 年间,安子坚持自学了六年半。七年打工收入,几乎全交了学费。

　　1991 年,安子在打工之余,将打工日记加工创作成《青春驿站——深圳打工妹写真》在报纸连载,"反响始料不及,读者的信件雪片般飞来。曾经一个星期内,收到200多封信。"随后,《都市寻梦》等文学作品相继面世。深圳广播电台力邀安子主持"安子的天空"。数以万计在都市寻梦的进城务工青年,渴求在这片天空中获得心灵的慰藉。

八年不到的时间,一个普通打工妹完成"蛾变蝶"的全部过程。今天的安子,是4家公司的总经理,其中"新家政服务公司",是深圳规模最大、最规范的10家同类企业之一。

面对众多的评论,安子坚持认为,她的成功是靠努力向上的习惯一点一滴积累而成! 她说,"时代给了我机会,而能抓住机会,是因为我付出了太多泪水和汗水。"

英国唯物主义哲学家、现代实验科学的始祖、科学归纳法的奠基人培根,一生成就斐然。在谈到习惯时,他深有感触地说:"习惯真是一种顽强而巨大的力量,它可以主宰人的一生,因此,人应该通过教育培养一种良好的习惯。"

无独有偶,1998年5月,华盛顿大学350名学生有幸请来世界巨富沃沦·巴菲特和比尔·盖茨演讲。当学生们问到"你们怎么变得比上帝还富有"这一有趣的问题时,巴菲特说:"这个问题非常简单,原因不在智商。为什么聪明人会做一些阻碍自己发挥全部工效的事情呢? 原因在于习惯。"

比尔·盖茨表示赞同,他说:"我认为沃沦关于习惯的话完全正确。"此时,两位殊途同归的好朋友道出了自己成功的诀窍,即:好的习惯是成功的阶梯。

有位哲人说过:播种行为,收获习惯;播种习惯,收获性格;播种性格,收获命运。

俄国教育家乌申斯基说:"良好的习惯乃是人在神经系统中存放的道德资本,这个资本不断地增值,而人在其整个一生中就享受着它的利息。"的确,习惯是一个人独立于社会的基础,又在很大程度上决定人的工作效率和生活质量,并进而影响他一生的成功和幸福。因此,注重养成好的习惯,是人生迈向成功的第一步。

试想,一个爱睡懒觉、生活懒散又没有规律的人,他怎么约束自己勤奋工作? 一个不爱阅读、不关心身外世界的人,怎能有开阔的胸襟和见识? 一个自以为是、目中无人的人,他如何去和别人合作和沟通? 一个杂乱无章、思维混乱的人,他做起事来的效率会有多高? 一个不爱独立思考、人云亦云的人,他能有多大的智慧和判断能力? ……

好习惯实际上是好方法——思想的方法,做事的方法。培养好习惯,即是在寻找一种成功的方法。

靳羽西——一个普通的中国人的名字,却演绎着一个不同凡响的中国女性绚丽的人生。她的坚忍不拔、永不重复做"第一"的性格,为她平添了几分神秘色彩。从1978年到今天,三十年的时间里,她完成了靳羽西——名人——名媛——名品——名企(著名国际性跨国企业)——名副其实(全球意义上的)的跨越。奔忙于东西方的羽西,分别以学者、作家、记者、电视人、企业家的身份,在每一个她停留的地方,展现其东方式的直率和一个成功女人的自信,告诉人们生命可以更美丽。

靳羽西为了管理自己的公司,总结了自己的成功经验,现摘录其18条行为规则,希望对细心的读者有所启发:

(1)实事求是、严于律己、宽以待人,不搬弄是非,总是在寻找别人身上的优点。

(2)不要在公共场合有意或无意地贬低他人。

(3)做任何事情都要有信用,哪怕是很小的事情。不沽名钓誉,不要获取不是你应得的赞扬。

(4)不要夸耀你的过去或现在以及诸如此类的话题。

(5)对于遭受不幸的同事表示你的同情和关怀。

(6)及时把人们所需要的信息告诉他们,不要等到事情到了最后一步才说。

(7)能在不打扰其他同事工作的前提下,最小范围地提及你的爱人和孩子。

(8)介绍朋友互相认识,这样会使他们自我感觉良好。

(9)有团队精神,永远提及集体与你一起的努力。

(10)热情地参与公司的活动,与同事们聊天。

(11)无论在办公室还是家里,都要养成良好的电话礼仪。

(12)永远不要期待或要求别人去遵守连你自己也无法遵守的原则。

(13)写封私人信函表达你对一顿晚餐、礼物或别人给予帮助的感谢,及时写封短信去祝贺他人的成功。

(14)及时答复所有的邀请函,在一周内回复重要的信件,在两至三周内回复其他的信件。约会要准时,如不能赴约,要事先告知。

(15)如果你是一个高级管理人员,请保证你的员工有一个适当的工作环境,并帮助年轻的员工参与培训和自我发展。

(16)在公司里,做一个成功的人,而且是一个很有地位的人。

(17)宁可慷慨,也不要小气。及时归还你借的东西,并在恰当的时机,口头或书面向对方表示感谢。

（18）当你的同事，被高层管理人员误解受冤枉时，要积极主动地维护他。

（19）知道适当的场合穿适当的衣服，你的公司或老板会因为你的出席和适宜的穿着代表了公司的形象而感到骄傲。

（20）对于年长者或资深的人表示特别的尊敬，比直接称呼他们的名字，或表示与他们同等的态度要好得多。

毋庸置疑：成功源于良好的习惯，好习惯是成功的阶梯。你的好习惯越多，成功离你就会越近。

◉习惯影响日常生活

某天夜里，蚊帐里有两只蚊子，一只喝饱了血，另一只肚子空空。妻子让当检察官的丈夫打蚊子，丈夫出手不凡，一掌就拍死了那只喝饱了血的蚊子，而对另一只却迟迟不下手。妻子问他为何不打，丈夫说："证据不足。"

或许，这只是一则笑话。但从中我们可以看出：习惯影响日常生活。

其实，习惯不仅影响一个人的日常生活，它有着更为强大的力量。正如拿破仑·希尔所说："习惯能成就一个人，也能摧毁一个人。"美国前第一富豪保罗·盖蒂对此就有过深切的体会。

曾经，盖蒂的香烟抽得很凶，有一天，他度假开车经过法国，那天正好下着大雨，地面特别泥泞，开了好几个钟头的车子之后，他在一个小城里的旅馆过夜。吃过晚饭他便到自己的房里休息，很快便进入了梦乡。

盖蒂清晨两点钟醒来，想抽一支烟。打开灯，他自然地伸手去找他睡前放在桌上的那包烟，结果是空的。他下了床，搜寻衣服口袋，结果毫无所获。他又搜索他的行李，希望在其中一个箱子里，能发现他无意中留下的一包烟，结果他又失望了。他知道旅馆的酒吧和餐厅早就关门了，心想，这时候要把不耐烦的门房叫过来，太不堪设想了。他唯一希望能得到香烟的办法是穿上衣服，走到火车站，但它至少在6条街之外。

情景看来并不乐观。外面仍下着雨，他的汽车停在离旅馆尚有一段距离的车房里，而且，别人提醒过他，车房是在午夜关门，第二天早上6点才开门。而且能够叫到计程车的机会也将等于零。

　　显然，如果他真的这样迫切地要抽一支烟，他只有在雨中走到车站。但是要抽烟的欲望不断地侵蚀着他，他想抽烟的欲望就越浓厚。于是他脱下睡衣，开始穿上外衣。他衣服都穿好了，伸手去拿雨衣，这时，他突然停住了，开始大笑，笑他自己。他突然体会到，他的行为多么不合乎逻辑，甚至荒谬。

　　盖蒂站在那儿寻思：一个所谓的知识分子，一个所谓的商人，一个自认为有足够理智对别人下命令的人，竟要在三更半夜，离开舒适的旅馆，冒着大雨走过好几条街——仅仅是为了得到一支烟。

　　盖蒂生平第一次注意到这个问题，他已经养成了一个不能自拔的习惯，他愿意牺牲极大的舒适，去满足这个习惯。这个习惯显然没有好处，他突然明确地注意到这点。头脑很快清醒过来，片刻就作了决定。他下定了决心，把那个仍然放在桌上的烟盒揉成一团，丢进废纸篓里。然后脱下衣服，再度穿上睡衣回到床上。带着一种解脱，甚至是胜利的感觉，他关上灯，闭上眼，听着打在门窗上的雨点。几分钟之内，他进入一个深沉、满足的睡眠中。

　　自从那天晚上后他再也没抽过一支烟，也没有抽烟的欲望。

　　盖蒂说，他并不是利用这件事指责香烟或抽烟的人。常常回忆这件事，仅仅是为了表示，以他的情形来说，被一种恶习惯制服，已经到了不可救药的程度，差一点成为它的俘虏！

　　或许，我们还有很多的人未能意识到习惯的巨大力量。但是，习惯影响人生这一点是客观存在、毋庸置疑的。

　　现实生活中，习惯的它无时无刻不在影响着我们的思维方式和行为模式。我们每天大部分的行为都是出自习惯的支配。可以说，几乎在每一天，我们所做的每一件事都是习惯使然。

◉成也习惯，败也习惯

　　成功是一种习惯，失败是一种习惯。为何会成功，因为坚持不懈；为何会失败，因为放弃。坚持和放弃都是一种习惯。良好的习惯也就是我们走向成功的巨大力量，无外乎有人说成功与失败的最大区别来自于不同的习惯。

　　习惯是行为的自动化，不需要特别的意志努力，不需要别人的监控，在什么情况下就按什么规则去行动。习惯成自然，成了自然的习惯就只有顺其自然，一成不变地顺应自然、顺应习惯。好的习惯会让我们受益终身,坏的习惯如果不及时纠正,带来的负面影响也是巨大的。

一天,一位睿智的教师与他年轻的学生一起在树林里散步。教师突然停了下来,并仔细看着身边的4株植物。第一株植物是一棵刚刚冒出土的幼苗;第二株植物已经算得上挺拔的小树苗了,它的根牢牢地盘踞在肥沃的土壤中;第三株植物已然枝叶茂盛,差不多与年轻学生一样高大了;第四株植物是一棵巨大的橡树,年轻学生几乎看不到它的树冠。

老师指着第一株植物对他的年轻学生说:"把它拔起来。"年轻学生用手指轻松地拔出了幼苗。

"现在,拔出第二株植物。"

学生听从老师的吩咐,略加力量,便将小树苗连根拔起。

"好了,现在拔出第三株植物。"

学生用一只手进行了尝试,然后改用双手全力以赴。最后,树木终于倒在了筋疲力尽的年轻学生的脚下。

"好的",老教师接着说道,"去试一试那棵橡树吧!"

年轻学生抬头看了看眼前巨大的橡树,想了想自己刚才拔那棵小得多的树木时已然筋疲力尽,所以他拒绝了教师的提议,甚至没有去做任何尝试。

"我的孩子",老师叹了一口气说道,"你的举动恰恰告诉你,习惯对生活的影响是多么巨大啊!"

其实,我们的习惯就像是故事中的植物一样,幼苗很容易拔除,而随着时间的推移,越是根深蒂固,越是难以根除。故事中的橡树是如此巨大,就像是积久形成的习惯那样令人生畏,让人甚至怯于尝试改变它。还有值得一提的是,习惯与习惯之间也存在着不同,其中有些习惯比另一些习惯更难以改变。不仅坏习惯如此,好习惯也不例外。也就是说,好习惯一旦养成了,它们也会像故事中的橡树那样,忠诚而牢固。习惯在这种由幼苗长成巨树的过程中,被重复的次数越多,存在的时间也就越长,它们也就越难以改变。

传说亚历山大城的图书馆被烧时,只有一本看起来普普通通的书幸免于难。有一个穷人一时好奇,就花了几个铜板将这本书买了下来。这本书不怎么精致,然而这个穷人却从书中发现了一个令人振奋的信息,那就是有关"点金石"的秘密。

据书中记载,在黑海岸边,有一块神奇的石头,它和其他成千上万块一模一样的石头混在一起,这块石头看似一般,可它却有神奇的力量,能把普通的金属变成黄金。它和其他石头的唯一区别就在于：唯独这块石头是温暖的，其他普通的石头都是冷冰冰的。于是这个穷人卖掉了仅有的几件东西，准备了简单的行装，来到黑海岸边寻找这块神奇的石头。

到了这里之后，穷人就将他的"寻石计划"付诸行动。饿了，这个穷人就到附近的地方讨点东西吃，晚上他就睡在海岸上，醒来就一块又一块的石头挨个找，他拾一块石头，感觉一下，如果不热，就扔到了海里。就这样，他日复一日地重复这个动作，转眼间，五年过去了，但他还是没有找到"点金石"。可是，他非常确信总有一天自己会找到那块神石的。于是，他还是按部就班地继续着自己的工作，拾一块石头就扔到海里，接着再拾，如此继续……

过了很久之后，有一天早上，他拾起了一块石头，是"热的"，可是他连想都没想就一下把石头给扔进了海里！

接下来的日子，这个可怜的穷人继续日复一日地寻找自己心目中那块神石。而且由于他已经形成了把石头扔进海里的"习惯"，他甚至已经忘记自己扔石头是为了什么。这个穷人的故事当不令人可悲！

任何一种行为只要不断地重复，就会成为一种习惯。同样道理，任何一种思想只要不断地重复，也会成为一种习惯，在不知不觉中影响人的行为。

北京有一家外资企业招工，对学历、外语、身高、相貌的要求都很高，但薪酬挺高，所以有很多高素质人才都来应聘。最后有三个年轻人凭着自己的努力，过五关斩六将，到了最后一关：总经理面试。

年轻人想，这很简单，只不过是走走过场罢了，准十拿九稳了。

没想到，这一面试出问题了。一见面，总经理说："很抱歉，年轻人，我有点急事，要出去10分钟，你们能不能等我？"年轻人说："没问题，您去吧，我们等您。"老板走了，年轻人一个个踌躇满志，得意非凡，闲不着，围着老板的大写字台看，只见上面文件一摞，信一摞，资料一摞。年轻人你看这一摞，我看这一摞，看完了还交换：哎哟，这个好看。

10分钟后，总经理回来了，说："面试已经结束。""没有啊？我们还在等您啊。"老板说："我不在的这一段时间，你们的表现就是面试。很遗憾，你们没有一个人被录取。因为，本公司从来不录取那些乱翻别人东西的人。"

这些年轻人一听，顿时捶胸顿足。他们为什么这么感慨万千呢？他们说："我们长这么大，就从来没听说过不能乱翻别人的东西。"

习惯决定你的未来。有什么样的习惯，就会带来什么样的结果，这些都是可以预见的。如果很不幸，你拥有很多坏习惯，那么当坏习惯的恶果在当时或最后显现出来的时候，这样的苦酒只能你一个人去慢慢品尝了。

总之，习惯是人生中的一柄双刃剑，用得好，它会帮助我们轻松地获得人生快乐与成功；用得不好，它会使我们的一切努力都变得很费劲，甚至能毁掉我们的一生。所以能否改掉坏习惯，培养好习惯，就是能否获取人生幸福的关键。

◉惯于思考让人受益匪浅

从前一个年轻的英国人在他的农场里度假休息，他仰卧在一棵苹果树下思考问题。这时，一只苹果落到了地上。

"苹果为什么会落到地上呢？"他问他自己。地球会吸引苹果吗？苹果会吸引地球吗？它们会互相吸引吗？这里面包含着什么样的普通原理呢？

这位年轻人就是牛顿。他用思考的力量，获得了一项极其重要的发现——万有引力定律。牛顿向自己提问发现了万有引力定律。

而霍英东向自己提问，创成富豪。霍英东是个颇有心计的人，他时时都在留心寻找能有发展的事业。朝鲜停战以后，霍英东独具慧眼，他看出了香港人多地少的特点，认准了房地产业大有可为，于是毅然倾其多年的全部积蓄，投资到房地产市场。1954 年，他着手成立了立信建筑置业公司。他每日忙于拆旧楼、建新楼，又买又卖，大展宏图，用他自己的话说，他"从此翻开了人生崭新的、决定性的一页！"

如果说霍英东早年经营驳运业是他创业初期的练兵的话，那么，在经营房地产业的过程中，则充分显示了他过人的经营头脑。在他以前的房地产业，都是先花一笔钱购地建房，建成一座楼宇后再逐层出售，或按房收租。怎样才能获得更好的效益呢？霍英东不停地问自己。思之再三，他终于将房产界的这一游戏规则"变了个戏法"，即预先把将要建筑的楼宇分层出售，再用收上来的资金建筑楼宇，来了一个先售后建。这一先一后的颠倒，使他得以用少量资金办了大事情。原来只能兴建一幢楼宇的资金，他可以用来建筑几幢新楼，甚至更多；同时，他又能有较雄厚的资金购置好地皮，采购先进的建筑机械，从而提高建房质量和速度，降低建造成本。他不仅以比同行低得多的价格出售那些地点较优越的楼宇，而且他还采用分期付款的预售方式，使人人都能买得起。霍英东的戏法真是高招，他开创了大楼预售的先河。为了推广先出售后建筑的"戏法"，霍英东率先采用小册子及广告等形式广为宣传。他说："我们开展各种宣传，以便更多有余钱的人来买。譬如来港定居或投资的华侨、侨眷、劳累了半生略有积蓄的职员、赌博暴发户、做其他小生意涨满了荷包的商贩，都来投资房地产。谁不想自己有房住？只要有众多的人关心它、了解它、参与它，我们的事业就有希望。"霍英东的广告宣传十分奏效，立信建筑置业公司在短短的几年里所营建、出售的高楼大厦就布满了香港、九龙地区，打破了香港房地产买卖的纪录。这个既不是建筑工程师出身，又非房地产经营老手的水上"穷光蛋"，一下子成了香港房地产业的巨头。霍英东名下的公司有 60 余家，大部分都经营房地产生意，或与房地产经营关系密切。由他担任会长的香港地产建筑商会，占有香港 70% 的建筑生意。

霍英东给自己提问，成就了成功创富的大业，值得我们学习和借鉴。

任何刚开始经营的商人，要养成最有价值的习惯是在他下决心之前，可以停下片刻，迅速回顾他的推理。这种最后的检查，也许只需要几分钟甚至几秒钟，但收获却非常之大。这可以让人有一次机会，来合理地整理自己的思绪，或回想自己为什么或怎样会有这种决定。这个简单的过程，可以大大地增加一个人如何迅速而有效地去处理可能碰到的难题。这有点像世界上某些最佳演员所养成的习惯一样，虽然他们可能对所扮演的角色已经熟透了，但是在开幕之前，仍会迅速地把剧本或他们自己的那一部分过目一遍。

一个很成功的推销员曾这样说：他的成功是在经营事业的初期便养成了惯于思考的习惯。

"我甚至还想出一个秘诀来养成这个习惯。"他说，"去拜访顾客之前，我一定要先静下心，喝杯咖啡，擦擦皮鞋。这样一来，在我真正踏入顾客办公室之前，我有一个最后思索的机会——如何表现自己。所得到的效果好极了！除了能从容地应付对方所提的问题外，还使我推销了很多的东西。"

不管任何人，最好养成下决心之前留下几分钟来冷静地整理思绪的习惯。

●勤于动脑让你更胜一筹

在人生的旅途中，每个人都要积极开发自己的潜力，养成创新习惯，用先人一步的智慧，来获得一生的不断成功。许多人、许多企业有一个共同的苦恼：好不容易想出一个好主意、好办法、好点子，可没过多久，就让人家偷走了：模仿的、克隆的、假冒的，无所不用其极。纵然有专利保护，也难得安宁，打假更是颇为辛苦。

为此，我们应该认识到，在生意场上，法律保护是必要的，也是明智的；但要长期保密，永远独有，也是不可能的。最可靠的办法只有一个，那就是思维永远快人一步，习惯永远高人一筹。虽然别人可以偷走你现在的成果，却永远偷不走你的智慧。因此，我们要永远开创新的路子，永远拥有独到的智慧，最终将创新变成自己的日常习惯，使自己永远立于竞争的潮头。

从前，西部有一个缺水的边远小镇，居民要到 5 里外的地方去挑水吃。在这里，吃水是人们生活中的一大难事，缺乏劳动力的人家就更困难了。

困难就是商机。脑瓜灵活的村民甲看到其中的生意。他挑起水桶，以挑水、卖水为业，每担水卖得 2 角钱。虽然辛苦点，还算是一条不错的路子。村民乙看了，觉得不能让他一家独占市场，也走上挑水、卖水之路，并且将两个儿子也动员进来，很快占据了市场的大头。甲想，你家劳动力强，不如我的脑袋瓜好。于是他略加思索，以柔克刚，买来了 20 副水桶，请了 20 个闲散劳动力，由他们挑水，自己坐镇卖水，每担水抽成 5 分钱。这样，既省了力气，又多赚了钱。可时间一长，这些闲散劳动力熟悉了门道，不再愿意被抽成，纷纷单干去了。于是，甲一下子成了光杆司令，且竞争更激烈了。

但聪明人是难不住的。甲请人做了两个大水柜车，并租来两头牛，用牛拉车运水，每次 40 担，效果提高了，成本却降低，因此赚头更大了。这让其他人看得直眼红。

人们很快看到"规模经营"的优势，于是纷纷联合起来，或用牛拉车，或用马拉车，参与到竞争中。

然而，正当竞争日益激烈时，人们突然发现，自己的水竟然卖不出去了——原来，甲买来水管，安装了管道，让水从水源直接流到村子里，自己只要坐在家里卖水就行了，且价格大幅度下降，一下子垄断了全部市场。

社会就是这样，善于动脑筋的人走在前头，其他人则在后面跟着走。如果人人能够在竞争中共同前进，社会也就进步了。

◉不给自己留退路就会有出路

断绝自己的后路,可以让自己无后顾之忧,无牵无挂,一门心思地去追求成功。恺撒在尚未掌权之前,是一位出色的军事将领。有一次,他奉命率领舰队前去征服英伦诸岛。

在他检阅舰队出发前,才发现一项严重的问题。随船远征的军队人数少得可怜,而且武装配备也残破不堪,以这样的军力妄想征服骁勇善战的盎格鲁萨克逊人,无异于以卵击石。

但恺撒当下还是决定启程,航向英伦诸岛。舰队到达目的地之后,恺撒等候所有兵丁全数下船,立即命令亲信部属一把火将所有战舰烧毁。同时他召集全体战士训话,明确地告诉他们:战船已全部烧毁,所以大伙儿只有两种选择,一是勉强应战,如果打不过勇猛的敌人,后退无路,只得被赶入海中喂鱼;另一条路是,不管军力、武器、补给的不足,奋勇向前,攻下该岛,则人人皆有活命的机会。士兵们人人抱定必胜的决心,终于攻克强敌,而恺撒也因为这次成功的战役,奠定日后掌权的基础。

恺撒的领导智慧,在中国古代也有类似的故事。"破釜沉舟"的确是最能激励人心的方式之一。

大多数成功人士之所以成功,都由于他能够一心向着他所努力的目标上。为了达到目标,他能舍弃一切与他成功之路不相关的事物,眼光只锁定他的目标。

这般强烈的成功意志,对于一般人而言,似乎较为难以具备。故而,我们不妨学习恺撒大帝火烧战船断绝后路的方式,来激励自我能够全力以赴。你可将纷乱的思绪暂时放下,静心省思,有哪些事物阻碍在通往成功的路上?

当看清所有阻碍你成功的事物,诸如拖延、怠惰、消极意识……,接着你必须有个坚定的决心,先除去所有的障碍物,然后再断绝你所有可退之路,唯有如此,才能够保证渴望追求成功的愿望,如同求生的本能一般,那么的迫切而强烈,这种本能将引导你走向成功。

如果确知自己完全无路可退,再怎么怯懦的人,也立刻能成为最英勇的战士,自然地挺起胸膛,去迎向任何挑战,且必将胜利。

●好吃小亏往往占到便宜

或许你不信：不肯吃亏的人往往会吃亏，而常肯吃亏的人却可能占到便宜。事实真的就是这样。

一天，一位胖大嫂在公交车上为了抢座和一个小姐吵了起来。

"眼睛瞎了吗？这个位置是我先看到的！"年轻小姐一点也不让步，"你先看到的？看到有什么了不起的！谁先抢到了就算谁的！"胖大嫂一听更来气了，"抢？亏你打扮成这样，说话却这么没素质！不知礼的女人，我看你以后怎么嫁得出去！"听到这话，那位小姐急了，站起来就推了胖大嫂一把。车上的乘客一看动手了，连忙上来劝解。可这位胖大嫂外号就叫"不吃亏"，被人给推了一下怎能不还手，于是冲上去和那位小姐对打了起来……

回家后，丈夫吃惊地看着胖大嫂蓬乱的头发和脖子上的伤痕，问："这是怎么了？"胖大嫂往沙发上一坐，得意地说："在公交车上和一个臭女人打起来了！不过我可没吃亏，那个女人的脸都被我抓花了，看她明天怎么上班！"说完一摸脖子，突然惊叫了起来，"项链？我的项链哪儿去了！"她的项链不知什么时候被拽掉了，那可是两千多块钱呀！胖大嫂号啕大哭，不肯吃亏的她还是吃亏了！

这位胖大嫂自诩"不吃亏"，一定要处处占人家便宜才甘心，但到最后却吃了大亏。可以说，生活中绝大多数的人都有这种不肯吃亏的习惯，无论做什么都要先权衡一下得失，有便宜就往上冲，可能吃亏的话就躲得远远的。然而事实证明，不肯吃亏的人往往会吃亏，而敢于吃亏的人却可以占到便宜。

战国时，梁国与楚国相临。两国一向有敌意，在边境上各设界亭。两边的亭卒在各自的地界里都种了西瓜，梁国的亭卒勤劳，锄草浇水，瓜秧长势很好；楚国的亭卒懒惰，不锄不浇，瓜秧又瘦又弱，目不忍睹。

人比人，气死人。看着对面梁国的瓜地，楚亭的人觉得失了面子，在一天晚上，乘月黑风高，偷跑过去把梁亭的瓜秧全都扯断。梁亭的人第二天发现后，非常气愤，报告给县令宋就，说："我们要以牙还牙，也过去把他们的瓜秧扯断。"

宋就说："楚亭的人这种行为当然不对。别人做得不对我们也不能因此就跟着学，那样太小气了。你们照我的吩咐去做，从今天开始，每晚上去给他们的瓜秧浇水，让他们的瓜秧也长得好。而且，这样做一定不要让他们知道。"

梁亭的人听后虽然不大情愿,但还是照办了。

楚亭的人发现自己的瓜秧长势一天比一天好起来,仔细观察,发现每晚梁亭的人都悄悄过来替他们浇水。

楚国的县令听到亭卒的报告,感到十分惭愧又十分敬佩,于是上报楚王。楚王深感梁国人修睦边邻的诚心,特备重礼送给梁王以示歉意。结果这一对敌国成了友好邻邦。

生活中,人们如果愿意吃些小亏,那么以后也必会有大便宜可得。

就拿邻居相处这个我们常常遇到的事来说,人与人之间没了成见,彼此和睦的时候,鸡毛蒜皮,大家可以付之一笑。而一旦有了成见之后,言者无心听者有意,简直会风声鹤唳、草木皆兵。对方关门重了,咳嗽的声音大了,洗衣服的水流过来了,往往都是惹你生气的根源,因为你会把这些事统统看做是故意的。

邻居相处,小小的误会在所难免,但千万别凭一时意气,吵开了头。争吵一旦开始,以后就处处都是吵架的资料,结果就会闹得鸡犬不宁,成为生活上的一大威胁。遇事忍一口气,大事化小,小事化了。忍耐一时并不难,而且以后的好处是无穷的。

“吃小亏占大便宜”,初听起来似乎有些不道德,可如果邻里之间互相谦让,都舍得吃点小亏,维持了和睦的生活氛围,又何乐而不为呢? 在工作中,也应该学会吃点亏。

有一个年轻人大学刚毕业就进入出版社做编辑,他的文笔很好,但更可贵的是他的工作态度。

那时出版社正在进行一套丛书的编辑,每个人都很忙,但老板没有增加人手的打算,于是编辑部的人也被派到发行部、业务部帮忙,但整个编辑部只有那个年轻人乐意接受老板的指派,其他的人只去一两次就抗议了。

他说:“吃亏就是占便宜嘛!”

事实上也看不出他有什么便宜可占,因为他要帮忙包书、送书,像个苦力一样!

他真是个可随意指挥的员工,后来又去业务部,参与直销的工作。此外,连取稿、跑印刷厂、邮寄……只要开口要求,他都乐意帮忙!

“反正吃亏就是占便宜嘛!”他这么说。

两年过后,他自己成立了一家出版公司,做得还不错。

原来他是在吃亏的时候,把一家出版社的编辑、发行、直销等工作都摸熟了。他真的是占了便宜啊!

现在,他仍然抱着这样的态度做事。对作者,他用吃亏来换取作者的信任;对员工,他用吃亏来换取他们的积极性;对印刷厂,他用吃亏来换取品质……

由此看来,他这下真的占到了便宜!

吃亏就是占便宜!尤其是年轻人更应该记住这一点,这是你积累工作经验,提高自己做事能力,扩大人际关系网络的最好办法。

总之,一个人只要好吃小亏,愿意吃小亏,敢于吃小亏,不去事事占便宜、讨好处,日后必有大"便宜"可得,也必成"正果"。

◉谦虚使人进步

老子曾经告诫世人:"不自见,故明;不自是,故彰;不自伐,故有功;不自矜,故长。"这句话的大意是,一个人不自我表现,反而显得与众不同;一个不自以为是的人,会超出众人;一个不自夸的人会赢得成功;一个不自负的人会不断进步。

的确,你谦虚时就显出对方的高大;你朴实和气,他人就愿与你相处,认为你亲切、可靠;你恭敬顺从,他的指挥欲得到满足,认为与你配合得很默契、合得来;你愚笨,他就愿意帮助你,这种心理状态对你非常有利。相反,你若以强硬姿态出现,处处高于对手,咄咄逼人,对方心里会感到紧张,做事没有把握,而且容易让对方产生一种逆反心理,使交往和工作难以继续。

晋襄公有个重孙,名叫晋周。这位晋周生不逢时,晋献公宠信骊姬,晋国公子多遭残害。晋周虽然没有争立太子的条件,更无继位的希望,也同样不能幸免。

为保全性命,晋周来到周朝,跟着单襄公学习。晋是当时的大国,晋周以晋公子身份来到周朝。但晋周自小受父亲教育,养成良好的品性,他的行为举止完全不像一个贵公子。以往晋国的公子在周朝,名声都不好听,晋周却受到对人要求严厉的单襄公的称誉。

单襄公是周朝有名的大臣,学问渊博,待人宽厚而又严厉,是周天子和各国诸侯王都很尊敬的人,晋周很高兴能跟着他,希望能跟着单襄公好好学习,以成长为有用的人才。

单襄公出外与天子王公相会,晋周总是随从在后。单襄公与王公大臣议论朝政,晋周从来都是规规矩矩地站在单襄公身后,有时,一站几个小时,晋周都从未有一丝不高兴的神色。王公大臣都夸奖晋周站有站相,坐有坐姿,是一个少见的恭谦君子。

晋周在单襄公空闲时,经常向单襄公请教。交谈中,晋周所讲的都是仁义忠信智勇的内容,而且讲得很有分寸,处处表现出谦虚的精神。

晋周虽然在周朝,仍十分关心晋国的情况,一听到不好的消息,他就为晋国担心流泪。一听到好消息,他就非常高兴。一些人不理解,对晋周说:"晋国都容不下你了,你为什么还这样关心晋国呢?"晋周回答:"晋国是我的祖国,虽然有人容不下我,但不是祖国对不起我。我是晋国的公子,晋国就像是我的母亲,我怎么能不关心呢?"

在周朝数年,晋周言谈举止的每一个细节,都谦虚有礼,从未有不合礼数的举动发生。周朝的大臣都很夸奖他。

单襄公临终时,对他儿子说:"要好好对待晋周,晋周举止谦虚有礼,今后一定会做晋国国君的。"

后来,晋国国君死后,大家都想到远在周朝的晋周,就欢迎他回来做了国君,成为历史上的晋悼公。

晋周作为一个毫无条件争当太子的王子,仅以谦虚的美德,便征服了国内外几乎所有有权势的人,最终被推上了王位,可见谦虚的力量有多么巨大。

许多人并不看重谦虚的美德。事实上,谦虚是一项积极有力的特质,只要妥善运用,就会使人类在精神上、文化上或物质上不断地提升与进步。

在现实生活中,不论你想要取得什么样的成功,谦虚都是必要的品质。在你到达成功的顶峰之后,你会发现谦虚真的十分重要。因为只有谦虚的人才能得到智慧。

◉听人劝,得一半

在当今这样一个纷纭变幻的世界中,人应该有种变通的意识,应该善于吸纳他人的意见,这样才会耳聪目明。但是,一些刚愎自用的人,往往不会听取他人的意见,也无视客观事物的情况和势态,固执己见,自我封闭,一意孤行,把自己的一己之见凌驾于其他事物之上,坚持错误和恶欲膨胀,只管按自己的思路去行事,最终都会陷入进退两难的境地,甚至走上绝路,害了自己不说,往往还会牵连别人。

晋文公和秦穆公联合围攻郑国国都,晋军驻扎在函陵,秦军驻扎在汜南。在危急关头,郑国大夫烛之武充分利用秦晋之间的矛盾,用绳子捆了自己,在晚上偷偷去见秦穆公。烛之武慷慨陈词,分析形势,引用史事,骨子里是为了保全郑国,表面上却处处为秦国打算。秦穆公听了很高兴,便和郑国订立盟约,派杞子等人驻守郑国,自己便撤兵回国了。

过了两年多,晋文公一死,秦穆公野心勃勃,想夹郑攻晋,称霸中原。恰好这时候,杞子从郑国派人报告秦穆公说:"郑人叫我掌管北门的钥匙,假如秘密派军队前来,就可以占领郑国。"

秦穆公喜不自禁,拿这件事去征询蹇叔的意见。不料蹇叔却说:"使军队受到很大消耗去袭击远方的国家,我没有听说过。行军疲劳,力量消耗,远方的国家已有防备,秦军劳苦而毫无所得,士兵就会产生叛逆作乱的心思。再说行军千里,哪个不知道呢?"

秦穆公利令智昏,根本听不进蹇叔的意见,于是召见孟明、西乞、白乙叫他们从东门出兵。

蹇叔哭着说:"孟明啊,我看见军队出去却见不到他们回来了!"秦穆公打发人对他说:"你知道什么!你要是只活到中寿就死掉,现在你墓上的树木也有两手合抱那么粗了。"完全不把蹇叔当一位德高望重的老臣看待,更不用说听他的话了。

蹇叔的儿子参加了这支军队。蹇叔边哭边送他,说:"晋人必定会在氏殽地拦击秦军,那里有两座大山:南边的大山是夏代君王皋的坟墓;北边的大山曾是周文王避风雨的地方。你必定死在这中间,我到那里去收你的尸体吧!"

秦穆公固执己见,一意孤行,秦国的军队坚持向东进发。秦军长途跋涉,郑国早有觉察,秦军偷袭郑国不成,便灭了滑国回师。秦军行至殽地,果然不出蹇叔所料,遭到晋国的拦击,秦军全军覆没。

晋秦之战,秦国出师前,蹇叔已经把不可"劳师以袭远"的道理分析得很透彻,又把晋军必定伏击秦军的预见说得非常具体,秦王本可以据此自省,调整部署,但却看不出出兵的不义性质和失败的不可避免。可惜秦王没有从中受到教益,固执己见,一意孤行。

中国人积累了几千年的人生经验,处世待人之道发展得最为炉火纯青。古人讲:"处治世宜方,处乱世宜圆,处叔季之世,宜方圆并用。"就是讲太平盛世的时候,应当严正刚直善恶分明;乱世之时,应当圆滑老练随机应变;世道衰亡的末世,则需要方圆并用,有所选择。固执己见或只凭满腔热忱,这样撞破南墙也于事无补。个人的智慧是有限的,如果再将有限的智慧封闭起来不求思变,不求全面和跃升,最终会导致陷入刚愎自用的狭隘境地。

古话说:"听人劝,得一半。"能够博采众长以为己所用,这样的人,才是聪明的人!

●良好的饮食习惯有利健康

只有身体的健康,只有人的自身存在,才可能谈到其他层面上的问题,"管理自我"才有了根基。试想,连你自己都不存在了或者说存在的状况和条件不好,你还可能有心情、有情绪去关心是否成功,是否管理好自我了吗? 所以,人的一切情感和精神需要都来自于物质载体的发展。

可是,正因为物质财富的增多,当我们正在为可以吃到很多种类的食物而高兴和欣喜时,却已经出现了其他让我们担忧的问题了。经常听到的是"我最喜欢吃什么"、"我最不喜欢吃什么",选择也就意味着只选择自己喜欢的,不选择不喜欢的。而喜欢与否通常只是情感上的非理性的思考,可能取决于食物的颜色、口感甚至是形状,却很少是因为它的营养丰富或者对身体很有好处。

所以,现实中出现了特别多的反面例子,就是因为饮食太过于任性和自由而忽略了身体的需要和健康的维持。所以,我们必须重视这个情况,培养好的饮食习惯,让我们的选择更趋向于身体的健康。

每一种食物,不管它含有多少营养,但只要经过一次加工过程,它的营养就会丧失一些,加工过程越多,丧失的营养也越多。所以说,当食品被装进设计精美的包装袋里,再陈列到超市的货品柜上时,它们所含的各种营养成分已经所剩无几了。

那么如何选择真正健康的食品呢? 这里介绍三个原则,可供大家参考一下:

(1)尽量选择低热量、低脂肪和低胆固醇的早餐。经过一个晚上的休息,身体处于一种饥饿状态,摄入的热量会比较多,因而用高热量或高脂肪或高胆固醇的东西去刺激这个时间的胃,是没有太大好处的。

（2）蔬菜和水果都要吃最新鲜的，而且尽量要保持它们的原味，原汁原味地食用它们，才不会破坏其中的营养结构和含量。我们知道，很多食物会因为加工不当，把原来有利的含量变为对身体有害的物质，反而害了自己。

（3）尽量减少用肉量。肉中所含的脂肪、蛋白质等已经是引起很多疾病的因素，适当的减少是很有利的，也可通过其他途径来补回在这里所失去的营养。

重新审视一下你的菜单和你日常的饮食习惯，这次注意的是把它们同你现在的健康状况联系起来，想想各种你喜爱的食物在你的身体需要中到底占有怎样的位置和起着什么作用，然后你就可以科学地安排自己的饮食了。

●好的工作习惯利于提高工作效率

你是不是感觉到每天都很忙，但却是忙而无功？你是不是感觉付出很多，但是得到的却只是老板的责骂？如果你每天工作没有一刻空闲，到总结时却说不出所完成的成果，这时你一定感到身心疲惫。那么，你一定要审视一下自己，你可能并不是工作不努力，而是没有掌握提高工作效率的正确方法，在无意中浪费了你的生命。

下面的建议虽然不是万能的"灵丹妙药"，但是可以向你提供一些有益的参考，提高自己的工作效率。

（1）把桌面清理干净，只保留与目前工作有关的物品

芝加哥和西北铁路公司的总裁罗蓝·威廉斯说过："桌面老是堆满纸张的人会发现：把桌面清理干净，只保留与目前工作有关的物品，会使工作进行得更顺利，不会出错。我称之为好管家，是提高效率的第一步。"

如果你到华府的国会图书馆参观，就会看到天花板上有几个大字，那是诗人波普所写的：

"秩序是天国的第一律。"

秩序也应是商场的第一律。但实际果真如此吗？不见得。一般人的桌面总是堆满纸张，好几个星期都不曾看一眼。

一家纽奥良的报纸发行人说，他的秘书有一天为他清理桌面的时候，终于发现了那台失踪两年的打字机。

一张乱七八糟堆满了待复信件、报告和备忘录的桌子，足以导致慌乱、紧张

和忧烦。更严重的是,时常担忧"万事待办,却无暇办理"的人,不只会感到紧张劳累,而且会引发高血压、心脏病和胃溃疡。

宾州大学药剂研究所教授强·司脱各博士在"美国药剂协会"发表一份报告,总标题是:《机能性神经衰弱所并发的器官疾病》。司脱各博士在小标题"病人的心理状态需要什么"下面,列举了11项条件,其中第一项是:

强迫履行观念:对付连续不断的待办事件的方法,就是必须处理完毕。

但是,像清理桌面、下定决心等简单方法,真能帮助你解除压力吗?对"连续不断的待办事件",真的必须处理完毕吗?著名的精神病医师威廉·沙勒提起他的一位病人,就是用了这个简单的方法而不致精神崩溃。这位病人是芝加哥一家大公司的高级主管,第一次去见沙勒医师的时候,整个人充满了紧张、焦虑和闷闷不乐。他工作繁忙,又不能停下来,他需要帮助。

"当这位病人向我陈述病况的时候,电话铃响了,"沙勒医师说道,"是医院打来的。我丝毫没有拖延,马上做了决定。只要能够的话,我一向速战速决,马上解决问题。挂上电话不久,电话铃又响了。又是紧急事件,颇费了我一番口舌去解释。接着,有位同事进来询问我有关一位重病患者的种种事项。等我说明完毕,我向这位病人道歉,让他久候了。但是这位病人精神愉悦,脸上有种特殊的表情。"

"别道歉,医师,"这位病人说道,"在这十分钟里,我似乎明白自己什么地方不对了。我得回去改变我的工作习惯……但是,在我临去之前,可不可以看看你的抽屉?"

沙勒医师拉开桌子的抽屉,除了一些文具外,没有其他东西。"告诉我,你的待理事项都放在什么地方?"病人问。

"都处理了。"沙勒回答。

"那么,待复信件呢?"

"都回复了。"沙勒告诉他,"不积压信件是我的原则。我一收到信,便交代秘书处理。"

6个星期之后,这位公司主管邀请沙勒医师到他的办公室参观。他改变了——当然桌子也变了。他打开抽屉,里面没有任何待办文件。"6个星期以前,我有两间办公室,三张办公桌,"这位主管说道,"到处堆满了没有处理完毕的东西。跟你谈过之后,我回来清除掉了一货车的报告和旧文件。现在我只留下一张办公桌,东西一来便处理妥当,不会再有堆积如山的待办事件让我紧张忧烦。最奇怪的是,我已不药自愈,再不觉得身体有什么毛病啦!"

前联邦最高法院院长查理·伊凡说："人不会因为过劳而死,却会因放荡和忧烦而死。"不错,放荡会消耗人的精力,而忧烦——因为这些人不曾把工作做完啊!

（2）按照事情的轻重程度去做

遍布全美的"都市服务公司"创始人亨利·杜赫提说过,人有两种能力是千金难求的,这两种无价的能力,一是思考能力,一是能按事情轻重处理问题的能力。

白手起家的查理·陆克曼,经过十二年的努力,升上了派索登公司总裁一职,年薪十万,另有上百万其他收入。他把成功归于杜赫提谈到的两种能力。陆克曼说："就记忆所及,我每天早晨 5 点起床,因为这时刻我的思考力最好。我计划当天要做的事,并按事情的轻重程度安排好。"

全美最成功的保险推销员之一法兰克·贝特格,每天早晨还不到 5 分钟,便把当天要做的事安排好了——是在前一个晚上预备的——他定下每天要做的保险数额,如果没有达成,便加入第二天的数额,往后也如此推算。

没有人能永远按照事情的轻重程度去做事。但是,按部就班的做事方法,总比想到什么就做什么要好得多。

假使萧伯纳没有为自己定下严格规定,每天要写 5 页的稿子,他可能永远只是个银行出纳员。他度过九年心碎的日子,而九年总共才赚了三十块钱稿费,平均一天才一分钱! 由于他一直把写作当成最重要的事去做,终于成了不朽的作家。就连漂流到荒岛上的鲁滨孙,也不忘每天定下一个作息表呢!

（3）当你碰上问题,要马上解决,或做个决定,不要搁置一旁

霍威尔"美国钢铁公司董事会"的董事之一。他说,董事会开会常常拖拖拉拉,许多问题被提出来讨论,却很少做什么决定,以致大家得把一大堆报告带回家研究。

后来,霍威尔说服董事会,一次只提一个问题,直到解决为止,绝不拖延。表决之前可能需要研究其他资料,但为了让问题真正获得解决,除非前一个问题得到处置,否则不开始讨论第二个问题。这个办法的效果十分显著:备忘录上的待理事项解决了,行事表上也不再挤满预定处理进度。大家不必再抱一大堆资料回家,也不用被尚未解决的问题弄得惴惴不安。

这不仅是美国钢铁公司董事会的好方法,也是你我的好原则。

（4）把所有工作划分成"事务型"和"思考型"两类,分别对待

"事务型"的工作不需要你动脑筋,可以按照所熟悉的流程一路做下去,并

且不怕干扰和中断;"思考型"的工作则必须你集中精力,一气呵成。对于"事务型"的工作,你可以按照计划在任何情况下顺序处理;而对于"思考型"的工作,你必须谨慎地安排时间,在集中而不被干扰的情况下去进行,最好的办法不是匆忙地去做,而是先在日常工作和生活中不停地去想,吃饭时想,睡不着觉的时候想,在路上想,上厕所的时候想。当你的思考累计到一定时间后,再安排时间集中去做,你会发现,成果会如泉水一般,不用费力,就会自动地汩汩而来,你要做的无非是记录和整理它们而已!

(5)每天定时完成日常工作

你每天都需要做一些日常工作,以和别人保持必要的接触,或者保持一个良好的工作环境,这些工作包括查看电子邮件,和同事或上级的交流,浏览你必须访问的 BBS,打扫卫生等等。这些常规的工作杂乱而琐碎,如果你不小心对待,它们可能随时都会跳出来骚扰你,使你无法专心致志地完成别的任务,或者会由于你的疏忽带来不可估量的损失。

处理这些日常工作的最佳方法是定时完成:在每天预定好的时刻集中处理这些事情,可以是一次也可以是两次,并且一般都安排在上午或下午工作开始的时候,而在其他时候,根本不要去想它! 除非有什么特殊原因(例如你在等待某个人发来的紧急邮件),否则,强迫自己在预定时刻之外不要查看邮箱,不要浏览 BBS,不要去找领导汇报工作,这样,处理这些事务的效率才会提高,并且不会给你的其他主要工作带来困扰。

(6)列出工作计划,并且用明显的方式提示你完成的进度

记住:工作计划必不可少! 这种计划并不是为了向某人汇报,也不是为了给自己增加压力,而是为了让你记住有哪些事情需要去做,而不是被无形而又说不清楚的工作压力弄得头昏脑涨,烦躁不已。在每周的开始列出本周的计划。计划的内容就是本周准备做哪些事情,除非是外界有严格时间限制的任务(例如周三必须向客户提交出产品文档),否则,周计划无须设定每项任务拟定的进行时间,也没有必要详细去说明任务的内容。你只需要列出本周要做的工作;然后,每天给自己一些提示,让你不会忘记早上列出时间表,从周计划中选择出当天想做的事,并安排具体时间去完成;列出所有需要打的电话和每个电话的内容。这张时间表应该随时在你身边,一抬眼就能看到,它像一个忠实的助手,随时告诉你下一步工作的内容! 必须进行工作计划的总结。很多人把工作总结想得很复杂,仿佛需要把所有完成的任务的完成情况和没有完成的任务的未完成原因都详详细细地书写出来。这是一个天大的误解!! 其实,工作总

结随时都在进行,方法简单之极:用粗笔把你做完的事从周计划和日时间表中重重地划去!!另一种总结是在我们制定每日的时间表和每周的计划表时完成的,方法也十分简单:把当日或当周没有完成的工作抄写到下一日或下一周的计划中去!

你一定要明白,制订计划的根本目的不是给你施加任何压力,而是给你一个有序的、有准备的工作安排。因此,不要为未完成预定的任务而懊恼,而是记住这些任务,并且尽快安排去进行!同时,工作计划还会给你带来自信和成就感:当一个人看到面前成堆的任务被狠狠地划去,象征着这些敌人被征服和消灭,那就像是军人看到自己肩膀上的金星在一颗颗增加一样,是何等地酣畅淋漓!

(7)安排好随时可进行的备用任务,以不浪费你的时间

我们常常会遇到这样的情况:需要打开或下载某个网站内容,但是网速却慢得像爬虫;离预定好的约会还有半个钟头的空余时间;焦急地等待某人或某物,却不知道他(它)什么时候会到来;心情不好或情绪不高,不想做任何需要投入精力的工作;所有任务都已完成,而下班的时间还未到来。通常,人们遇到这些情况时,会采用两种方法去对待:或者百无聊赖地等待,或者随便拿起一项工作来做。无所事事地等待是自杀的最好方法,因为你的生命会在你发蒙时一刻不停地流逝;而随便进行一项工作,最可能的结果是工作效率极其低下,在这段空白时间过完时必须放弃手头的没有完成的工作,下次再重新开始。对待这样的空白时间最好的方法是:预先准备备用的任务,而利用这样的时间去进行(不是完成)它!这样的备用任务要求具备的特点是:不需要耗费大量的脑力去思考;随时可以开始,随时可以中断,并且下次可以继续进行;没有时间的压力,不必在某个时间非完成不可;能给自己带来一定的乐趣。这样的工作有:浏览报纸杂志,阅读有益的但是非专业的书籍,查看网络新闻,随意访问自己感兴趣的网站,对自己已完成的工作成果进行美化加工(例如整理文档,修饰绘图设计);整理文件,将顾客名单裁成小条等等。如果你安排好了这样的任务,你不光可以把这些需要等待的空白时间充分利用起来,并且你还可以有额外的惊人收获:整齐美观的文件柜,有价值的新闻或文章,或者在一年之内读完了巴尔扎克的全部小说!

(8)学习如何组织、授权与督导

商场上,许多人常因不懂得授权而提早走入了坟墓。这些人,事必躬亲,结果被那些繁琐的细节所淹没,难怪他们会常常感到匆忙、忧烦、急躁和紧张。学

习授权给别人是非常困难的,用人不当往往导致不可收拾的结果。尽管如此,身为主管人员还得学习如何委派他人,否则永远免不了疲于奔命。

(9)立即行动,不要犹豫和等待

这一条是对以上八条的重要补充:不要犹豫和等待,立即行动。没有任何工作会因为你回避它而自动消失,没有任何烦恼会因为你不去想而烟消云散。你没有别的选择,只能去面对,只能去迎接任何挑战。

记住:世界是属于那些善于思考,也善于行动的人的!养成了善于思考和行动的习惯,你已经站在成功的大门口了。

第二章　坏习惯是人生的绊脚石

坏习惯是人生的绊脚石。生活中，许多人之所以一生碌碌无为，与成功绝缘，主要是因为他们养成了许多坏习惯。这些坏习惯就像是一堵墙，将成功与他们无情地隔离开来，结果自然是：成功近在眼前，却总是无法取得。

◉坏习惯是成功的绊脚石

坏习惯是害群之马，是成功的绊脚石。我们常常会看到这样一些人，他们总是对自己所处的环境不满意，由此而产生了一系列苦恼。比如，一个学生没有考上理想的学校，心里觉得十分自卑，天天想着，自己比不上别人。于是烦得要命，书也念不下。这样一天天心不在焉地混，成绩越来越坏，几乎要辍学了，心里又加上一份紧张，这紧张加上以前的烦恼，使他更加懊恼不安。

同样，也有人对自己目前的工作不满意。认为职位低、赚钱少，比不上别人。心里又是自卑，又是消沉，天天懒洋洋的，做什么也打不起精神来。于是工作常常出错，上司也不喜欢他，同事也觉得他没出息。这样，他就越来越孤独，越来越被单位排挤，越来越远离快乐和成功。

其实，一个人对自己目前的环境不满意，唯一的办法就是让自己战胜这个环境。比如行路，当你不得不走过一段险阻狭窄的路段时，唯一的办法就是打起精神，克服苦难，战胜险阻，把这段路走过去，而决不是停在途中抱怨，或索性坐在那里打盹，去听天由命。

所以，置身不如意环境的人们，不但不应消沉停顿，反而要拿出积极乐观的精神来面对目前的环境，使时光不至白白浪费。

在不理想学校读书的学生，你与其厌烦这所学校，懒得用功，怕见以前的同学，不如喜欢这所学校，努力进取，把自己以前所荒疏了的充实起来，你在这个学校一样可以有好成绩。或因功课学得好，再找机会考进好的学校。

那些对眼前工作不满意的人也是一样，每一位领导或主管都喜欢提拔那些肯埋头努力、认真工作的人。假如你工作认真，升迁的机会就可能会轮到你，除非没有机会。假使你自以为大材小用,一肚子委屈牢骚,成天懒懒散散,对工作敷衍了事,那么即使有了机会,也不会轮到你头上。

在此,我奉劝置身不如意环境中的朋友,停止抱怨,直面现实,把握机会,充实自己。一个肯努力上进的人,在任何环境里都用不着自卑。换句话说,一个不肯积极进取、浪费光阴的人,本身就有一些坏习惯,别人不会因为你环境不顺而原谅你的。同时,不要对自己目前的东西抱怨或不满。它们可能是贫乏的、不好的,但既然没有办法可以弄到更好的,你就只好迁就你既有的一切,从中去发现出路和希望。不重视现在,就不会有可以期待的未来。

◉坏习惯危害个人和社会

行为习惯反映一个人的文明程度,它影响着个人与社会。可以说,好习惯能美化我们的生活,而坏习惯则会污染我们的生活。

行为习惯涉及人的修养,反映出人的文明程度及内心世界,它不仅对本人起作用,还对他人、对集体、对社会、对自然界起作用。在现实生活中,有很多不尽如人意的事正是由于人的不良行为和习惯造成的。比如:有的人晾衣服晾在人家的窗前边,泼脏水泼到人家的门前,住楼上的往楼下扔脏东西,这些行为习惯必然造成邻里之间的矛盾。我们在社会上遇到的诸多不便,往往也与人的行为和习惯有关。

农村人到城市说你们这里有两大怪,其一是"小的比老的还厉害",指有些年轻人特别不文明,伸手就打架,张嘴就骂人,特别厉害。农村人到城市问路都不敢问年轻小伙子,明明往东走,他给你往西指。人家说,这儿的年轻人提前进入"更年期"了,脾气先变古怪了。其二是"女的比男的坏",指的是有些服务行业的女性服务态度不好,行为不文明。

乘坐公共汽车,乘客明明跑到门口了,可年轻的女售票员"叭"的一下子把门关上了,闹不好还被车门夹一下。

好容易上了车,问路——女售票员爱答不理,有时还耍态度;

去商店买东西——年轻的女售货员把脸拉得老长,好像你欠她什么,弄不好就吵起来,惹一肚子气;

住旅馆——服务态度冰冷,有的女服务居然当着客人的面把刷痰盂的水倒进洗脸盆里……

这些现象虽是个别的,却影响了社会的安宁和温馨。

被服务的人行为习惯不好也会造成人际关系紧张。

例如,一个旅客住旅馆,临走抄起新洗的枕巾,"噌!噌!噌!"擦自己的皮鞋。别人说:"先生,您怎么这么干哪?"他说:"这怕什么,小事!反正他们也得洗。"

有时,在公共汽车上谁挤了谁一下,一骂就是一路,越骂声越高,越骂越难听。至于随地吐痰、乱扔果皮、纸屑的现象更是严重。

所有这些不文明的行为习惯,都会造成社会的污染。

更严重的是,有些不良习惯还会酿成大祸。大兴安岭火灾就是一例,工人吸烟随地扔烟头引起了大火。还有些人有赌博习惯,搞迷信活动等等,这些都是社会的不安定因素。

要保持国家的安定团结,要使社会经济稳步发展,必须抓紧人们行为习惯的培养和训练。可以说,行为习惯直接关系千家万户,关系到我们的社会风气。为了建设一个高度文明的社会,我们必须改变坏习惯,培养好习惯。

一个国家,人们的行为习惯如何,标志着这个国家的文明程度。

在国内,大家对一些坏习惯已经习以为常,可在国外,一个随地吐痰的人,立刻就会成为众矢之的。据报道,在公共汽车上有几个外国人,边聊天边剥糖纸,几个人的动作都是一样的,他们拉开自己包的拉锁,把糖纸卷成卷扔进包中。从动作和表情看,他们都未加思索,是一种自主化的定型行为,说明他们已经养成了习惯。

生活中,我们经常看到有不少人在马路上边嗑瓜子边吐皮,吃香蕉、橘子都是随手把皮扔在地上。

不良的习惯,严重地污染了生活的环境。如,很多人有个习惯,排队买东西时,总想投机取巧,"钻"到前面去。而一些西方国家的人们对此十分看不惯。据说一位中国留学生在美国排队购物时,施展了"加塞儿"的本领,竟受到大家的一致抗议,使他非常难堪。一件在国内习以为常的小事,却在国外丢尽了中国人的脸。

再如:德国市民非常自觉,过马路时,红灯一亮,没有一个人穿行人行道,虽然马路上一辆车也没有,但他们还是自觉地等着绿灯。可我们有些人不要说过人行道,就是骑自行车过路口,也不管不顾地乱闯红灯。德国到处可见绿茵茵的草坪,虽然没有立着"不准践踏,违者罚款"的牌子,但人们都自觉地不进入草坪。可是我们有些公园绿地尽管大字罚款招牌立着，还是有人进去，如果是在拐角处有绿地，总要被人们走出一条斜路，以取近道。西方国家一些城市的广场上总有鸽子悠闲地踱来踱去，没有人去抓、去轰，而我们这里，树上落了一只麻雀都会有人用石头砸。

在国外，演出团表演结束，观众全体起立鼓掌，表示对演员劳动的敬意。而我们国内有些演出，演员还未下台观众已走掉一半。演出节目很高雅，可观众又是嗑瓜子又是聊天，还不时发出尖叫和吹口哨。演员演得很好，观众不懂鼓掌，而演员下台时不小心摔下跟头，台下却"呱呱呱"地鼓起掌来。凡此种种习惯的不同，正体现了文明程度的不同。

上述这些，并不是说外国人什么习惯都比我们强。说他们某一方面好，不等于他们什么都好；说我们某一方面差，不等于我们各方面都差。我们只是希望在培养好习惯，改变坏习惯上不妨借鉴一些他人的长处，只要他们在这方面有可取之处，我们就应该学。

◉坏习惯害人一生

坏习惯，轻者会使人过于刻板，重者会触犯法律、导致失败，进而使人的心理和身体皆会受伤。

坏习惯使人触犯法律。例如一个人从小就开始在拥挤的车站偷窃人家的财物，抢劫人家的钱包，久而久之，这种偷盗行为便可能成为一种恶习。由于养成了这种坏习惯，这个人迟早要接受法庭的审判。

一个在责骂和嘲笑声中长大的孩子，会形成一种对所有他讨厌的人都进行攻击的乖戾习惯。成年以后，这种习惯很可能将他送进监狱。

你也许会对有些习惯将导致人失败这一点感到惊奇，其实，这并不奇怪。有些孩子在家中从不干家务，父母也以"他得做作业"、"孩子爱玩本来就是天性"等理由去原谅他们。有些孩子呢，父母让他洗碗，他会给你打碎几个；让他打扫积雪，他会给你搞得到处泥泞。他们以这些小聪明迫使父亲下次不再让他们干活。上述的这类孩子，毋庸讳言会形成逃避劳动的习惯。

有些孩子害怕读书、写字，教师上课提问时他只会摇头，往往遭到教师和父母批评甚至打骂。实际上，聪明的父母和教师这时应该做的，是鼓励他们上课时集中思想,给他们布置一些简短的作业,并督促他们去完成。教师和家长应该懂得,只有培养他们服从和勤奋的习惯,才能替代他们原有的自我放纵的习惯。

一个孩子如果经常受到惩罚,或者他本可以自己干的诸如穿衣、吃饭等事,大人都替他干了,他会自感不能做好任何事情。这样,他未来的生活就难免要失败了。因为他没有胆量去尝试,结果自然一事无成。

有些习惯会损害人的身体。例如长期过度的工作,伴随而来的往往是睡眠不足、营养不良、缺乏锻炼乃至身体垮掉。

●自暴自弃是成功的头号天敌

有一位学者曾经指出,自暴自弃是成功的头号天敌。其实孟子早就说过:"自暴者,不可与有言也,自弃者,不可与有为也。言非礼义,谓之自暴也;吾身不能居仁由义,谓之自弃也。"

被称为天才,留有九大交响曲以及很多不朽名曲的贝多芬,得了堪称音乐家致命伤的耳聋,但是他却能突破这个障碍,向音乐奉献了一生才华。贝多芬说:"勇气就是不管身体怎样衰弱,也想用精神来克服一切的力量。25岁是男人可决定一切的年龄,不要留下任何悔恨。"

处在逆境中,有的人会为了想脱离逆境而奋斗,有的人却会为了无法克服逆境而堕落下去。当然,能成功的一定是前者,自暴自弃毁灭自己的则是后者。

一而再、再而三地遭遇失败,容易令人心情黯然,然而有人却说:"这算不了什么!"仍旧继续奋斗。但是一般人,往往要为失败找寻种种理由自欺欺人。

秉持这种态度而死不认错的人,处世为人必难以心怀善念。因为周围人们的反应,会影响他脆弱的心,以致陷入恶性漩涡,不能自拔。正如恶劣的品质可以在幸运中暴露一样,最美好的品质也正是在厄运中被显示的。

失败本是人生旅途中难免的事,不要惧怕失败,应该勇敢地面对它,只要尽了力,便可问心无愧。另一方面,探寻失败的原因,也要用正大磊落的态度,别人才会对你的作风有所谅解。

研究失败者,你会发现他们都患有一个通病,那便是为自己找借口。

你将发现,借口很好地向你解释了为什么有的人能不断进取,而有的人却原地踏步。你也将发现，借口千姿百态，其中最糟糕的莫过以健康、智力、年龄和运气等为借口，越是成功的人，越极少寻找借口。而那些停滞不前的人却总有无限地借口可寻，平庸的人总能很快地自我辩解为什么他没有或不能成功。

研究成功者的生活，你将发现，所有通常人所找的借口，在这些成功者的生活中荡然无存。

其实，每一位获得极大成功的企业家、军事家以及其他领域里的专家和领袖，均可找出一个或更多的借口而怨天尤人、停滞不前。罗斯福可以因他的毫无生命力的双腿而沮丧；杜鲁门可说他该受高等教育；肯尼迪能发现"作为一名总统，我实在太年轻了"；艾森豪威尔亦可因其心脏不好而毫无建树。

就像一切病症一样，如果治疗不当，借口会越来越多。这种思想病的后遗症是："我没有做出我应有的成绩，能否找点什么托词来挽回自己的脸面吗？健康状态不好？受教育程度太低？年岁太大或太年轻？个人的不幸？妻子的拖累？或者还是我从小所受的家庭影响？"

一旦这种"失败病毒"的牺牲者选中了一个适当的借口，他便盯住这一借口，依靠这个向自己和他人辩白我为什么不能取得进步。

一个患这种"思想病"的人每找一次借口，这种借口在他的潜意识中就更进一步扎根；几经反复，"思想病"转为消极的癌疾。最初，病人还知道借口只不过是一种类似于流言的东西，但谎言重复三次也就成为真理。终于，借口便真的成了你不能成功的原因。

在你制订的成功计划中，首先要使你自己对借口——失败病毒，具有免疫力。

当我们面对失败时，若是心中产生自怨自艾的想法，将会招致严重的挫折感。这种否定的思绪会长久地深植在心中，而且不断地在我们的想法和行为上表现出来。一旦你的脑海中，充满失败的感觉后，你的外在行为将会表现得和你的想法一致，而愈陷愈深。

这种情况会持续且愈变愈糟，除非你心中的挫败感能消除。以销售员为例，当他处于长期的业务低潮后，若是能创下一笔惊人的销售业绩，则他心中长久以来积蓄的低落情绪，将可戏剧性地一扫而空。

自我肯定能诱发光明积极、活泼开朗的个性而渐渐奠定信心的基石，有了自信为基础等于向成为英雄豪杰的目标迈进一大步，因此而成功立业的类型真是细数不尽。

人可以说是环境的动物，人的性格也并非天生就如此，出生以后的环境也是决定性的因素。但不管环境如何，始终认为自己一定要成功的人最后一定会成功。凡事应该认真奋斗，否则会被环境压垮，而无法成功，尤其被环境压垮时，人的意志更容易消沉。最重要的还是，愈处于逆境中愈要有想挣脱出来的这种强烈意志才好。

写过《包法利夫人》一书的福楼拜曾说："你一生中最光辉的日子，并非是成功的那一天，而是能从悲叹和绝望中涌出对人生挑战的心情和干劲的日子。"

成功并不是最美的，最美的是能在逆境中，继续奋斗努力的精神。成功只是那些努力的一个成果而已。

◉好高骛远注定一事无成

有一个 24 岁的年轻人，他毕业于名牌大学，能言善辩、才华横溢。在某公司的招聘专场上，他给公司老总留下了极深刻的印象。当时他应聘的职位是销售总监，见多识广的老总也被他的雄心壮志吓了一跳：一个初出茅庐的年轻人居然敢应聘这么高的职位，是真有过人之才还是太狂妄？在接下来的 45 分钟里，年轻人讲述了自己对工作的构想，听得老总直点头。最后老总录取了他，让他先到销售部担任助理的工作，先从基层锻炼一下，再慢慢提升，其实这也是对他的一个试炼。可惜年轻人却未能体会老总的良苦用心，他觉得让自己当助理简直就是大材小用，决策型的人才被白白浪费了。因此，对于分给他的"小事"他根本就不曾用心去做，实用的知识、技能也不看在眼里，就这样浪费了 5 个月后，老总给了他一次表现的机会：全权组织一个促销活动。他觉得这只是小菜一碟，马上就开始组织。没想到看花容易绣花难，他不知道怎样培训促销员，不知道怎样和商场沟通，不知道怎样布置会场，不知道……

一个星期后，看着他交上来的惨淡的"成绩单"，老总叹了口气："我以为找到了良将韩信，没想到他其实是只会纸上谈兵的赵括。"

结果可想而知——年轻人很快就被公司辞退了。

某名牌大外语系学生郭冬，快毕业时一心想进入大型的外资企业，最后却不得不到一家成立不到半年的小公司"栖身"。心高气傲的郭冬根本没把这家小公司放在眼里，她想利用试用期"骑马找马"。

在郭冬看来，这里的一切都不顺眼——不修边幅的老板，不完善的管理制度,土里土气的同事……自己梦想中的工作却完全不是这么回事啊。

"怎么回事?"

"什么破公司?"

"整理文档?这样的小事怎么让我这个外语系的高材生做呢?"

"这么简单的文件必须得我翻译吗?"

"就一篇小报告而已,为什么自己不写要我帮忙呢?"

"噢,我受不了了!"

……

就这样,郭冬天天抱怨老板和同事,双眉不展、牢骚不停,而实际的工作却常常是能拖则拖,能躲就躲,因为这些"芝麻绿豆的小事"根本就不在她的思考范围之内,她梦想中的工作应该是一言定千金的那种。呵,梦想为什么那么远呢。

试用期很快过去,老板认真地对她说:"我们认为,你确实是个人才,但你似乎并不喜欢在我们这种小公司里工作,因此,对于手边的工作敷衍了事。既然如此,我们也没有理由挽留你。对不起,请另谋高就吧!"

被辞退的郭冬这才清醒过来,当初自己应聘到这家公司也是费了不少力气的,而且,就眼前的就业形势,再找一份像这样的工作也很困难啊。初次工作就以"翻船"而告终,这让郭冬万分失望与后悔,可一切都已晚矣!

郭冬看不起自己的工作,一心做着外企高级白领的美梦,结果梦想没成真,反倒弄砸了饭碗。成功不但要有理想,还要能脚踏实地地去工作,一个人如果眼高手低,不从实际出发,只懂得沉浸在宏伟的梦想里,那就叫做好高骛远。一个习惯于好高骛远的人,是不会有未来可言的。

现实生活中,有些人总是有很高的梦想,但他们却无法脚踏实地地实现梦想。他们不屑于眼前的这些小事,旁人在他们眼中,也大多是一群庸庸碌碌之辈,谈不上有什么共同语言。但在最初交往时,人们往往会被他们表面的雄心壮志所迷惑,老板也会认为他们是难得的栋梁之材。而事实上,他们眼高手低,大部分时间都沉浸在自己宏伟的梦想中,长此以往,他们不能也不会做出什么成就,曾经的雄心壮志难免会变成同事们茶余饭后的笑料。除非他们幡然悔悟、奋起直追,否则,等待他们的往往是慢慢沉沦,或者跳到其他的公司去继续发牢骚,即使这样,同样的悲剧也难免再次上演。

如果我们想在公司里出人头地,就应该将自己的梦想与公司的发展结合在一起。我们要从现在的任务做起,一步步认真而又执著地做下去;我们要认真地去拜访客户、调查市场，而且，无论做什么，都要自始至终在脑海中保持着梦想的远景。只有这样，我们才能把注意力集中在现在需要做的事情上，同时也与我们的梦想保持密切联系，使我们的每一次行动都在向心中的目标前进。当我们集中精力处理当前事务的时候，我们就已经开始成长。实现未来梦想的第一步，就是把当前的工作尽力做好，然后再满怀信心地去做下一个。

这样一来，不但你的心中会时时充满对工作的热爱，你也一定能在工作中体会到无穷的乐趣，逐渐取得越来越大的成就。当你的能力逐渐超过现在职位需要的时候，你就可以充满自信地向更高的职位前进了。一个成功的人总是满怀感激地生活、工作，同时在内心明确地保持着自己的理想。与其天天做白日梦或者失意地愤而退出，不如集中精力并且扎扎实实地努力工作；只有这样，才能更快更好地让你的梦想变成现实。到那时，周围的人一定会对你刮目相看，你将会充分实现自己的梦想和价值。

好高骛远的习惯，对你有百害而无一利，它会让你变得浮躁，让你变成一个空想家，为了不让好高骛远的习惯毁了你，你就必须踏踏实实地去做好身边的每一件事。

◉光想不做只能生产思想垃圾

曾经有人问布莱克："你成为一位伟大的思想家，成功的关键是什么？"

"多思多想！"布莱克回答。

这人满怀"心得"，回去躺在床上，望着天花板，一动也不动，开始多思多想。

一个月以后，布莱克在回家的路上，碰见了那人的妻子，她对布莱克说："求你去见我丈夫一面吧，他从你那儿回来后，就像中了魔一样。"

布莱克到了那人的家一看，只见那人变得骨瘦如柴，拼命挣扎着爬起，对布莱克说："我每天除了吃饭，一直在思考，你看我离伟大的思想家还有多远？"

"你整天只想不做，那你思考了些什么呢？"布莱克问。那人道："想的东西太多，头脑里都装不下了。"

"我看你除了脑袋上长满头发，收获的全是垃圾。"

"垃圾？"

"只想不做的人只能生产思想垃圾。成功是一把梯子，双手插在口袋里的

人是爬不上去的。"布莱克答道。接着,他举了这样一个例子:

从前,有一位满脑子都是智慧的教授与一位文盲相邻而居。尽管两人地位悬殊,知识水平、性格有天壤之别,可两人有一个共同的目标:如何尽快富裕起来。

每天,教授跷着二郎腿大谈特谈他的致富经,文盲在旁虔诚地听着,他非常钦佩教授的学识与智慧,并且开始依着教授的致富设想去实现。

若干年后,文盲成了一位百万富翁,而教授还在空谈他的致富理论。

思想固然重要,但行动往往更重要。我们的基本本性是主动行动而不是消极等待。这一本性不仅能使我们选择对某种特定环境的反应,而且能使我们创造环境。

采取主动并不意味着紧催硬逼、令人生厌或寻衅好斗。它的真正含义是承认我们有责任使事情发生。

许多人等待着事情发生,或等待着别人照顾他们。但那些最终获得好职位的人都是那些解决了问题而不是为问题所困住的能动型人,这些人按照正确的原则掌握主动,做了需要做的事件,完成了工作。

那些发挥主动性的人和那些不发挥主动性的人有着天壤之别。这里指的不是效力上的 25% ~ 50% 的差别,而是 5000% 以上的差别,如果那些发挥主动性的人是聪明、有见地和反应敏锐的人就更是这样了。

●过于依赖别人会丧失你自己

在日常生活中,我们有些人过于计较别人的赞同或反对。期待别人的承认、获得别人的赞同、乐于得到表扬,这本是人之常情。但如果你不能正确地看待别人的反对的话,在你通往成功的路上必然会布满荆棘。当然,为了更好地在这个世界上前进而去寻求别人的赞同,是有益于健康并令人愉快的。但如果你不断地试图取悦于人,那么你将失去自己的个性;如果你过于依赖赞同,那么,你无异于将自己交付给了那个期望得到他们赞同的人,让自己受到别人的支配;如果你把别人的意见或者信念看得比自己更重要,其结果也会同上述的一样。你让别人来支配你,使自己陷入被动的境地。

在这一点上,你应该记住,我们所有的人,自从童年时起便养成了这种习惯。还在蹒跚学步的阶段,我们便被训练着对寻求赞同的信号做出反应。一个年幼的孩子,几乎他做的每一件事,都必须得到父母的允许。"好的"这一简明的告诫,无非是意味着:"照我告诉你的那样去做。"

这种方法的结果是,我们绝大多数人被养成了过于依赖别人的习惯,成为遵从者而不是决策人。

不用说,一个社会如果没有道德和社会的准则——没有社会的约束力,这个社会就不可能存在下去。很明显,我们都必须遵循这一种或那一种生活方式。如果你听任别人把一种与你的个性及信念不相容的思维方式和习惯强加给自己,一味遵循并总是追求赞同的话,将会危及你的成功。我们都认为自己能够做出决定,把自己看成一个并不过于依赖别人赞同的人。

下面是几则检验依赖习惯的提问,对照这些问题,你将认识到自己是否真正地摆脱了对赞同的依赖,是否真正摆脱了操纵。

(1)你把自己的感情责任交付给别人吗?

如果某人不赞成你,你感到沮丧吗?

如果某人不注意你或你的成绩,你感到愤怒吗?

如果某人不同意你的意见,你感到有威胁吗?

(2)你经常在不要求道歉的时候道歉吗?

当你在加油站问路时,你用"很抱歉,哪里是……"这类话开头吗?

在一次谈话或者会议上,你喜欢用类似下面的开场白吗? 如:"当然,我没有权力对这件事或那件事做出决断","当然,我不愿引起任何人的不安","我确实不应当说这些,但是……"诸如此类的话作开场白吗?

(3)你倾向于让别人显得比你自己更重要吗?

你很容易接受一个好斗的买卖人的恫吓而买下你并不真正喜欢的东西吗?

你容易被人说服去承担自己并不喜欢的工作或责任吗?

你认为让自己付出代价而让别人获得幸福是自己的责任吗?

(4)你允许别人贬低你和你的能力吗?

"哼,他正在四处宣扬他将取得硕士学位。"

"她的愿望将永远不会实现,让她去做梦吧!"

"你们演员都是同样的,表演太过分。"(如果一味迁就,这种嘲弄将会没完没了。)

对上列问题进行思索后,请想想韦恩·戴尔博士针对那些为了寻求别人的赞同而神经过敏,并自拆台脚的人所说的话:只要别人是认真负责的,而你自己又不可能改变性格,你就不必冒任何风险。因此,把寻求别人的赞同作为自己的一种生活方式,将有助于你在自己的一生中安安稳稳地避免任何冒险行动,强化你头脑中那种别人必须照料你的习惯,从而使你回复到自己被人怀抱、保护和指使的孩提时代。

一旦你决心克服掉自拆台脚以寻求别人赞同的习惯,你就应当从一些简单的调整开始,逐步改变自己的习惯。

(1)写下白天里你是怎样经常用"对不起"作为话语的开头。

(2)写下白天里你是怎样经常地用"我对吗"或"你同意吗"作为谈话的结尾。

(3)避免参考任何他人的意见来为自己辩护。

(4)承认如下事实:你不可能在任何时候都使每一个人都学会在非难中生活。

(5)学会依靠自己做出判断。例如在买衣物的时候、选择家具的时候、或者在对一些重要问题作决定的时候。

◉自命不凡有百害无一益

自命不凡是成功者的特种病,是英雄头脑中的恶性肿瘤,是天之骄子的致命克星。人越是成功,就越容易形成这种习惯,而一旦形成,很少有人不失败的。

公元219年7月,吴将吕蒙来见孙权,建议乘关羽和曹操作战围樊城的时候,偷袭荆州。这建议正合孙权之意,立刻委以重任。

可是,吕蒙发现镇守荆州的蜀将关羽警惕性很高,荆州军马整齐,沿江又有烽火台警戒,互透军情,很难正面攻破。正在苦思偷袭之策,陆逊来访,教给吕蒙一条诈病之计。

陆逊说:"关羽自恃是英雄,无人可敌。唯一惧怕的就是将军你了。将军乘此机会可假装有病,解去军职,把陆口的军事任务让给别人,又使接你职务的人大赞关羽英武,使关羽骄傲轻敌。这样,关羽就会把防守荆州的兵调去攻打樊城。假如荆州没有防备,将军只需用一旅的军队,出奇制胜偷袭荆州,便可以重新掌握荆州了。"吕蒙大喜,说:"真好计也。"

后来，吕蒙果然请了病假，回到建业休息，并推荐陆逊代他守陆口。关羽得到消息知道吕蒙病重，已调离陆口，新来的陆逊名不见经传，遂有轻敌之心。他还收到了陆逊送来的礼物，附上一封措词卑谦的信函。信中说："您在樊城一役中，把曹将于禁俘虏过来，水淹七军，远近赞叹，都说将军的功劳足以流芳百世。虽是晋文公大胜楚军的英勇，韩信打败赵兵的谋略，也不及您老人家……这次曹操失败了，我们听到也很高兴。但是，曹操很狡猾，不会甘心失败，恐怕会增调援兵，以求一逞野心。虽说曹军师老，还是很强悍的。况且战胜之后，一般都会出现轻敌的观念。所以古人用兵，胜利之后就应更加警觉。希望将军您多方面考虑计划，以获全胜。我只是一介书生，没有能力担任现职，幸好有您老人家这样强大的邻居，愿意把想到的贡献给将军做参考，希望将军能多加指教！"

关羽看了这信，仰面大笑，命左右收了礼物，打发使者回去。他觉得这个年轻书生人不错，用不着防范，于是，他下命令把原来防备东吴的军队陆续调往樊城前线。

就在这时，曹操用司马懿之计派使来到吴国，要孙权夹击关羽。孙权早已决定要袭取荆州，所以马上复信，表示同意。这样，原来的孙、刘联盟抗曹，一下子变成了曹、孙联盟破刘，形势急转直下。孙权拜吕蒙为大都督，总制江东各路兵马，袭击关羽的后方。

吕蒙到了浔阳，命士兵们穿了白色的衣服扮作商人，借故潜入烽火台，攻取了荆州。事情到了这个地步，关羽才知道自己对东吴的防备太大意。为了重振军威，他带着日益减少的人马准备南下收复江陵。但是，在吕蒙、陆逊的分化瓦解下，他只能步步败退，最后只有困守麦城。在小城既得不到西川的消息，又盼不来援兵，他只好带一部分士兵偷偷地从城北小路逃往西川。但他哪里知道，吕蒙早已派兵埋伏在那里了，一阵鼓响，伏兵四出，关羽被生擒活捉。同年12月，关羽被斩首，荆州各郡县皆归东吴。

关羽之死，可谓千古悲歌。其人堪称"武圣"，一生忠义，几近完人。只因为自视清高，不得善终。虽然令人感叹，更为后人敲响了警钟。像关羽这样的英雄，尚且骄傲不得，其他人哪里还有骄傲的理由。

其实，只要脚下的某块石头一松动，就有坠入深渊的危险，而那些不可一世的英雄却浑然不觉，仍然独自陶醉于"一览众山小"的壮志豪情中。殊不知正是这种时候，脚下的石头是最容易松动的。

三国时候，祢衡很有文才，在社会上很有名气，但是，他恃才傲物，除了自己，任何人都不放在眼里。容不得别人，别人自然也容不得他。所以，他"以傲杀身"，被黄祖杀了。

祢衡所处的时代，各类人才是很多的，但他目中无人，经常说除了孔融和杨修，"余子碌碌，莫足数也"。即使是对孔融和杨修，他也并不很尊重他们。祢衡29 岁的时候，孔融已经 40 岁了，他都常常称他们为"大儿孙文举，小儿杨德祖"。

经过孔融的推荐，曹操见了祢衡。见礼之后，曹操并没有立即让祢衡坐下。祢衡仰天长叹："天地这么大，怎么就没有一个人！"

曹操说："我手下有几十个人，都是当今的英雄，怎么说没人？"

祢衡说："请讲。"

曹操说："荀彧、荀攸、郭嘉、程昱机深智远，就是汉高祖时候的萧何、陈平也比不了；张辽、许褚、李典、乐进勇猛无敌，就是古代猛将岑彭、马武也赶不上；还有从事吕虔、满宠，先锋于禁、徐晃；又有夏侯惇这样的奇才，曹子孝这样的人间福将。怎么说没人？"

祢衡笑着说："您错了！这些人我都认识，荀彧可以让他去吊丧问疾，荀攸可以让他去看守坟墓，程昱可以让他去关门闭户，郭嘉可以让他读词念赋，张辽可以让他击鼓鸣金，许褚可以让他牧羊放马，乐进可以让他朗读诏书，李典可以让他传送书信，吕虔可以让他磨刀铸剑，满宠可以让他喝酒吃糟，于禁可以让他背土垒墙，徐晃可以让他屠猪杀狗，夏侯惇称为'完体将军'，曹子孝叫做'要钱太守'。其余的都是衣架、饭囊、酒桶、肉袋罢了！"

曹操很生气，说："你有什么能耐？敢如此口出狂言？"

祢衡说："天文地理，无所不通，三教九流，无所不晓；上可以让皇帝成为尧、舜，下可以跟孔子、颜回媲美。怎能与凡夫俗子相提并论！"

这时，张辽在旁边，拔出剑要杀祢衡，曹操阻止了张辽，悄声对他说："这人名气很大，远近闻名。要是杀了他，天下人必定说我容不得人。他自以为了不起，所以我要他任教吏，以便侮辱他。"

一天，祢衡去面见曹操，曹操特意告诉看门人："只要祢衡到了，就立刻让他进来。"祢衡衣衫不整，还拿了一根大手杖，坐在营门外，破口大骂，使曹操侮辱祢衡的目的没能达到。

有人又对曹操说："祢衡这小子实在太狂了，把他押起来吧！"

曹操当然很生气，但考虑后还是忍住了，说："我要杀他还不容易？不过，他在外总算有一点名气。我把他送给刘表，看看结果又会怎么样吧。"就这样，曹操没有动祢衡一根毫毛，让人把他送到刘表那儿去了。

到了荆州,刘表对祢衡不但很客气,而且"文章言议,非衡不定"。但是,祢衡骄傲之习不改,多次奚落、怠慢刘表。刘表又出于和曹操一样的动机,把他送给了江夏太守黄祖。

到了江夏,黄祖也能"礼贤下士",待祢衡很好。祢衡常常帮助黄家起草文稿。有一次,黄祖曾经握住他的手说:"大名士,大手笔! 你真能体察我的心意,把我心里要想说的话全写出来啦!"

但是,后来在一条船上,祢衡又当众辱骂黄祖,说黄祖"就像庙宇里的神灵,尽管受大家的祭祀,可是一点儿也不灵验。"黄祖下不了台,恼怒之下,把祢衡杀了。祢衡死时才26岁。

曹操知道后说:"迂腐的儒士摇唇鼓舌,自己招来杀身之祸。"

祢衡短短一生,没有经过什么大事,很难断定他究竟才高几何。然而狂傲至此,即便有孔明之才,也必招杀身之祸。可见,自视清高会带来什么样的后果。

⦿盲目从众只会阻碍前进的步伐

"司空见惯"这句成语说的是习惯对人的影响,而"习惯成自然"则是指通过多年的磨合,人们逐渐习惯了向世俗低头。孔子说"五十而知天命,六十而耳顺",说明人们已经完全与习惯融为一体。"门当户对"、"名正言顺"等对事情的评价的普遍认可都说明习惯对人们的深刻影响,许多已上升到了经验的地步。

中国人说的经验在很大的一部分包括的是指对习惯的接受程度,一个人的经验越多说明他对习惯掌握了解得越多。我们说一个人比较成熟,在很大程度上说的是他对习惯的心理接受程度。许多人在逐渐长大、逐渐成熟的过程中,对许多事情"习惯成自然",在这自然之中,丧失了进取,丧失了良知,丧失了自尊。从现象来说,奴才应该站着,主人应该坐着,这是习惯,让奴才坐着说话时,奴才会谦虚地说"奴才习惯了站着"。"已存在的就是合理的",其实准确地说是"习惯了就是合理的"。让人们打破大锅饭,不习惯也就是不合理,完全不看这件事的本来情形。早在古代,人们可以说贪官不好,不能说皇帝不好,因而这不符合中国人的习惯和观念。

　　20 世纪 70 年代,北京某居民楼中施工时工人把 2 单元的水接到 1 单元的水表上了,所以 2 单元的居民水表一直走得很慢,而一单元的水表一直走得特快。由于二十几年来两个单元居民的电费一直由各单位补贴,所以大家虽然觉得奇怪,但从没有人出面询问过这些事。直到今年,水费涨价、单位不再予以补贴,两个单元的居民发现了其中有蹊跷,请专业人员来查看才知是水表连接有问题。这个例子很说明了问题。多少年来在僵化的大公有体制下,人们对公有利益处于一种完全麻木的状态,这种麻木逐渐成为一种恶劣的习惯,噬食了人们健康大脑,使他们的思维陷入一种可怕的习惯"定式"之中。集体负责,事实上是无人负责;公有财产,事实上成了无主财产了,习惯了的人们正在一点一点失去自己的责任心,诚实和是非观念。

　　在"习惯了"的背后,我们当发现许多问题,在古代大哲人观念下,在既往严格的思想控制下,人们的特异思维被扼杀了,服从和习惯成了"听话"的代名词,这就是习惯了的中国人产生的根源。

　　当然,中国人对习惯采取的这种接受方式一方面也与大众的习惯心理有关。长期以来,我们发现人们复杂的社会心理中有一种从众现象。看见周围的人都那样做,听见周围的人都那样说,自己也就不去独立思考,盲目地跟着人家那样做,那样说;或者这种行为和观点是自古已然的旧习惯、老传统,自己也就遵从那种传统习惯。这样的从众心理,实际上就是习惯心理。这种习惯心理与大众的素质有关。一方面绝大多数人们没有分辨是非的能力。另一方面具有分辨是非能力的知识分子却由于自身的利益,反而鼓吹这种从众的惰性心理。从现代社会来看,习惯了的习惯心理者作为社会个体,没有特别的发现、发明和创造,干不出什么大事业来,大家都想维持现状,这是十分危险的。对团体,比如一个企业来说,如果每个成员习惯心理严重,就不可能在技术上、设备上、管理上进行探索、试验,大胆改革,锐意创新,最多只能维持原有的生产水平。对一个民族和国家来说,人们的习惯心理只能造成民族和国家长期地停滞不前和落后局面,有时甚至造成人为的灾难。

　　比如"文化大革命"中的从众现象便对错误的文化大革命起了推波助澜的作用。文化大革命初起时,广大群众是很不理解的。但是,由于迷信"最高权威"、"最高指示"、"专案材料",加上"红卫兵运动"的被煽起,不理解的广大群众也就参加了文化大革命。

　　可见,服从于习惯,盲目从众,不肯独立思考,对个人、对社会都是有害的。而坚持独立思考,反对惰性习惯,则可以使人们焕发出创造力。

●逃避解决不了任何问题

三年前,我在一家大公司任职。经理是位40岁上下的男子,一向表情严肃刻板。一次我随他外出,在飞往重庆的客机上,他向我吐露了一件藏在心里已久的隐私。应该说,在那个时候,作为我心目中威严的上司,他说的那个话题却真真地让我受窘又惊诧不已。

"十年前,我受雇于一家染织公司当业务员,由于我的勤劳能干,大量欠款源源不断地收回,公司颓败的景象立刻有了改观。老板也很赏识我,几次邀我到他家吃饭。就在这时,他唯一的女儿悄悄地爱上了我,常常送一些精美的小玩意儿给我。我起初不敢接受,后来碍于情面只得收下。就这样过了两年,当有一天我告诉她我不能再给予她太多时,她一气之下寻了短见。

"她的两个哥哥咆哮不止,扬言非要我偿命不可。那时我手里已有了为数不少的积蓄,很多人劝我一走了之。我没有这样做,心里只有一个念头:事因既然在我,我必须回去面对这一切,是死是活——无关紧要。

"当我走进她的家门,一群人向我扑来,可她的父亲——我的老板向其他人摆了摆手,走上来紧握着我的手,良久才缓缓说了这么一句话——'一个女人愿意为你献身,说明你是一个不同凡响的人;你敢来面对这一切,说明你是一个有血有肉的人。'"

说到这里他停住了,好一会儿再也无语。但我知道,他已经给了我一个最好的人生哲理:对于你自己造成的耻辱,除了勇敢地去面对,你别无选择!逃避只能加重伤痕的裂口,或者一蹶不振。

望着他沉郁又冷峻的脸,我想:他事业的辉煌与腾达,是不是也得益于这一信条呢?成就事业的人,也是能够经得起磨难与考验的人,对于自己的苦难勇于面对的人。

人的一生是在不断的失败中度过的。对于许多人来说,失败并不可怕,可怕的是你在心灵上被彻底打败了,而又未能体会到真正的"教训",反而一再重蹈覆辙,以致到最后落得无可救药。我们常说:"胜败乃兵家常事,因此要胜不骄,败不馁。"而更重要的是要经得起挫折,能重振旗鼓,开辟人生另一个战场。

日本大企业家松下幸之助对此理念阐述得最透彻,他说:

"跌倒了就要站起来,而且更要往前走。跌倒了站起来只是半个人,站起来后再往前走才是完整的人。"

日本三洋电机公司顾问后藤清一,曾在松下电器公司担任厂长,当时松下幸之助就给他最好的教育机会。有一天,日本遭逢有史以来最狂暴的台风,虽无人员伤亡,但工厂却接近全毁。后藤心想:好不容易迁到新厂,正想要全力生产、大干特干时,却遭此打击,老板心理上一定很沮丧吧!

松下是在台风即将停止之前赶到工厂的,此时不巧松下夫人亦身体不适而住院,他是探病后再赶来的。

"报告老板,不得了,工厂遭逢巨变,损失惨重,我来当向导,请巡视工厂一趟吧!"

"不必了,不要紧,不要紧。"

"……?"(彼此无语)

老板手中握着纸扇,仔细地端详它,横看、竖看,神情异常地冷静。

"不要紧,不要紧。后藤君啊! 跌倒就应爬起来。婴儿若不跌倒也就永远学不会走路。孩子也是,跌倒了就应立即站起来,嚎哭是没有用的,不是吗?"

松下说完掉头就走,对工厂的灾难毫无惊恐失色之态,就快速离去。

◉犹豫不决只会错失机会

艾尔伯特·哈巴德说:"一个人犹豫不决,就是怕犯错。"犹豫不决是避免责任与犯错误的一种方法,它有一个谬误的前提:不做决定就不会犯错误。希望做到至善至美的人,特别惧怕犯错误。他从没犯错误,一切事情都做得很完善,如果他对不起这幅完善的图像,强劲的自我就会垮得粉碎,因此,他认为做决定是生死攸关的事情。

这种人的个性改造有两个办法:

(1)尽量不要做太多的决定,而且尽量拖延做决定的时间。

(2)找一个现成的东西来代替所要做的决定。采用这后一种办法的人会仓促地做决定,但他所做的决定大都不成熟,而且一定会半途而废。这种人总是认为自己是完美的,在任何情况下他都是不会犯错误的,因此不必费心去考虑事情的实际情况及结果,他不会为必须做出决定而发愁。要是他的决定出了错误,他只要让自己继续相信那是别人的错,问题并不出在自己身上就足够了。

显而易见,采用这两种方法的人都错了。采用第一个办法的人,时常会在冲动与考虑欠周的行动之中自寻麻烦,而采用第二种办法的人根本做不了事情,因为他一点也没有行动。总之,那种把犹豫不决当作处理问题的正确方法的看法,是根本行不通的。

错误谁都会犯。你应当知道,没有一个人在打棒球时,能够达到100%的命中率,十次中能够击中三次,已经很不错的了。有名的本垒打的纪录保持者鲍伯·詹斯同时也是三振最多的球员。事情进展的过程,其本质就是一连串的行动、犯错误与修正错误的过程。导向鱼雷能够逐渐接近目标最终击中目标,是经过一连串的错误与不断修正错误达成的。你要是总站着不动,你就无法修正你的方向,不做事情,你也无法改变和修正。因此,你必须考虑事情的趋势和事实,预想各种行动方针的可能的结果,选择你认为最好的解决办法,并且大胆地去做,边前进边修正你的方向,不要害怕犯错误。这是克服犹豫不决的一个方法。

另一个克服犹豫不决的方法是认识自尊,并且认识自尊在犹豫不决中的实际保护作用。很多人害怕因为做错事而丧失自尊,所以总是犹豫不决。要利用自尊,不要使它成为绊脚石。为此,你必须先要明确这样一个事实:大人物与伟人都会犯错误而勇于承认错误,只有小人物才怕犯错误。

一个人不经过无数的大小错误,是无法伟大起来的。许多人在谈到他们的成功时,都认为,自己从错误中比从成功中得到更多的智慧,时常从不想做的事情中找到要做的事情,而那些从不犯错误的人都不可能有任何发现。

爱迪生的夫人曾经说过:"爱迪生不断使用去除法解决问题。如果有人问他是否因为有太多的途径是行不通的而感到泄气,他一定回答说:不!我才不会泄气!每抛弃一种错误的方针,我也就向前跨进了一步。"

◉踌躇不决是阻碍成功的大敌

有人曾将25000位遭受失败的男女加以分析,并揭开一件事实,即:"没有决心"在失败的31项重大的原因中,列在前茅。

踌躇不决,几乎是每个人都必须克服的共同敌人。

你读完本书而准备将书中所述的原则付诸实施时,就有机会试验你迅速而确定地下决心的能力了。

亨利·福特最特异的性格之一,就是他有下决心迅速而改变缓慢的习惯,他这种性格显著到他被称为出了名的顽固。就是这种性格,驱使他继续制造出名的T型汽车(世界上最丑的汽车),尽管他的全体顾问,以及很多买这种车的人,都极力劝其将它改型。

也许是福特拖延这车的改型太久了,不过在另一方面,在必须改型之前,他的坚定决心,却为他赚得了巨大的财富。福特先生决心坚定的习惯,已经到了固执的程度,不过他此种性格,毕竟优于先犹豫不决而后改变快速的作风。

不能聚积足够钱财以供所需的人,大多数都容易受别人意见的影响。他们让新闻纸及多话的邻居替他思考,但意见是世界上最便宜的货色。每个人都有一大堆意见,准备好贡献给肯接受它的任何人。如果你作决定的时候会受别人意见的影响,你做任何事都是得不到成功的。

如果你受别人意见的影响,你就不会有自己的欲望。

在开始应用本书所述的原则时,你要自作主张,自己做出决定并且付诸实行。除了你选择智囊团的分子之外,你任何人都不要相信,而且在你选择智囊团的分子时,要确定只选与你的宗旨相协调而又完全拥护它的人。

好朋友与亲人尽管有时是无心的,也会用"意见"来阻碍你,有时用的是幽默的玩笑。成千上万的男女,终生带着自卑感,为的只是被怀着好意的无知人用"意见"或开玩笑而毁了他们的自信心。

你有自己的灵感与脑子,用它们来做你自己的决定。如果你需要别人提供事实或资讯来帮助你作决定——可能你很多时候会这样——要悄悄地取得你所需要的资讯,而别宣扬你的秘密。

人们的性格往往是:虽然只有一点浅薄的知识,也要给人造成他似乎有很多知识的印象。这种人有嘴巴,可没有耳朵。你要紧闭你的嘴,而让你的眼睛与耳朵张开——倘使你想养成立即下定决心的习惯的话。话讲得太多的人,是很少做事情的。如果你说话多于听话,你不仅失去很多收集有用知识的机会,并且会暴露了你的计划与意向,而使得人家大为高兴:他可以将你击败,因为他们是嫉妒你的呀。还要记住,每次你在一位知识丰富的人面前张口说话,你就向他暴露知识存量的确实底蕴,或者它的匮乏。高度的智慧,往往表现为谦逊与缄默。

再记住一件事实:你所交往的每个人,都像你自己一样在寻求发财的机会。

如果你太随便暴露你的计划,你会发觉,有人就用你不很机警地说出的计划,比你提前付诸实施,而在你自己的目标上打败你,再使你惊讶不已。

你的第一个决定,就是闭上你的嘴,张开你的耳朵和眼睛。

作为提醒你遵守此一建议的备忘录,你可以用大字抄写下面的警句,贴在你每天能看到它的处所——这对你很有益处:

"告诉世人你想做的事,不过要在你做给他们看之后。"

这等于是说:"最有用的是做,而不是说。"

决心的价值,决定于它做成时所需要的勇气。

在我们所讲的全部哲理中,可以发现一种提示:思想受到强烈欲望的支持,便有将它自己转变为其实质等量物的倾向。

在你寻求此种方法的秘密时,别寻求奇迹,因为你是找不到它的,你找到的只是大自然的永恒定律,这定律使每一个有信心有勇气使用它的人都找得到的。它们可以用来取得一个国家的自由,或者用来累积个人的财富。

能够立刻做出决定,又确切知道他要的是什么的人,一般都能得到他所要的事物。世界各国的领袖,都能迅速而坚定地下决心,这就是他们之所以成为领袖的主要原因。这个世界习惯于空出地位来,给予言行都明白表示他知道应该往何处去的人。

踌躇不决往往是人年轻时便开始的习惯。当年轻人由小学到中学,甚至经过了大学,都还没有一定的意向时,此种习惯便成为永久性的了。

踌躇不决的习惯,还会跟着学生一同到他所挑选的职业上去——假使他的确挑选过职业的话。普通的年轻人,是一踏出校门,便寻求他能找到的任何工作。而且他找到第一个职业便接受了,因为他已经养成了踌躇不前的习惯。目前作薪水阶层工作的人中,百分之九十八都是在缺乏确定的决心的情况下去寻求职位的,又在缺乏如何选择雇主的情况下得到工作的。

缺乏决心是失败的主要原因。每个人都有他的意见,不过最后是你的意见决定自己的一切。下定了的决心,会使它自己切合异常特殊的环境。踌躇不决往往在年轻时候便开始,你应该避免它并且帮助别人避免它。

分析那些导致伟大决定的事件,并且为你一生的行动找到一个终身的向导。

◉抱怨是无能的最好诠释

对于生活中那些习惯抱怨的人，人们常会对他避而远之；在工作中也很少有人会因为坏脾气以及抱怨、嘲弄等消极负面的情绪而获得奖励和晋升。

其实，面对困境，抱怨是无济于事的，只有通过努力才能改善处境。许多成功的人往往就是在克服困难的过程中，形成了高尚的品格。相反，那些常常抱怨的人，终其一生，也无法产生真正的勇气、坚毅的性格，自然也就无法取得夺目成就。在日常生活中，不妨假想一下，你喜欢与那些抱怨不已的人为伍，还是与那些乐于助人、充满善意、值得信赖的人一起共事呢？哪一种同事更受欢迎呢？

我有一位朋友计划与一位离过婚的女人结婚，可临到结婚前却放弃了。

"事情怎么会这样呢？"我为之惋惜。

朋友这样向我解释："她总是一一历数前夫的种种缺点——胡说八道、好吃懒做、无所事事、脾气恶劣等等，简直一无是处。我想，世界上应该没有一个如此坏的人吧。我突然觉得和她生活下去我会受不了的。于是干脆逃走为妙！"

一个受过良好教育、才华横溢的年轻人曾经向我抱怨，自己在公司长期得不到提升，其间流露出对老板的不满。在他眼中，老板只不过是用"敬业"和"忠实"来麻痹员工，作为剥削员工的一种手段。但是一旦产生这种心理，他也就根本无法主动地做事了。

几乎在所有的机构中——无论大小，吹毛求疵、流言飞语和抱怨嘲弄永不止息。也许有些人的确因为承受了巨大的压力，或者来自公司极不公正的待遇，但是这些都不能成为无休止抱怨的理由。

人在遭遇不公正待遇时，通常会产生种种抱怨情绪，甚至会采取一些消极对抗的行动，这是一种正常的心理反应。但是，如果我们从另外一个角度，用一种豁达大度的心态来对待它，就会将这种不公正当成对成功者的一种考验。容忍和以德报怨是成熟的一种标志。抱怨毫无意义，至多不过是暂时地发泄，结果什么也得不到，甚至会失去更多的东西。一个将自己的头脑装满了过去时态的人是无法容纳未来的。聪明的做法是停止计较过去，停止对自己所遭遇的不公正待遇耿耿于怀。

许多公司管理者对这种抱怨都感到十分困扰，一位老板曾经这样对我说："许多职员总是在想着自己'要什么'；抱怨公司没有给自己什么，却没有认真反思自己所做的努力和付出够不够。"对于管理者来说，牢骚和抱怨最致命的危害是滋生是非，影响公司的凝聚力，造成机构内部彼此猜疑，涣散团队士气。但是，至今依然无法找到一种良药彻底根治这种疾病。

作为某一机构的一员，轻视、诽谤甚至伤害所在机构，就等于伤害你自己。与其毫无意义地抱怨和唠叨，不如去寻找那些值得欣赏的东西，赞美它，支持它，拥护它，理解它，你会发现结果将大不相同。

嘲弄和抱怨是慵懒、懦弱无能的最好诠释，它像幽灵一样到处游荡使人不安。如果无法释放自己的压抑和烦恼，你不妨到海边去，在沙滩上将自己的愤怒和不满写出来。让潮水将他们一同卷走，永远抹去。

●行事鲁莽只会做出错误的决定

先听我讲个故事。

在某处，主人让猫和狗担任看家的职责。

狗是勤快的。每天，当主人家中无人时，狗便竖起两只耳朵在主人家的周围，哪怕有一丁点的动静，狗也要狂吠着疾奔过去，兢兢业业地为主人家做着看家护院的工作。

每当主人家有人时，他的精神便稍稍放松了，有时还会稍睡一会儿。在每一个人的眼里，这只狗都是懒惰的，极不称职的，便也不再奖赏它好吃的了。

猫是懒惰的。每当家中无人时，便伏地大睡，哪怕三五成群的耗子肆虐也不睁开眼睛。睡好了，就到处散散步，活动活动身子骨，这儿瞅瞅那儿望望，像一名恪尽职守的警察。主人在时，它时不时还对主人舔舔脚、逗逗趣。在主人的眼中，这无疑是一只极勤快、极可爱的猫，好吃的自然给了它。

由于猫的"恪尽职守"，主人家的耗子越来越多。终于有一天值钱的家当被咬坏了，主人震怒了。他召集家人说："你们看看，耗子都猖狂到了这种地步，我认为一个重要的原因就是那只狗也不帮猫捉几只耗子。我郑重宣布，将狗赶出家门，再养一只猫如何？"家人纷纷附和说，这只狗是够懒的，每天只知道睡觉，看猫多勤快，抓耗子吃得多胖，都有些走不动了。是该将狗赶走，再养一只猫了。

于是，狗一步三回头地被赶出了家门。自始至终，它也不愿离开家门，它只看到，那只肥猫在它身后窃窃地、轻蔑地笑着。最终结局是：两只猫越来越肥，耗子越来越多，家中被盗几次，主人开始怀念起了被赶走的狗。仔细留意一下，这样的故事不止一个。

勤奋工作、尽职尽责，却不被人欣赏，甚至被同事排挤，被领导训斥；好吃懒惰、甜言蜜语，却被人欣赏，甚至被领导提拔，这样的事不在少数。请相信，有些人会有后悔的一天。如果这事在你身上发生，不要太费力去计较，请相信：是金子总会发光的。

还有另一个关于狗的故事：

很久很久以前，也说不上是什么年代了，在阿巴加旺住着一个领主。领主有一个老婆和一个儿子，他的儿子还小，躺在摇篮里，每天得有人照看。他还有一条狗，这是一条忠心耿耿的大狗，这条狗勇敢倔强，打起来不置对方于死地不肯罢休。

一天，领主的老婆上教堂去了，领主坐在院子里乘凉。忽然传来一阵号角声，随后他看见一匹牡鹿从他身边穿过，一群猎人和狗在后面紧追。猎人们骑着马，矿嚷着、奔跑着。

"我得和他们一道去追，"领主自言自语地说，"我是这块土地的主人，这匹牡鹿有我一份。"

那条狗照例总是跟他走的，可这回主人指了指睡在摇篮里的孩子，它就乖乖地蹲伏在摇篮的一边了。

领主走后不久，一只狼从门外走进来，就直朝摇篮跑去，想吃掉这孩子。狗呼哧一声站起来，竖起背上的毛，一眨眼工夫，它已经和狼扭打起来了。

这是头很厉害的狼，是山里有名的"灰色武士"。两个天生的冤家用牙齿撕，爪子抓，直打得口角流血，皮毛扯成一片片，像破布条似的挂在身上。它们从房间的这一头打到那一头，撞翻了摇篮，把血溅在毯子上。尽管它们又是吼又是叫，尽管它们的爪子抓得"格啦格啦"响，孩子却始终安安静静地躺着。他睡着了，一点儿也没受惊吓。那狼根本就没有机会接近他。

最后狗把狼逼到了房间尽头的一个角落里，狼的嚎叫声平息下来，变成了喘息声，吼叫声变成了嘶哑的嘘嘘声，已无力挣扎了。狗立即使出了最后的力气，咬断了狼的喉咙。

过了一会儿，打到猎物的领主兴高采烈地回来了。狗听见院子里主人的脚步声,挣扎着站起来,跑去迎接主人。狗摇着尾巴要舔主人的手,可主人闻到的是狗满嘴的血腥味,看到的是血迹斑斑的狗腿和尽是血迹的地板,以及倒扣在地板上的摇篮。孩子呢?哪儿也看不见,领主大吃一惊,心生伤悲。

"恶魔!"领主一边高喊着,一边拔出剑。他愤怒得几乎要发狂了,以为这狗吃了他的孩子。领主一剑刺穿了狗的身子,狗倒地死了。狗刚刚断气,领主听见摇篮底下一声孩子的哭叫。他急忙奔过去,扶正摇篮,他的孩子平平安安地躺在里面,白胖胖的手指头正扯着围在嘴前的丝巾。

就在领主把孩子往怀里抱的时候,他发现躺在远处屋角里的那只死狼。主人赶回到狗那里,他看见狗的两腮被撕裂了,血肉模糊,这是那场恶战给它带来的。领主十分悲伤,心如刀割。他捶胸顿足,懊悔万分。可是狗已经死了,再也无法喘息了。

后来悔恨不已的领主叫行吟诗人把他的鲁莽行为编成一个故事,还选了一块很好的墓地,像埋葬英雄那样埋葬了他的狗。

从此以后,人们形容那些鲁莽行事而又事后懊悔的人说:他可怜得就像那个杀了狗的人。

◉只会等待必将—无所有

有一位卖鱼的小贩与一位满脑子都是学问的教授比邻而居,尽管两人地位悬殊,知识水平、性格有天壤之别,可两人有一个共同的愿望,那就是——尽快富裕起来。

每天,教授都跷着二郎腿大谈特谈他的致富经,卖鱼的小贩就在一旁虔诚地听着教授说:"只要给我一个机会,我就能成功!"小贩非常佩服教授的学识与智慧,并且开始依照教授的致富设想去做。若干年后,小贩成了百万富翁、城里的新贵,而教授还在家里等着致富机会。

这位教授可能有一百种致富方法,但他却很难成为真正的富翁,因为他习惯了消极等待,缺少行动精神。消极等待的习惯除了磨去我们的锐气,让我们一事无成外,没有任何好处,所以绝不能让这种恶习控制了我们,应该随时提醒自己:一切的一切毫无意义——除非我们付诸行动。

有这样一个故事:有个落魄的中年人每隔三两天就到教堂祈祷,而且他的祷告词几乎每次都相同。

"上帝啊,请念在我多年来敬畏您的份儿上,让我,中一次彩票吧!阿门。"

几天后,他又垂头丧气地回到教堂,同样跪着祈祷:"上帝啊,为何不让我中彩票?我愿意更谦卑地来服侍你,求你让我中一次彩票吧!阿门。"

又过了几天,他再次出现在教堂,同样重复他的祈祷。如此周而复始,不间断地祈求着。

终于有一次,他跪着祈祷说:"我的上帝,为何您不倾听我的祈求?让我中彩票吧!只要一次,让我解决所有困难,我愿终身奉献,专心侍奉您……"

就在这时,圣坛上空传来一阵宏伟庄严的声音:"我一直倾听你的祷告。可是,最起码,你也该先去买一张彩票啊!"

这个中年人其实是很可笑的,他希望能中彩票,解决自己的困难,那么他为这个目标做了什么呢?除了等待上帝赐予这样的机会外,他甚至连一张彩票都没买过。生活中,许多人也像这个落魄的中年人一样,习惯于等待好事情的发生,而自己却不为自己的梦想付出一点努力,到了最后,他们的梦想只能是竹篮打水一场空。

有一位美国女孩,名叫曼迪,她的父亲是西雅图有名的整形外科医生,母亲在一家声誉很高的大学担任教授。

她的家庭对她有很大的帮助和支持,她完全有机会实现自己的理想。

她从念大学的时候起,就一直梦寐以求地想当电视节目的主持人。

她觉得自己具有这方面的才干,因为每当她和别人相处时,即使是陌生人也都愿意亲近并和她长谈。她知道怎样从人家嘴里"掏出心里话"。她的朋友们称她是他们的"亲密的随身精神医生"。

她自己常说:"只要有人愿意给我一次上电视的机会,我相信我定能成功。"

她在等待奇迹出现,希望一下子就当上电视节目的主持人。这种奇迹当然永远也不会到来。因为在她等奇迹到来的时候,奇迹正与她擦肩而过。

我们不能不为曼迪感到惋惜,如果不是习惯于等待,她是很有可能获得成功的。故事还没完,曼迪有个同班同学雪利也非常喜欢主持人的工作,不过说实话,她的条件要比曼迪差多了,她来自纽约的一个贫民家庭,她没有曼迪漂亮,没有曼迪会说话,但她却是个敢想敢干的姑娘,"想到了就要上争取",是她的口头禅。大学毕业后,她白天在医院工作,晚上就去上播音主持的培训课,有机会就向各电视台投简历,结果三年后,雪利成了一个颇受观众欢迎的节目主持人。

两个怀着相同梦想的女孩,最终却得到了两个不同的结局,一个成功,一个失败。之所以会产生这种结果,就是由于一个习惯消极等待,而另一个却习惯主动出击,等待是毫无意义的,如果你希望实现梦想,那就要努力去争取,只是坐在家里等待有用吗? 不行动是无法成功的。

电影《刘三姐》中这样唱道:"竹子当收你不收,笋了当留你不留,绣球当捡你不捡,空留两手捡忧愁。"

行动就能拥有一切,等待就一无所有。一个国家的法律,不论多么公正,永远不可能防止罪恶的发生,任何宝典,即便是羊皮卷,永远也不能创造财富,只有行动才能使法律、宝典具有现实意义。所以,各位朋友,请抛弃等待的习惯,它是阻碍你实现梦想的最大绊脚石。

◉拖延是现代人的一大忌讳

李强有个坏习惯,做事总喜欢拖延。如果有什么事今天做可以,明天做也行,那他绝对会拖到明天去做,所以朋友们给他起了个外号叫"磨蹭大王"。在学校里,这个习惯还没给他带来多大影响,顶多是晚交报告被教授说几句,但到了社会上,他却因此吃了不少苦头。毕业后,李强一直没找到合适的工作,有一天一个同学告诉他一个消息:某市公开招聘三名电台主持人;听到这个消息,李强高兴坏了,他的语言及外形都没问题,而他的学历也颇具优势,当电台主持人是他最大的理想,这可真是天赐良机。那什么时候去报名呢? 李强想:过两天吧! 我总要准备准备。于是一天拖过一天,五天后,他终于决定行动了! 然而,当他风尘仆仆地赶到某市时,电台工作人员却告诉他,三天前报名就截止了。于是李强只好怀着遗憾回了家,他自己也明白,以后很难再碰到这样好的机会了!

李强的拖延,使他失去了圆梦的机会,可以肯定的是,如果他不能改掉这个坏习惯的话,他还将失去更多。很多人在年轻时就养成了拖延的习惯,而一份分析了1000 名男女的失败报告中显示:拖延的习惯高居众多失败原因中的榜首,如果我们能够立刻行动的话,那么人生成功的几率会更高。

在社交活动中,对人对己,都不应该养成拖延的习性。有些人总是喜欢在约会的时候迟到,而且总是有很多的理由来自我解释:"对不起! 我实在太忙了。"

这种解释其实一点也不合情理，既然忙就不要和他人约定，即使是临时有事也要事先联络。首先以忙为理由就是不合理。你这么忙既不是对方的责任，也不是对方要求你要这么忙，而你却完全只站在自己的立场说话，只想到自己的方便与否，却没有为对方着想。像这样任意妄为全然不顾对方的立场，让对方等待数十分钟就等于是使对方在无形之间蒙受了损失，这简直是侵占对方的时间。不论你侵占的是对方的物品或是金钱、时间，对方都同样是受到了损失。

何况在这个分秒必争的社会，时间就是金钱，时间就是生命。侵占他人的时间简直就是谋杀的行为。所以在与他人交往的时候，务必不要侵占他人的时间，这样才称得上尊重他人的表现。

有这样一个故事：一位国王做事喜欢拖延，有一次他收到一封潜伏在敌国的间谍发回来的紧急情报，他没有把情报拆开，而是随手放在了餐桌上，心想："明天再处理吧!"第二天，在吃早餐的时候他看见了那封紧急情报，"有什么大不了的事呢？等会再说。他让侍臣为他斟上了一杯香醇的美酒，喝完之后，他才慢慢拆开信件。看完信，他立刻跳了起来，原来上面说：国王的侍臣中有间谍，他接到了毒杀国王的命令。国王想召集侍卫，可是已经太晚了，鲜血从他的嘴角流下来，他刚才喝的正是那杯毒酒。

只不过把事情拖了一个晚上，国王就付出了如此代价，如果他能做到立即行动的话，那么情况就会完全不一样了。生活中，许多人都有拖延的习惯，由于这种习惯，他们可能出门误车、上班迟到，或者失去可能更好地改变他们整个生活进程的良机。所以，无论什么情况，如果你想做什么事情的话，那就马上开始行动，千万不要拖延。

"二战"期间，日军在马尼拉登陆时，菲律宾海军的一名文职雇员被捕后关进了一个旅馆，两天后又被送去一个集中营，他叫卡蒙。

就在到达集中营的第一天，卡蒙看见一个难友的枕头底下有一本励志书，难友把这本书借给了他。

在一卡蒙阅读这本书之前，他的情绪很坏。他恐惧地想在那个集中营里可能遭受的折磨，甚至死亡。但是，当他读了这本书时，他就被希望所鼓舞了。他渴望拥有这本书，让它同自己一起去迎接前面那些可怕的日子。卡蒙在同难友讨论书中的问题时，认识到这本书是他自己的一笔巨大财富：

"让我抄这本书吧!"他说。

"当然可以。你开始抄吧!"这是回答：

卡蒙立即开始抄书,一字又一字,一页又一页,一章又一章,他紧张地抄着。他时刻陷入可能随时失去这本书的苦恼中,这本书会在任何时候被拿走,但这种苦恼激励他日夜工作。

真是幸运,卡蒙在抄完书的最后一页后不久,他就被转移到臭名昭著的圣多·托马斯城集中营。卡蒙之所以能完成抄书工作,乃是因为他能及时开始这项工作,分秒必争。卡蒙在三年零一个月的囚犯生活中随时都带着这本书,把它读了又读,这本书给了他丰富的精神食粮,鼓舞他生发勇气,制订未来计划,保持和增进心理和生理健康。圣多·托马斯监狱的囚徒在生理和心理上遭受了巨大的伤害——既恐惧现在,也恐惧未来。"但是,我在离开圣多·托马斯时比我做见习医生时还要觉得好些。在那儿,我更好地为生活做了准备,心理上也更加活跃了。"在卡蒙的谈话中,你可以感受到他的主要思想:"成功必须立即行动,否则它会长上翅膀,远走高飞。"

所以,我们应该戒掉拖延的习惯,要不断提醒自己"立即行动",因为只有这样你才能抓住宝贵的时机,成为你想成为的人。

总而言之,拖延是现代人一大忌讳。不论这个人多么有才能,但却老是若无其事地约会迟到,久而久之大家就都认为他是一个言而无信的人,自己说的话都做不到,拜托他的事就更别提了。而同样,有的人则常常在"我正在考虑"、"我正在准备"、"我正在等候时机"等等的借口下,放任岁月流逝。

这就像当我们自己还是一个小男孩的时候我们对自己说,当我成为一个大男孩的时候,我会做这做那,我会很快乐;而当我们成为一个大男孩之后,我们又说,等我读完大学之后,我会做这做那,我会很快乐;当我们读完大学之后,我们又说,等我找到第一份工作的时候,我会做这做那,我会很快乐;当我们找到第一份工作之后,我们又会说,当我结婚的时候,我会做这做那,我会得到快乐;当我们结婚的时候,我们又会说,当孩子们从学校毕业的时候,我会做这做那,并得到快乐;当孩子们从学校里毕业的时候,我们又说,当我退休的时候,我会做这做那,并得到快乐。当我们退休的时候,真正步入了我们的晚年,我们看到了什么?我们只看到生活已经从我们的眼前走过去了。

生活中最可悲的话语莫过于:"它本来可以这样的"、"我本来应该"、"我本来能够"、"如果当时我怎样怎样该多好啊",生活不是开玩笑,从来就没有虚拟语气的说法。我们之所以会把问题搁置在一旁,最主要的原因就在于我们还没有学会对自己的人生负责任,这也是我们将来后悔的时候痛苦不堪的原因。

要知道:"成功者总在做事,失败者总在许愿。"

◉不务正业让人碌碌无为

现实生活中，因不务正业而导致事业失败的例子有很多很多。

刘琳是位室内设计师，29岁开始创业，她的工作室就设在家里。她说："我从没有想到自己会干这一行，我曾梦想做个艺术家，但画画却不能当饭吃。"由于她对建筑的兴趣与对家具摆设的独到眼光和巧妙运用空间的能力，使得她相当受欢迎。但开始并不顺利，开业的头三年，她的顾客主要都是朋友，多半是三十出头的年轻夫妻，刚开始有点积蓄，买下公寓请她设计，而她所提出的装潢风格与预算也都能符合他们的要求。

然而她发现，和这些顾客合作虽然很愉快，但却不能让她赚什么大钱，她需要年纪大一点、钱多一点的顾客才行。

渐渐的，一传十、十传百，她的客户越来越多。在这行做了多年后，她渐渐发现，自己的艺术天赋逐步显露出来，其中她最感兴趣的，是装潢所用的织品，"只要用对了，整个房间就会变得很有味道，也会很雅致"。她觉得这种兴趣并不脱离本行，研究一下也无妨。

不过，由于太过沉迷于织品设计，她反而忽略了室内设计的工作。

其实早就有人提醒她专注自己的本职工作，然而她自己却认为这件事只是她工作范围的延伸罢了。为了要深入了解这些织品的制造，地甚至亲自到一些大的纺织厂去实地参观考察。

两三年后，她接下了一家小厂给她的设计工作，主要设计的是秋季织品。虽然她仍在从事原来的室内设计工作，但她已经没有多少心思放在室内设计上了。

可是，纺织品设计并不像她所想象的那么简单，她还得知道流行的趋势、大众的口味、市场的需要，以及合理的价格等等。虽然技工能制造出完全符合她设计的成品，但却无法获得消费者的喜爱。销售经理反复地告诉她："没有人能把这种垃圾卖出去！"

自然，她和纺织厂老板，也因销售问题大吵了起来。

更糟的是，她室内设计的工作也出了问题，几个客户找她的时候找不到，而她对这份工作的漠不关心，也使他们气愤不已，而原来她找的承包商又居然携款而逃,令她大受打击,还得自掏腰包,赔偿顾客的损失。她的口碑越来越糟,一段时间后,再也没有人请她做设计,她的工作室关闭了。

或许,刘琳如果始终专注于自己的老本行——室内设计的话,那么她可能会成为一名优秀的室内设计师,但由于不务正业,她的事业被她亲手毁掉了。

现实生活中,像这样因不务正业而导致事业失败的例子不胜枚举,不务正业的习惯已经成了危害事业成功的主要原因之一。

曾经,某位老师给她的学生讲了这样一个故事:一只狗追着老鼠进了森林,危急时刻,老鼠穿进了树洞里,树洞只有一个出口,狗就守在洞口。突然从树洞里钻出了一只兔子,兔子被狗吓得蹿上了树,树上正好有一窝松鼠,松鼠又被兔子吓得乱窜,结果一不小心掉下了树,把狗砸晕了。故事讲完后,老师就说:"你们有什么要问我的吗?"

学生就七嘴八舌地说了起来:有的说兔子不会爬树,有的说松鼠那么轻,怎么能把狗砸晕呢?……

平静下来之后,老师笑了,说:"同学们,有一个重要的问题为什么没有人问我呢?那只老鼠哪儿去了?别忘了狗一开始就是为了追老鼠才进的森林呀!"

孩子们在面对诱惑时,便忘记了初衷。其实,不仅是孩子,很多大人也会犯类似的错误:他们在工作之初还能把握自己的目标,但当诱惑出现时,他们就开始分心了。这种习惯使得他们不能集中注意力做好手头的工作,不是耽误了时间,就是错过了机会,结果很难得到他们想要的东西。某大学的一位教授指出:"不能紧紧盯着自己追求的目标工作,也就无法专心致志地做手头的事。结果便大大地降低了工作效率,影响了目标的顺利实现。因此,一个人在做一件事时,不能同时想着另一件事,而应该把注意力集中在此时此刻所发生的事上。要清除头脑中那些分散注意力、产生压力的想法,排除分散注意力的一些人和事情的干扰使你的思维完全集中到当前的工作状态。"

李松是个很有才能的人,但却总是无法成功。他大学时学的是经济管理,毕业后在出版社做了几年事后,他又跑出去自己创业,办了个咨询服务公司,为客户做财务产品、销售、存货等项目的咨询服务。他工作勤奋,总能提供给客户有价值的建议,更难得的是,他还会主动地去发掘问题,让客户未雨绸缪。这样一段时间以后,他的咨询公司名气渐渐响了起来,他的同学都说,李松将会成为他们中的第一个大老板,李松自己也颇为得意。

然而,好景不长,一年后李松的公司就解散了。原来,李松刚刚有了些闲钱,就迷上了影视制作,他以80万元投资一部电视剧。当时朋友们都劝他:"咨询服务刚起步，又做得很不错，应该把精力都集中在这上面，没事投资什么电视剧啊！这不是不务正业吗？"但李松却什么也听不进去，最后电视剧拍得乱七八糟，钱却全赔进去了，而他的咨询公司也因员工集体辞职，失去信誉而解散。

李松在开始的时候，还雄心勃勃地要在咨询业闯出一片天地，但他碰到更刺激的影视制作后，就偏离了自己的目标。不务正业的结果就是鸡飞蛋打，一无所有。

不务正业的习惯，使一些人总是被闲事所纠缠，弄得筋疲力尽，心烦意乱，不能静下心来做该做的事。很多人一生碌碌无为，就是因为难以摆脱这个习惯。所以，我们必须克服不务正业的习惯，让它远离我们。

● 聪明反被聪明误

经常有些人以为自己才智过人，便时不时使点小聪明。

罗聪是一家大公司的高级职员，平时工作积极主动，表现很好，待人也热情大方。但有一天，一个小小的动作却使他的形象在同事眼中一落千丈。那一次是在会议室里，当时好多人都等着开会，其中一位同事发现地板有些脏，便主动拖起地来。而罗聪身体似乎有些不舒服，一直站在窗台边往楼下看。突然，他走过来，一定要拿过那位同事手中的拖把。本来差不多已拖完了，不再需要他的帮忙。可罗聪却执意要求，那位同事只好把拖把给了他。刚过半分钟，总经理推门而入。罗聪正拿着拖把勤勤恳恳、一丝不苟地拖着地。这一切似乎不言而喻了。从此，大家再看罗聪时，顿觉他很虚伪，以前的良好形象被这一个小动作一扫而光。说来也巧，在参加会议的众多职员中，有一个刚好是总经理的小舅子。结果不用说了，罗聪以后再也没被重用过。

罗聪因为要"小聪明"而被老板"冷冻"了起来，他为他的"聪明"付出了高昂的代价。其实生活中还有很多罗聪式的人，他们养成了在工作中投机取巧的习惯，认为只要老板在身边的时候表现出色就可以了，老板不在，又何必拼命呢？像这种"聪明人"只能一时得利，他们的"聪明"迟早会害了他们自己。

李勇在学校里是一个很活跃的人，一直被朋友们十分看好。可是让朋友们吃惊的是，都毕业几年了，李勇还是经常跑人才市场。而让朋友们眼前一亮的是上学时默默无闻的孙亮，此时已经成为一家日化用品公司在华北地区的市场总监。

这是怎么回事呢？让我们先看看他们这几年的工作经历。

离开学校后，李勇应聘做了一家宾馆的大堂经理。由于爱耍些"小聪明"，所以刚开始挺受重用。可过不多久，他的那些"西洋镜"就被一一拆穿，老板马上就将他"冷冻"起来。无奈之下，李勇只好卷铺盖走人。

之后，李勇又进了一家中德合资企业。德国人严谨实干的作风当然又是李勇不能"忍受"的。

李勇后来又在新加坡人、日本人、美国人……的公司工作过。这几年，李勇的老板都可以组成一个"地球村"了，可李勇却还是在职场游荡。

孙亮则不同。大学毕业后他就进了这家日化公司的销售部。之后，他勤奋工作，默默地积累工作经验。他对销售渠道的熟悉程度使上司很是赏识，对公司产品更是了然于胸。他的才干很快得到上司的肯定，当该公司华北地区市场总监的位子空缺后，公司总部就让他顶了上去。

他们的经历真像某位大学生所说的："毕业以后，我们发现了彼此的不同，水底的鱼浮到了水面，水面的鱼沉到了水底。"

其实在我们的周围，有很多人本身具有达到成功的才智，可是每次他们都是与成功失之交臂，于是觉得老天对他不公平，怨天尤人。其实他们有没有认真地检讨过自己呢？总是不愿意踏踏实实地去做好自己的本职工作，总是期望很多，付出很少，内心里不屑于去做他们心中的"一般的小事"，认为他们被大材小用。认为是小事，就开始要起小聪明，投机取巧，得以蒙混过关。但是他们有没有静下心来想过：他能蒙得过一次、二次，能总是混过去吗？一旦让老板察觉，就会留了极坏的印象，建立一个好的印象需要长期的考察，而坏印象却在一瞬之间。而且坏印象的改变是很难的，犹如一张白纸，整张白纸的白不如上面一个墨点的黑给你留下的印象深。即使老板这一次原谅了你，但是老板以后就可能不再信任你，因为你的人格在他的心目中已经打了一个折扣。所以总有人觉得与成功无缘，总是怨天尤人，抱怨老板不识人才，只把一些零碎小事交给他们，不给他们施展才华的机会。其实真正的原因不是老板不把机会给他们，而是他们自己把机会拒之门外。在老板的心中，他以往的投机取巧已经被打上不踏实、不可靠、不能委以重任的印记。在一个公司中，如果再也没有机会从事重要业务，何以谈将来？何以谈前途？

一分耕耘，一分收获，踏踏实实地工作才能成就你的事业。

切记：投机取巧的习惯对你有百害而无一利，任何一个老板都不可能永远被你的"小聪明"蒙骗住。

◉好强争辩没任何意义

"二战"结束不久后的一天晚上,杰克在伦敦学到了一个极有价值的教训。

杰克当年是罗斯·史密斯爵士的私人经纪。大战期间,史密斯爵士曾任澳大利亚空军战斗机飞行员,被派往巴勒斯坦执行任务。欧战胜利缔结和约后不久,他以一个月飞行半个地球的壮举震惊了全世界。过去从来没有人完成过这种壮举,这引起了很大的轰动。澳大利亚政府颁发给他5000美元奖金,英国国王授予了他爵位。有一阵子,他是联合王国风靡一时的人物。

有一天晚上,杰克参加一次为推崇史密斯爵士而举行的宴会。宴席中,坐在杰克右边的一位先生讲了一段幽默,并引出了一句话,意思是"谋事在人,成事在天"。他说那句话出自《圣经》。他错了。杰克知道,杰克很肯定地知道出处,一点疑问也没有。为了表现出优越感,杰克很讨嫌地纠正他。那位先生立刻反唇相讥:"什么?出自莎士比亚?不可能,绝对不可能!那句话出自《圣经》。"他自信确实如此!

那位先生坐在右边,杰克的老朋友弗兰克?格蒙在他左边,他研究莎士比亚的著作已有多年。于是,他们俩都同意向他请教。格蒙听了,在桌子下面踢了杰克一下,然后说:"杰克,这位先生没说错,《圣经》里有这句话。"

那晚回家路上,杰克对格蒙说:"弗兰克,你明明知道那句话出自莎士比亚。"

"是的,当然,"他回答,"《哈姆雷特》第五幕第二场。可是亲爱的杰克,我们是宴会上的客人,为什么要证明他错了?那样会使他喜欢你吗?为什么不给他留点面子?他并没问你的意见。啊!他不需要你的意见,为什么要跟他抬杠?应该永远避免跟人家正面冲突。"

"永远避免跟人家正面冲突。"说这句话的人已经谢世了,但杰克受到的这个教训仍长存不灭。那是杰克最需要的教训,因为杰克是个积重难返的杠子头。小时候他和哥哥,为天底下任何事物都抬杠。进入大学,杰克又选修逻辑学和辩论术,也经常参加辩论赛。从那次之后,杰克听过、看过、参加过、也批评过数以千次的争论。这一切的结果,使他得到一个结论:

天底下只有一种能在争论中获胜的方式,那就是避免争论。避免争论,要像你避免响尾蛇和地震那样。

十之八九，争论的结果会使双方比以前更相信自己绝对正确。你赢不了争论。要是输了，当然你就输了；即使赢了，但实际上你还是输了。为什么？如果你的胜利，使对方的论点被攻击得千疮百孔，证明他一无是处，那又怎么样？你会觉得洋洋自得；但他呢？他会自惭形秽，你伤了他的自尊，他会怨恨你的胜利。而且——

"一个人即使口服，但心里并不服。"

潘恩互助人寿保险公司立了一项规矩："不要争论！"

真正的推销精神不是争论。甚至最不露痕迹的争论也要不得。人的意愿是不会因为争论而改变的。

有位爱尔兰人名叫欧·哈里，他受的教育不多，可是真爱抬杠。他当过汽车司机；后来因为推销卡车并不成功而来求助于经理。经理听了几个简单的问题，就发现他老是跟顾客争辩。如果对方挑剔他的车子，他立刻会涨红脸大声强辩。欧·哈里承认，他在口头上赢得了不少的辩论，但并没能赢得顾客。他后来对经理说："在走出人家的办公室时我总是对自己说，我总算整了那混蛋一次。我的确整了他一次，可是我什么都没能卖给他。"

经理的第一个难题不在于怎样教欧·哈里说话，经理着手要做的是训练他如何自制，避免口角。

欧·哈里现在是纽约怀德汽车公司的明星推销员。他是怎么成功的？这是他的说法："如果我现在走进顾客的办公室，而对方说：'什么？怀德卡车？不好！你要送我我都不要，我要的是何赛的卡车。'我会说：'老兄，何赛的货色的确不错，买他们的卡车绝错不了，何赛的车是优良产品。'"

"这样他就无话可说了，没有抬杠的余地。如果他说何赛的车子最好，我说没错，他只有住嘴了。他总不能在我同意他的看法后，还说一下午的'何赛车子最好'。我们接着不再谈何赛，而我就开始介绍怀德的优点。"

"当年若是听到他那种话，我早就气得脸一阵红、一阵白了——我就会挑何赛的错，而我越挑剔别的车子不好，对方就越说它好。争辩越激烈，对方就越喜欢我竞争对手产品。"

"现在回忆起来，真不知道过去是怎么干推销的！以往我花了不少时间在抬杠上，现在我守口如瓶了，果然有效。"

正如明智的本杰明·富兰克林所说的：

"如果你老是抬杠、反驳，也许偶尔能获胜，但那只是空洞的胜利，因为你永远得不到对方的好感。"

因此,你自己要衡量一下,你是宁愿要一种字面上的、表面上的胜利,还是要别人对你的好感?

你可能有理,但要想在争论中改变别人的主意,你一切都是徒劳。

威尔逊总统任内的财政部长威廉。麦肯罗以多年政治生涯获得的经验,说了一句话:"靠辩论不可能使无知的人服气。"

"无知的人?"麦肯罗说得太保守太片面了,不论对方才智如何,都不可能靠辩论改变他的想法。

比方说,所得税顾问派生为了一笔关键性的 9000 元钱跟一位政府的税务员争论了 1 个小时,派生解释这 9000 元钱事实上是应收账款中的呆账,不可能收回来,所以不该收所得税。"呆账! 大头鬼!"稽核上火了,"非征不可。"

"那位稽核员非常冷酷、傲慢,而且顽固,"派生说,"任何事实和理由都没有用……我们越争执,他越顽固,所以,我决定不再同他论理,开始改变话题,说些使人愉快的话。"

"我说:'比起其他要你处理的重要而困难的事情,我想这实在是不足挂齿的小事。我也研究过税务问题,但那是书上的死知识,你的知识全是来自实务工作的经验。有时我真想有份像你这样的工作,那样我就会学到很多。'"我说得很认真。

"这下,稽核员伸直身子,靠在椅背上,花很多时间谈论他的工作,他告诉我他发现过许多税务上的鬼花样。他的口气慢慢友善起来。接着又谈起他的孩子,临告别的时候他说要再研究研究我的问题,过几天会通知我结果的。"

"三天后,他打电话到我办公室,通知我那笔税决定不征了。"

这位税务稽核员表现了人性最常见的弱点,他要的是一种重要人物的感觉,派生越和他争论,他越高声强调职务上的权威,但一旦对方承认了他的权威,争执自然偃旗息鼓了。有了表现自我的机会,他就变成一位有宽容态度和同情心的人了。

拿破仑的家务总管康斯坦在《拿破仑私生活拾遗》第 1 册 73 页曾写到,他常和约瑟芬打台球:"虽然我的技术不错,我总是让她赢,这样她就非常高兴。"

我们可从康斯坦的话里得到一个教训:让我们的顾客、朋友、丈夫、妻子,在琐碎的争论上赢过我们。

佛祖释迦牟尼说:"恨不消恨,端赖爱止。"好强争辩不可能消除误会,而只能靠技巧、协调、宽容以及用同情的眼光去看别人的观点。

林肯有一次斥责一位和同事发生激烈争吵的青年军官,他说:"任何决心有所成就的人,决不会在私人争执上消耗时间,争执的后果,不是他所能承担得起的。而后果包括发脾气、失去自制。要在跟别人拥有相等权利的事物上,多让步一点;而那些显然是你对的事情,就让得少一点。与其跟狗争道,被它咬一口,不如让它先走。因为,就算宰了它,也治不好你的伤口。"

◉习惯性的怨恨只会带来自怜

一个经常失败而又不知道从哪里爬起来的人,在寻找失败的借口和原因时,往往习惯于责备社会、制度、人生,抱怨运气不好。对于别人的成功与幸福,总是愤愤不平。因为他认为,这些都足以说明生活使他受到不公平的待遇。

愤愤不平是企图用所谓不公正、不公平的现象来为自己的失败辩护,使自己感到好过一些。可实际上,作为对失败者的安慰,怨恨是非常不可取的办法,比生病还糟。怨恨是精神的烈性毒药,它使快乐不能产生,并且使成功的力量逐渐消耗殆尽,最后形成恶性循环,自己并没有多大本领而又非常怨恨别人的人,几乎不可能和同事相处得好。对于由此而来的同事对他的不够尊重或者领导对他工作不当的指责,都会使他加倍地感到愤愤不平。

怨恨是使自己觉得自己重要的一种习惯。很多人以"别人对不起我"的感觉来达到异常的满足。从道德上来说,不公正的受害者和那些受到不公正待遇的人,似乎比那些造成不公正的人要高明。

心怀怨恨的人,是想在道德的法庭上证明他的案子,如果他有怨恨之感就证明生活对他不公平,而有一些神奇的力量将会澄清那些使他产生怨恨的事情,使他得到补偿。从这个意义上来说,怨恨是对已发生之事的一种心理反抗或排斥。

怨恨的结果是塑造劣等的自我意象。就算怨恨是真正的不公正与错误,它也不是解决问题的好方法,因为它很快就会转变成一种习惯情绪。一个人习惯于觉得自己是不公平的受害者时,就会定位于受害者的角色上,并可能随时寻找外在的借口,即使对最无心的话在最不确定的情况中,他也能很轻易地看到不公平的证据。

习惯性的怨恨一定会带来自怜,而自怜又是最坏的情绪习惯。这个习惯已根深蒂固,如果离开了这个习惯,就会觉得不对劲、不自然,而必须开始去寻找新的不公正的证据。有人说这类人只有在苦恼中才会感到适应,这种怨恨和自怜的情绪习惯,会把自己想象成一个不快乐的可怜虫或者牺牲者。

产生怨恨的真正原因是自己的情绪反应。因此,只有自己才有力量克服它,如果你能理解并且深信:怨恨与自怜不是使人成功与幸福的方法,你便可以控制住这种习惯。

一个人有怨恨之心,他就不可能把自己想象成自立、自强的人,他就不可能成为自己灵魂的船长、命运的主人。怨恨的人把自己的命运交给别人,把自己的感受和行动交给别人支配,他像乞丐一样依赖别人。若是有人给他快乐他也会觉得怨恨,因为对方不是照他希望的方式给的;若是有人永远感激他,而且这种感激是出于欣赏他或承认他的价值,他还会觉得怨恨,因为别人欠他的这些感激的债并没有完全偿还;若是生活不如意,他更会觉得怨恨,因为他觉得生活欠他的太多。

●猜疑的习惯害己害人

关于猜疑的教诲,在我们的传统文化里就有很多很多,如:"疑邻偷斧"、"人心隔肚皮"、"知人知面不知心"、"害人之心不可有,防人之心不可无"等等。

再让我们看看,在生活中如果两个小孩在外面打架,出来了两位母亲,一位是中国人,一位是外国人。中国的母亲很可能指着对方质问:"你家的孩子为什么打我的孩子?"而那位外国母亲则可能说:"怎么?他们不友好了?"

可见,不同文化习惯的熏陶,两位母亲会说出两种不同的话。也可见,猜疑对我们每个中国人影响之大,它是我们民族习惯的劣根性。如果我们的"理解万岁"是建立在猜疑基础之上的,永远不可能理解,何谈万岁。因为我们每个人从小都接受了猜疑的教育和影响,可以说人人都有猜疑之心。要摒弃猜疑,必须对猜疑有深恶痛绝的认识。

那么,什么是猜疑呢?

猜疑是基于一种对他人不信任的、不符合事实的主观想象,是人际交往过程中的拦路虎。有猜疑习惯的人与别人交往时,往往抓住一些不能反映本质的现象,发挥自己的主观想象进行猜疑而产生对别人的误解,或者在交往之前对某人有某种印象,在交往之中就处处用这种习惯效应与对方接触,对方一有举动,就对原有成见加以印证。虽然猜疑习惯有种种表现,但我们可以发现其共同的特征,即没有事实根据,单凭自己主观的想象;抓住"毛皮",忽略本质,片面推测;不怀疑自己的判断,只是相信自己,怀疑他人,挑剔他人。有猜疑习惯的人把自己置于一种苦恼的心态中,对别人采取不信任的态度,严重的甚至对自己的感觉也产生怀疑。

猜疑习惯往往导致心理偏执。这种人常常敏感固执、谨小慎微,事事要求十全十美。这样不仅危害自己,也危害他人。

曾经,发生过这样一件极富悲剧性的真人真事:

王先生在1957年"反右"时正上大学一年级,"反右"已近尾声,他为了向党表忠心,交出了自己的日记本,其中记有自己中学时的好朋友,自称"八大金刚"。

于是"反右"领导小组就怀疑他有反动组织,非让他交代这"八大金刚"各担任什么职务,有什么纲领,他无从说起,从此他就被当成右派下放劳改去了……几十年过去了,有人得知他在城郊某中学教书,就前去看望他,问了他的近况和右派什么时候平反的,他深沉而辛酸地说:"……批斗了我一阵子后,我就离开了学校被送到农场劳改……'四人帮'被打倒后,我写了很多申诉报告,要求摘掉右派帽子,大学给我的答复是:'……你的右派至今还没有批下来,不存在平反问题……'"他默默地流着眼泪,接着说:"谁为我负责?我的青春、学业……我是右派,找不到对象……"

类似因猜疑造成的人间悲剧,在我国可以说是不胜枚举,从很多古代的历史剧中可知,从古至今,从宫廷争斗到民间小事,猜疑这个罪魁祸首制造了多少血淋淋的故事,它给我们个人、国家和民族带来了多么大的精神折磨和财富的损失呀!它给人的刺伤可达到让人心力交瘁乃至精神失常的程度。我们必须认识到,猜疑流淌在我们每个人的血管里,如果我们不采取解毒的手段,它的后果就会像毒品一样把自己推向"窝里斗"的水深火热之中,从而,横生枝节。猜疑是"窝里斗"的祸根,猜疑是造成自杀和他杀的毒品!

猜疑的人往往目光短浅,没有远大的目标,没有真诚善良的心。欲调适自己的心态和与猜疑者相处的办法是:首先,培育爱心,从对小动物的爱到对人的爱,猜疑总是从坏的方面猜,是没有爱心的表现。其二,培育宽容的心理品质。宽容就是承认差异,降低对别人的要求。能够宽容别人是坦诚与人相处的首要条件,因为宽容是深思熟虑的表现,是内心深处去除荆棘的法宝。

猜疑者的思维方法是自圆其说，因为我丢了东西，看他近日行为异常，所以肯定是他偷的。

所以，不管是调适自己，还是对待猜疑的朋友，调整思维方法都是极其重要的。

如果你遇到了朋友乃至领导对你的猜疑，如果解释不通，严重者可诉讼法庭，一般情况下只有坦然相处，待到水落石出了。

◉攀比的习惯很糟糕

不断地拿自己与别人相比，这是一种糟糕的习惯，它将会对你的自我形象、自信以及你取得成功的能力产生负面影响。

有一位爱和别人比较的妻子对丈夫说："我们绝对不能输给别人，你看你的同事小李，他职位不比你高，能力你们旗鼓相当，因此他有什么我们也一定要有。记住了吗？我问你，你知不知道他家最近又添了什么？"

丈夫回答："他最近换了一套新家具。"

太太说："那我们也要换套新家具。"

丈夫又说："他最近买了一辆新车。"

于是太太又说："那你也应该马上买一辆啊！"

丈夫接着又告诉太太："小李他最近……最近……算了，我不想说了。"

太太马上大声追问："为什么不说，怕比不过人家呀！快点说！"

丈夫便小声地跟妻子说："小李他最近换了一个年轻漂亮的妻子。"

太太没有话说了。

这个太太是很可笑的，什么都要和人家攀比，直到最后，听说人家把太太也换了，她才不再攀比了。生活中，很多人都习惯了和别人做比较，但事实上，每个人都有自己的长处，每个人都有自己的短处，人和人之间其实是没有太大的可比性的，盲目地和人家攀比，只会给自己增加一些无谓的烦恼。

许多的时候，我们感到不满足和失落，仅仅是因为觉得别人比我们幸运！

如果我们安心享受自己的生活，不和别人比较，在生活中就会减少许多无谓的烦恼。

下面这则寓言就生动地诠释了这个道理：

有一天,一个国王独自到花园里散步,使他万分诧异的是,花园里所有的花草树木都枯萎了,园中一片荒凉。后来国王了解到,橡树由于没有松树那么高大挺拔,因此轻生厌世死了;松树又因自己不能像葡萄那样结许多果子,也死了;葡萄哀叹自己终日匍匐在架上,不能直立,不能像桃树那样开出美丽可爱的花朵,于是也死了;牵牛花也病倒了,因为它叹息自己没有紫丁香那样芬芳;其余的植物也都垂头丧气,没精打采,只有顶细小的心安草在茂盛地生长。

国王问道:"小小的心安草啊,别的植物全都枯萎了,为什么你这小草这么勇敢乐观,毫不沮丧呢?"

小草回答说:"国王啊,我一点也不灰心失望,因为我知道,如果国王您想要一棵橡树,或者一棵松树、一丛葡萄、一株桃树、一株牵牛花、一棵紫丁香等等,您就会叫园丁把它们种上,而我知道您希望于我,就是要我安心做小小的心安草。"

这则寓言告诉我们,不要因为盲目地和人攀比,而忘了享受自己的生活。很多时候我们感到不满足和失落,仅仅是因为觉得别人比我们幸运! 如果我们不去和别人比较,那么生活就会快乐得多。

《牛津格言》中说:"如果我们仅仅想获得幸福,那很容易实现。但如果我们希望比别人更幸福,就会感到很难实现,因为我们对于别人幸福的想象总是超过实际情形。人各有所长,各有所短。我们既不能专门以己之长,比人之短;也不应以己之短,比人之长。

很多人都有和别人攀比的习惯,比能力、比地位、比才学,好像没有比较,就不知道自己有多重,没有比较,一切成功都是枉然一样。其实在小时候,我们就常被告知,雪花是独一无二的,没有任何两朵雪花是同样的。我们的指纹、声音和 DNA 也是如此。因此可以肯定,我们每一个人都是独一无二的个体。然而,尽管我们知道历史上从来没有完全像自己一样的人存在过,但我们还是习惯于将自己与别人相比。我们把他们作为标准来衡量我们的成功与否,我们常常在报纸上读到某人取得了伟大的成就,然后很快就发现他们的年龄超过了我们,因此我们至少得到了一点暂时的安慰:我们也还是有可能取得同样的成功的。

但是,把自己与别人相比是毫无意义的,因为你根本不知道别人在生活中的目标与动力以及别人独一无二的能力。别人有别人的才干,你有你的才干。盲目的比较,或者会使你妄自尊大,或者会让你变得自卑自怨,可以说盲目攀比的习惯给我们带来的坏处是多过好处的。

曾经,在国王的御厨里放有两只罐子,一只是陶的,另一只是铁的。铁罐曾有几次掉在地上的经历,但它完好无损:而陶罐则整天呆在厨子的最里边,所以骄傲的铁罐瞧不起陶罐,常常奚落它。

"你敢碰我吗,陶罐兄弟?"铁罐傲慢地问。

"不敢,铁罐兄弟。"谦虚的陶罐回答说。

"我就知道你不敢,懦弱的东西!"铁罐说着,显出了更加轻蔑的神气。

"我确实不敢碰你,但不能叫做懦弱。"陶罐争辩说,"我们生来的任务就是盛东西,并不是来互相撞碰的。在完成我们的本职任务方面,我不见得比你差。再说……"

"住嘴!"铁罐愤怒地说,"你怎么敢和我相提并论! 你等着吧,要不了几天,你就会破成碎片,消失了,我却永远在这里,什么也不怕。"

"何必这样说呢?"陶罐说,"我们还是和睦相处的好。"

"和你在一起我感到羞耻,你算什么东西!"铁罐说,"我们走着瞧吧,总有一天,我要把你碰成碎片!"

陶罐不再理会。

很长时间过去了,世界上发生了许多事情,王朝覆灭了,宫殿倒塌了,两只罐子被遗落在荒凉的场地上。历史在它们的上面积满了渣滓和尘土,一个世纪连着一个世纪。

许多年以后的一天,一群考古学家来到这里,掘开厚厚的积土,发现了那只陶罐。

"哟,这里头有一只罐子!"一个人惊讶地说。

"真的,一只陶罐!"其他的人说,都高兴地叫了起来。

大家把陶罐捧起,把它身上的泥土刷掉,擦洗干净,和当年在御厨的时候完全一样:朴素、美观、陶光可鉴。

"一只多美的陶罐!"一个人说,"小心点,千万别把它弄破了,这是古代的东西,很有价值的。"

"谢谢你们!"陶罐兴奋地说,"我的兄弟铁罐就在我的旁边,请你们把它掘出来吧,它一定闷得够难受的了。"

人们立即动手,翻来覆去,把土都掘遍了。但一点铁罐的影子也没有。铁罐,不知道在什么年代,已经完全氧化,早就无踪无影了。

每个人都有各自的特点,各自的长处和短处,"铁罐"的悲剧就是由于它的盲目攀比。不断地拿自己与别人相比,这是一种糟糕的习惯,它将会对你的自我形象、自信以及你取得成功的能力产生负面影响。

之，生活中我们每一个人都是独一无二的，和人攀比就等于是抹杀了自

待之处。

己人忧天只会吓倒自己

曾有过杞人忧天的经历吗？举个例子来说：假设有一天早晨起得太

会想："糟糕！起得太晚了，一定会碰上大塞车，上班肯定会迟到。如

他，老板肯定会对我不高兴；要是他气炸了，说不定会要我走人。万一

房屋贷款、还有一大堆等着支付的信用卡账单该怎么办？要是不能

作的话，不但信用破产，房子也会被查封。房子如果没了，我要往哪

没地方可去，我一定得挨饿，搞不好还会横死街头呢！而这些都

这么晚起！"

得这一路推演下来未免太夸张了点，没错，是稍嫌夸张了点，不

弓蛇影你绝不会没有过。为了明天会更好，每个人无不战战

怕今天所有的一切明天会幻化成泡影，所以，这样的恐惧感

可以成为促使我们奋发向上的动力，没有了它，大多数

上的原动力，也就是没了奋斗动机。但是，过度恐惧

成天忧心，久而久之成了习惯，甚至内化成个人的

而绑手绑脚，让你什么事也做不了。

那么积极钻营，忧虑就会减轻不少。以前面

己：说不定赶上班的人今天都起早了，

率问题。以统计学来说，最坏和最

对它们的机会也大略相等。所以，你

料到了，你又能怎么办？能够改变它

不如及早规划一下如何亡羊补牢，甚至

的社会，面对挑战，不管你能不能克服，

事件，以后未必还会存在。唯有内心里

那个自我永远不会消失。因此,假如缺乏自信心,你这一生一世就无法
的控制。

我们应该相信自己,因为在这世上,每个人都是独一无二的,所以你
自己。那为什么你会是这世上独一无二的呢?因为你所做的事,别人不
得来;而且,你之所以为你,必定是有一些相当特殊的地方——我们姑且
特质吧!——而这些特质又是别人无法模仿的。

既然别人无法完全模仿你,也不一定做得来你能做的事,试想,他
能给你更好的意见?他们又怎能取代你的位置,来替你做些什么呢?
时你不相信自己,又有谁可以相信?

况且,每个来到这个世上的人,因为不同的生活背景和教育程度
人与众不同的特质,所以每个人都会以独特的方式来与他人互动、
人。要是你不相信的话,不妨想想:有谁的基因会和你完全相同?
会和你一毫不差?

基于这种种重要的理由,我们相信:你有权活在这世上,而你
目的,是别人无法取代的。

不过,有时候别人(或者是整个大环境)会怀疑我们的价值
久而久之,连我们对自己的重要性都会感到怀疑。请你千万
情发生在你身上,否则你会一辈子都无法抬起头来。

记住:你有权力去相信自己,而不要杞人忧天。

◉死要面子会真正丢了面子

一个人不可能不要面子,但又不
真正丢了面子。

曹雪芹在小说《红楼梦》、曹禺在
地描写了本已败落,但仍不肯放下架
来,如果这些架子一旦全不存在,活着
面子,可见,有些人是把面子看得比生命
面子当然不能不要,一个一点面子
关键的问题是要搞清怎样做才算不丢面

总
己的独特

◉ 梼

你曾经
晚,你不禁
果到得太晚
我失业了,房
及时找到工作
儿去? 没钱又
是起因于今天这

也许你会觉
过,类似这样的杯弓
兢兢地过活,谁都害
就油然而生了。

虽说适当的恐惧感
的人就失去了激发自己向上
却不是一件好事,只会让我们应
性格,变成<u>无事不忧</u>、<u>无事不虑</u>,反

如果凡事能够退一步想,不要尽
的例子来说,虽然迟到了,也可以安慰
一路过去都畅通无阻……

反正对于未可知的事,所有猜想
好的情况出现的几率都是微乎其微
不必担心,更何况,如果最坏的结果
吗? 所以说,与其一颗心七上八下
是另谋解决之道。

现代社会,是一个竞争越来越
总有过去的时候;现在对你造成

摆脱它

你该相信
不一定做
且称之为

们怎么可
？所以,这

,赋予每个
进而感动别
有谁的个性

存在这世上的

,所谓三人成虎,
千万不要让这类事

死要面子。死要面子的人,就往往会

北京人》中,都以生动的笔触,真实
多"世家子弟"的形象。在他们看
什么意思！在这里架子实际也就是
要的,这就是他们的人生道理。
要的人,恐怕自尊心也不复存在。
么面子可以丢,什么样的面子应

当保？

　　一句话，出于虚荣的面子应当丢，有关人格的面子需要保，不保住关乎人格的面子何以处世？而保的办法则在实事求是。事实俱在，曲直分明，面子不保亦在；哗众取宠，装腔作势，面子虽保亦失。不适当地过分看重面子，在中国传统习惯里是颇为严重的，其实，"面子"是中国人心理上的沉重包袱，看似薄薄的情面，其实质则有令人难堪的苦衷。

　　中国古籍《墨子·离娄下》中讲了这样一则故事：齐国有一位穷酸，娶了一个媳妇，还有一位"偏房"，这位先生祖上也许发达过，可现在不行了，然而他的面子可拉不下来，就是在自己的妻、妾面前也忘不了打肿脸充胖子。于是他对她们说，经常有贵客请他赴宴，而且每次回来都装成酒足饭饱的模样。其实，每天他都来到东门外的一个墓地里，跑到上坟人那里去乞讨剩余的祭品。原来他就是这样参加宴会的！而每天他都跑来洋洋自得地在他一妻一妾面前摆出一副不可一世的样子，丝毫也不感觉惭愧。因为在他看来，这样才算有面子，还管什么死要面子活受罪。"面子"有时还是伤害自我的导火索。

　　中国古代的时候，人们把勇敢看成有面子，所以，传说有两位勇士，为了表示勇敢，居然互割对方的肌肉下酒，最后双双送了性命。这种要面子，当然是非常愚蠢的，但是在那个时候，却也司空见惯，并不足怪。

　　在商品经济的社会中，人类社会在不断分化，贫富差距在不断加大，许多人在社会剧变中失去了自我价值的判断，他们的心理遭到极大的扭曲，因此只有借助于虚荣来满足自己的面子和虚荣心。

　　有些人即使债台高筑，也要挥金如土，与他人比吃、比穿、比用、比收入，当官的比轿车、比住房、比待遇、比职级……在操办红白喜事时，讲排场、摆阔气；在住房装修中，比豪华气派；在生活消费中，大手大脚，寅吃卯粮，借贷消费，其目的都是炫耀，让他人将目光聚集在自己身上。虚荣的情绪与他人的反应息息相关，他人反应的变化会使虚荣的情绪迅速相应调整。从小处说"面子"所带来的虚荣心腐蚀了人的正常心理，破坏了人的健康情绪，成为人们性格中的一个毒瘤。虚荣心会使人变得怪僻而孤独。

　　例如有一位在某研究所工作的科研人员，技术与学识上也许并不太差，但由于自尊心过强，尽管年逾不惑，却仍然和同事们难以和睦相处。原因是，不管是在学术问题的讨论上，还是在工作方案的安排上，甚至就连日常琐事的看法和处理上，只要别人意见与自己不合，他就觉得面子受了损害，一点也不能容忍，立即发作起来，非要别人按自己的想法去办不可，否则，就会不依不饶，甚至恶语相加。因为，他觉得自己永远高人一筹，意见必然正确无误，别人只有跟着走的份儿，否则就是以邪压正，同时，也是不给自己面子。正因为他的这种毛病，凡与他相处稍久的人，无不敬而远之，避之犹如瘟疫。试想，一般人在这种环境下，只有委屈忍耐，可他自己却安之若素，可见虚荣心影响人的关系。

在中国乡间，邻舍是时常要吵架的，吵架不能没有和事佬，而和事佬最大的任务便是研究出一个脸皮的均势的新局面来，好比欧洲的政治家，遇有国际纠纷的时候，不能不研究出一个权力的均势的新局面来一样。遇到这种案件的时候，和事老的目的绝不在公平的解决，使权利义务各有所归，而在把脸皮向当事的双方分配一下，厚薄多少，各不吃亏。至于公平的处断，虽属有它的好处，在东方人看来，往往认为是不可能的。在县衙门里的公堂上，这条脸皮的均势的原则是一样的适用，一大部分的官司，归根结底，总是打一个平手，两不相亏，各不伤脸。

既然大家都有面子，所以一定要相互照顾，为了保全脸面，人与人相处就须十分小心了，要善于察言观色，领悟别人的话外之音，而不能过分相信自己的直觉。为了防范小人，以免砸了自己，于是大家逐渐掌握了一套很有应用价值的"会议语言"——在会议或其他公开场合向大家表白的语言，其特点是谦虚、圆滑、空泛。

谦虚的如：我是来学习、取经的；抛砖引玉；难免有错，敬请指教；等等。其作用是避免人家说你自负、骄傲，且可做免战牌之用。

圆滑的如：虽然……但是；一分为二；原则上同意；等等，其作用是避免任何可能的偏颇，把思想锋芒藏起来，叫人抓不到话柄。很多人掌握了这样的习惯：要评上"先进"就只要争取提名，因为在评比会上谁也不愿当面说你不够资格。

所以，哪怕明明是一位差劲的候选人，最终也能获得全部赞成票。当然，事后又免不了一场背地议论，因为人们投了一张违心的赞成票，总要发泄心里的积怨。与其如此，还不如不要讲究虚荣心，实事求是的好。当然，重要的是知道什么情况下应给人留面子，什么情况下要坚持原则。

第三章　要主宰命运,先主宰习惯

一位哲人曾说:"你的习惯就是你的主人。"在现实生活中,人与人之间的命运原本并没有太大的区别,真正的区别在于习惯。如果你想要主宰自己的命运,那么,请先主宰你的习惯——做你自己习惯的主人,控制好你的习惯。

◉不要让习惯一成不变

现实生活中,有很多人都习惯感性地一次就把对某个人的看法想好,很长时间都不能改变。还有的时候,我们评价另外一个人,仅仅凭借的是其是否对应自己的个人口味,因对方的脾气性格、生活习惯、言谈举止等不符合自己的标准,就对其做出否定的评价,或因某些习惯与自己合拍就全面肯定他。

1910 年,德国习性学家海因罗特在实验过程中发现一个十分有趣的现象:刚刚破壳而出的小鹅,会本能地跟在它第一眼看到的自己的母亲后边。但是,如果它第一眼看到的不是自己的母亲,而是其他活动物体,它也会自动地跟随其后。尤为重要的是,一旦这小鹅形成对某个物体的追随反应,它就不可能再对其他物体形成追随反应。用专业术语来说,这种追随反应的形成是不可逆的,而用通俗的语言来说,它只承认第一,无视第二。

这种后来被另一位德国习性学家洛伦兹称为"印刻效应"的现象不仅存在于低等动物里,而且同样存在于人类之中。几乎所有的心理学家和社会学家都知道,人类对最初接受的信息和最初接触的人都留有深刻的印象,他们用"首因效应"等概念来表示人类在接受信息时的这种特征。

要成就非凡的事业,必须先具备非凡的眼光,那些成功企业家的故事一再告诉我们一个真理:看一个人要看他的能力,看他能够为公司做多少贡献,而不是在一两次接触之后,就给人家"盖棺定论",这样常常会把英雄当成了狗熊,失去了提高自己或者招纳贤士的机会。

众所周知的是刘邦与韩信的故事。韩信不被项羽看好,转投刘邦,而刘邦也并没拿他当回事,只给了一个小小的职位,相当于现在的中尉排长。在这个位置上,韩信的本领根本无从施展,只好不告而别。多亏萧何月下追韩信,并说服刘邦拜韩信为大将军,这才有了数百年的汉代江山。

再让我们来看看松下幸之助是怎样识人的:大正十二年,也就是关东大地震那年。年末的一天,松下先生走进工厂的锻冶车间,看到一个从来没有见过的小个子师傅正在开着车床,便问他是从哪里来的。"我是H工厂的,借用一下车床。"他回答。这人留着长发,看上去不像是锻冶车间的工匠,乍一看倒像是搞美术的学生。H工厂是松下的委托加工厂,按约定有紧急的修理业务或用车床时可以随时使用松下的锻冶车间。这个年轻人遇上了东京大地震,来大阪求职,说是最近刚进了H工厂。观察了一会儿他干活的样子,松下觉得他手脚麻利,动作在行,有熟练的技术。几天后,松下见到H工厂的老板时问到了这个青年人。"那人不行,不满太多,对我厂里的事情这啦那啦地净是意见!"听到这话,松下觉得很有意思,马上就把那个青年要来聘用了他。这个22岁的青年就是后来的松下副社长中尾哲二郎。

一代魔术大师胡汀尼有一手绝活,他能在极短的时间内打开无论多么复杂的锁,从未失手。他曾为自己定下一个富有挑战性的目标:要在60分钟之内,从任何锁中挣脱出来,条件是让他穿着特制的衣服进去,并且不能有人在旁边观看。有一个英国小镇的居民,决定向胡汀尼挑战,有意给他难堪。他们特别打制了一个坚固的铁牢,配上把看上去非常复杂的锁,请胡汀尼来看看能否从这里出去。

胡汀尼接受了这个挑战。他穿上特制的衣服,走进铁牢中,牢门哐啷一声关了起来,大家遵守规则转过身去不看他工作。胡汀尼从衣服中取出自己特制的工具,开始工作。

30分钟过去了,胡汀尼用耳朵紧贴着锁,专注地工作着;45分钟,一个小时过去了,胡汀尼头上开始冒汗。最后两个小时过去了,胡汀尼始终听不到期待中的锁簧弹开的声音。他精疲力竭地将身体靠在门上坐下来,结果牢门却顺势而开,原来,牢门根本没有上锁,那把看似很厉害的锁只是个样子。小镇居民成功地捉弄了这位逃生专家,门没有上锁,自然也就无法开锁,但胡汀尼心中的门却上了锁。

小镇的居民故弄玄虚,捉弄了这位大师。大师的失败在于习惯告诉他:只要是锁,就一定是锁上的。因此,在实际生活中,我们一定要抛弃成见,不要让第一个想法占据你的脑子。要知道:错觉首先来到,真相就难容身。

◉懂得如何培养好习惯

良好的习惯是人生中重要的"链环",它将伴随我们的理想之舟驶向彼岸,随我们在人生之路上驰骋!

我们的自我意象和习惯是结合在一起的。其中一方改变了,另一方也会自动地改变。"习惯"(habit)一词原来是一件衣服或一块布。我们现在还说tidinghabit(骑马服)和 habiliments(服装),这反映出习惯的真正本质。我们的习惯完全就是个性的外衣,它们不是偶然的或偶发的。我们的习惯就像衣服一样合身。它们同我们的自我意象,同我们整个的个性模式相一致。我们有意识地、谨慎地培养新的好习惯时,自我意象就容易不适应旧的习惯,需要换上新的"款式"。

可以说,习惯仅仅是我们养成的一种自动进行而不需要"思考"或"决定"的反应,是由我们的创造性机制来执行的。

我们的表现、感觉和反应足有95%是习惯性的。钢琴家用不着"决定"该触哪一个琴键,舞蹈家用不着"决定"脚往什么地方移。他们的反应是自动的,不假思索的。同样,我们的态度、情感和信念也容易变成习惯性的。过去我们"学到":特定的态度、感觉和思维方式是与特定的环境"相适应"的。现在,只要面临我们所认为是"同样的环境",我们往往按照同样的方式来思考、感觉和行动。

我们应该理解的是,这些习惯与癖好不同,只要费费心思作个决定,再练习或"形成"新的反应或行为,习惯就能修正、改变,甚至完全扭转。钢琴家要加以选择的话,可以有意识地决定按另一个琴键,舞蹈家可以有意识地"决定"学会一个新的舞步——而且没有什么苦恼。完全学会新的行为模式需要的是不停的注意和不停的练习。

你穿鞋时,习惯上不是先穿右脚就是先穿左脚。你系鞋带时,习惯上不是把右手的鞋带从左手的鞋背后绕过来,就是反着绕。明天早晨,你想好要先穿哪只鞋、怎样系鞋带,然后你有意识地下决心在21天里形成一个新的习惯——先穿另一只鞋、相反的方向系鞋带。每天早晨以特定的方式穿鞋系带,用这种简单的举动提醒自己:在这一整天里都要改变其他的习惯性思考、感觉与行为。

在系鞋带时对自己说："今天我以一种新的、更好的方式开始。"然后，一整天内都有意识地下这样的决心：

（1）我要尽量精神愉快。

（2）我对别人的感觉和行为要友善一些。

（3）我对别人及其错误、失败和过失要少苛求，多容忍。要尽可能从最好的角度来解释他们的行动。

（4）我要尽可能地表现得对成功有把握，觉得自己就是我所希望的个性。我要练习在"行动"和"感觉"上都像是这个新的个性。

（5）我不让自己的观念给事实蒙上一层悲观或消极的色彩。

（6）我要练习每天至少微笑三次。

（7）不论发生什么情况，我的反应要尽可能地冷静和有理智。

（8）对于无力改变的那些悲观的和否定的"事实"，我将完全不予理睬，拒之于头脑之外。

对上述行为坚持练习 21 天，"体验"这些步骤，看一看忧虑、负罪感或者敌意是否会消失，看一看信心是否会增强。

当然，良好的习惯并非一朝一夕就能养成的。我们要制订一个切实可行的计划。计划一定要切合实际，既不过高，又不过低，也不追求十全十美。然后从制订计划的第一天起就开始实施。万事开头难，只要我们有了良好的开端，并不断地激励自己坚持下去，就会养成守时、勤奋、讲卫生、善于克服困难的好习惯。这种好习惯将使我们受益终生。

养成良好的习惯还需要我们下定决心，克服自身的惰性。心理学家通过研究发现，男女老幼各行各业的人们都易受到惰性的影响。四五岁的小孩也会像成人那样说："妈妈，我不想干。"许多人由于缺乏良好的习惯而惰性大，在学业、事业等方面一无所成。克服惰性要求我们严格要求自己，战胜自己，不给自己寻找开脱的理由，相信自己经过坚持不懈的努力，一定能够达到成功的彼岸。

英国前首相玛格丽特·撒切尔是世界上著名的"铁娘子"、女强人。她曾经这样说："有时事务太忙，我也可能感到吃不消，但生活的秘诀实际上在于把百分之九十的生活变成习惯，这样你就可以习惯成自然了。毕竟你想都不用想就去刷牙，这是习惯。"

有道是："播种思想，收获行动，播种行动，收获习惯。"只要你善于培养自己，良好的习惯就会属于你；只要你拥有良好的习惯，美好的人生就属于你！

◉巧用心理暗示培养好习惯

已经失败的人和已经成功的人之间,一个很重要的不同之处,在于他们不同的习惯。良好的习惯,是一切成功的钥匙。坏的习惯,是通向失败的敞开的门。因此,要遵守的第一个法则就是:要养成良好的习惯,全心全力去实行。

在你过去的行为当中,你的行动受俗念、情感、偏见、贪婪、恐惧、环境、习惯所支配,而这些"暴君"里,最坏的就是习惯。因此,如果决定要全心全力服从习惯的话,一定要全心全力服从良好的习惯。必须将坏习惯全部摧毁,准备在新的田畦,播下新的种子。

戴尔·卡耐基认为,最好是大声告诉自己,我要养成良好的习惯,全心全力去实行。

那么,如何去完成这种艰难的伟大事业呢? 就是革除生活上的坏习惯,换一个带你走向成功之路的好习惯。因为,只有一种习惯才能抑制另一种习惯。

成功学家曼狄诺曾道出了一项培养好习惯的心理暗示,他让大家每天要对自己说:

"今天是我新生命的开始。我要脱去我的老皮,因为它早就受尽了失败的创伤。

"今天我又一次再生,葡萄乐园是我的出生地,这里的水果大家都可以品尝。

"今天我要在这葡萄园里,从那枝最高而结果最多的葡萄藤上,摘下智慧的葡萄。因为,这些葡萄是我这个职业里最贤德的人,一代一代种植下来的。

"今天我要尝一尝这些葡萄的滋味,还要吞下每一粒成功的种子,使新生命在我心里萌芽成长。

"我所选择的这个行业,充满机运,没有悲伤和失望。而那些已经失败的人,如果将他们一个个地叠起来,会比地面上的金字塔还高。

"但是,我像另外一批人一样,不会失败。因为我的手里握有航海图,指示我游过波涛汹涌的海洋,到达彼岸。过去的,只是一场梦罢了。

"失败不再是我奋斗的代价。失败像痛苦一样,不适合我的生活。过去我曾接受它,那是因为我需要痛苦。现在我拒绝它,这是因为我有了智慧和原则,指引我走出阴暗,进入富庶、幸福和远超过我梦想的康庄大道。在那里,苹果园里的金苹果也不过是给我的一点点报酬而已。

"人要能长生不老，就可以学到一切，但我不能永生。所以，在我有生之年，我必须练习忍耐的功夫。因为，造物主做起事来，从来不是匆匆忙忙的。创造橄榄树——一切树木之王——需要一百年。一个洋葱 10 个星期就长成了。我曾像一个洋葱一样地活着，我很不高兴。现在，我要成为最了不起的橄榄树。实际上，我要成为一名成功人士（应具体一点，例如演讲家、科学家等）。"

这种习惯有什么用呢？这里面隐藏着人类本能的秘诀。当每天重复念这些话的时候，它们很快就会成为精神活动的一部分。而最重要的是，它们会溜进心灵，变成奇妙的源泉，永不停止，创造幻境，并使你做出难以理解的事情。

当话语被奇妙的心灵完全吸收的时候，每天早晨，你便开始带着以前从来没有过的一种活力醒过来。你的元气将会增加，你的热忱将会升高，你创造世界的欲望将会克服一切恐惧，你将会比你想象中的快乐更快乐。

最后，你发现自己已有了应付一切情况的方法。不久，这些方法就能运用自如。因为，任何方法只要练习，就会熟能生巧，难的也变成容易的了。

你一旦喜欢去做，就愿意时常去做，这是人的天性。当你时常去做的时候，它就成了你的一种习惯，你也就成为它的奴仆。因为它是一种好习惯，也就是你的意愿。

你要郑重地对自己宣誓说，没有人能够阻碍你的新生命的成长。实际上，每天在这新的习惯上花费几分钟，对将要属于你的那种快乐和成功来说，只是付出微小的一点代价而已。

智慧的葡萄被挤压到一个装着酒的瓶子里，葡萄皮和渣抛给了鸟吃。许多没有用的东西，已经过滤出来，随风飘逝。只有纯粹的真理，提炼在将来的话语之中。

今天，你的老皮已经变得如尘埃逝去。你要在众人中昂首阔步，不管他们认不认识你。因为，今天你是一个有着新生命的新人。

不断运用这些心理暗示，就能培养良好的习惯，消除坏习惯。

●掌握改变坏习惯的 13 种方法

坏习惯并不是无法改变的。只要你高度地重视它，持之以恒地摒弃它，就没有不能改变的坏习惯。下面是 13 种行之有效的改变坏习惯的具体做法。

方法一,认识到自己有什么坏习惯必须改掉。

例如使你逃避面对问题的习惯,使家人、朋友或同事厌烦的习惯,你觉得并不能带来愉快但又不能自拔的习惯等等,都是必须改掉的坏习惯。

方法二,设法改变自己周围的环境。例如在办公桌边挂上悦目的图片,可以引起你对工作的兴趣。参加一个俱乐部,可以医治你的工作狂。

方法三,找一些有益的新朋友。例如你要改掉暴饮暴食的习惯,就和饭量小的人一起吃饭。想戒烟就尽量少和大烟枪在一起。

方法四,一旦有成就马上肯定自己。买点礼物慰劳一下自己,提醒自己正在接近成功。

方法五,向别人介绍成果。让自己产生成就感,避免重蹈覆辙。

方法六,多参加各种各样的活动。不要把自己的快乐活动限制在你喜欢的那一两项中。

方法七,凡事不必看得太严重。从日常平淡的生活中发掘乐趣,与你周围的人共享生活的甜美。

方法八,自认为自己是个风趣又机智的人。设想别人与你谈话都觉得很愉快,乐意听你说话,并点头表示赞同。

方法九,学会提问而且问得恰当。问别人私事要适可而止,切不可追根问底。对别人关切的事能表示关怀,有诚意对他人作进一步的了解。

方法十,尝试扮演"对立面"的角色。偶尔善意地与对方唱唱反调,以引起一点温和的争论,别人会觉得你很有意思。

方法十一,不可装着自己什么都懂。不知道就说不知道,诚恳地问人家,更容易给人亲切感。

方法十二,多提别人好的一面。对人,多提优点,少提缺点。对事,多提光明面,少提阴暗面。指责别人的失败,别忘了提对方曾努力过。

方法十三,把握机会多交朋友。无论参加任何聚会,都要尽量带给人愉快,不断与人建立新的、有益的友谊。

◉莫固守内心深处的习惯

从小到大，我们都会接受到各种知识，但就在我们认识世界的同时，一个个不可避免的习惯也会套在我们的头脑里。

一个小孩在看完马戏团精彩的表演后，随着父亲到帐篷外拿干草喂养表演完的动物。小孩注意到一旁的大象，问父亲："爸，大象那么有力气，为什么它们的脚上只系着一条小小的铁链，难道它无法挣开那条铁链逃脱吗？"

父亲笑了笑，耐心为孩子解释："没错，大象是挣不开那条细细的铁链。在大象还小的时候，驯兽师就是用同样的铁链来系住小象，那时候的小象，力气还不够大，小象起初也想挣开铁链的束缚，可是试过几次之后，知道自己的力气不足以挣开铁链，也就放弃了挣脱的念头，等小象长成大象后，它就甘心受那条铁链的限制，而不再想逃脱了。"

正当父亲解说之际，马戏团里失火了，大火随着草料、帐篷等物，燃烧得十分迅速，蔓延到了动物的休息区。动物们受火势所逼，十分焦躁不安，而大象更是频频跺脚，仍是挣不开脚上的铁链。

炙热的火势终于逼近大象，只见一只大象已被火烧着，灼痛之时，猛然一抬脚，竟轻易将脚上铁链挣断，迅速奔逃至安全的地带。

其他的大象，有一两只见同伴挣断铁链逃脱，立刻也模仿它的动作，用力挣断铁链。但其他的大象却不肯去尝试，只顾不断地焦急转圈跺脚，竟而遭大火席卷，无一幸存。

在大象成长的过程中，人类聪明地利用一条铁链限制了它，虽然那样的铁链根本系不住有力的大象。可在我们的头脑中，是否也有许多看不见的链条系住我们？而我们却已经把这些视为习惯，理所当然，进而向环境低头。

这一切都是我们心中那条系住自我的铁链在作祟罢了。或许，你必须耐心静候生命中来一场大火，逼得你非得选择挣断链条或甘心遭大火席卷。或许，你将幸运地选对了前者，在挣脱困境之后，语重心长地告诫后人，束缚我们发展的也许正是我们自己心中的习惯。

体育运动中举重项目之一的挺举，有一种"500磅（约227公斤）瓶颈"的说法，也就是说，以人体的体力极限而言，500磅是很难超越的瓶颈。499磅的纪录保持者巴雷里,比赛时所用的杠铃,由于工作人员的失误,实际上超过了500磅。这个消息发布之后,世界上有六位举重好手在一瞬间就举起了一直未能突破的500磅杠铃。

有一位撑竿跳的选手,一直苦练都无法越过某一个高度。他失望地对教练说:"我实在是跳不过去。"

教练问:"你心里在想什么?"

他说:"我一冲到起跳线时,看到那个高度,就觉得我跳不过去。"

教练告诉他,"你一定可以跳过去。把你的心从竿上摔过去,你的身子也一定会跳着过去。"

他撑起竿又跳了一次,果然跃过。

可见,一切固守在内心深处的习惯往往都会束缚着你的手脚,使你无法施展。

◉学会适时给习惯让路

习惯是一座独木桥。当你在这座桥上遇到了不能通过的障碍时,你最好给习惯让路。

一天,一家国有酱菜厂厂长正在读一张杂文报,读着读着,忽然大笑了起来。报纸的内容是两则笑话:

有个父亲出去找儿子回来吃饭,看到儿子站在独木桥中间,与对面的过桥人对峙着,僵持着。父亲问明原委后,很生气地瞪了对面的人一眼,说:"好儿子,做得对! 你先回家吃饭,我替你站着。"

大作家萧伯纳与一位工业大亨在小桥上相逢。大亨傲慢地说:"我从来不给傻子让路。"萧伯纳让到一边,说:"我正好相反,您请!"

这位老牌酱菜厂厂长眼下正为企业的出路所困。近两年,自己企业的市场被几家新兴私营厂抢走近七成。为了争一口气,他们把已经准备好的转产计划给搁置下来,苦苦支撑着。厂长虽曾有心让路,无奈其他领导成员态度坚决,自己也就没再坚持了。读了两则笑话后,厂长问妻子:"在独木桥上与人相遇,你怎么办?"妻子一脸正经:"我主动让路。不像有些人,路走不通了,还一味顶下去。"于是,厂长的思想开窍了,第二天就召开全厂职工大会,坚决转产。

可见,当习惯的思维已不再适应前进的需要时,只有变换思维才是唯一的出路。

一家自选商场的货架上,依次摆着红、黑、黄、白、蓝多种颜色的围巾——这是一位心理工作者设计的顺序。一个月后,红、黄、蓝三色围巾售出不少,黑色围巾几乎没卖出一条,白色的也销售不多。眼看后两种都脏了,售货员干脆将它拍卖出去,只留下热销的三色围巾。又一个月过去了,盘点的结果是红与黄二色围巾卖得极少,生意清淡。售货员百思不得其解,甚感头疼。一位头脑活泛的售货员琢磨了几天,提出一个建议:重新添上黑白二色围巾,按原来顺序摆好。真是不可思议,红黄二色围巾又热销了。

颜色的排列竟如此神奇,似乎不可理解,一经行家点破,很快就能明白其中的道理。

因为色彩排列合理,可以刺激顾客感官,激发顾客情感,引导顾客驻足。撤去黑与白围巾,红与黄、蓝相互为邻,色差减弱,顾客的注意力也就减弱了,缺少对比色的刺激,就影响了购买欲。尽管黑、白二色围巾售出不多,却是不可或缺的对比物。

现实中,有经验的企业家不仅重视产品颜色的配搭,连车间、设备的颜色搭配也同样进行精心设计,因为色彩对工人的情绪大有影响。例如,日本的一家服装厂,工人的精神一直不太振作,经社会学家、心理学家和行为科学工作者共同会诊,认为整个生产环境的色彩存在问题。他们将沉闷混乱的色调改为轻松活泼的色调,结果,工人的精神舒展了,手脚也灵活了。

在实际应用中我们应该注意,对色彩应该灵活运用,要善于因习惯的变化而做出适当的调整。比如,在一般杂志中夹杂一张彩页,上面刊载的广告显得很醒目,很突出,宣传效果好。现在有些杂志已经是彩色杂志了,基于这一现实,法国一家酒厂在彩色杂志刊登广告时,总要提出一个先决条件,只登黑白照片,否则不登。为什么? 老板认为,彩色图片虽然华贵,但在彩色世界中,相互淹没了,再好的图片也无鹤立鸡群之功;相反,在艳丽的环境里留下一丝素色,倒可以让疲劳的眼睛为之一亮。这就是当习惯不再习惯的道理。

◉挑战权威,不向习惯低头

科学理论是相对的,它们具有先进性,也有自己的局限性。有些人虽然知识不足,但初生牛犊不怕虎,思想活跃,敢于奋力拼搏,反而增加了成功的希望。权威人士常因为头脑中有了定型的见解和习惯,甚至是自己苦心研究得到的有效成果,因而紧紧抱住不放,遇到同类事项总是以习惯为标准去衡量,而不愿去思考别人的意见,哪怕是更好更有效的办法。故而曾经先进过的东西有时反而会成为创新的障碍。

18世纪末,一些科技人员开始探讨人类上天的可能,着手研制飞机。可是,反对的力量十分强大,他们都是当时世界上的科技名流。最有代表性的有:法国著名天文学家勒让德,这位最早用三角方法测量地球与月亮之间距离的科学大师认为,企图制造一种比空气重的东西到空中飞行是永远不可能的。这一观点得到德国大发明家西门子的支持。西门子认为,飞机根本上不了天。能量守恒定律的发明者之一德国物理学家赫尔姆霍茨也大泼冷水,认为要将沉重的机械送上天纯属空谈。美国天文学家纽康经过对各种科学数据的反复计算,也得出权威的结论:飞机根本无法离开地面。由于众多科学大师与学术权威的坚决反对,金融界、工业界对飞机的研制也持不合作态度,飞机研制陷入重重困难之中。

后来,没有上过大学的美国人莱特兄弟却首次将飞机送上了天,当时是1903年。莱特兄弟学历不高,有关知识都是自学得到的。他们如初生牛犊,不惧虎狼,不在乎权威的反对。他们细心观察鸟类的体态结构及翅膀的动作,从中接受启发,再运用科学原理反复试制、修改,终于取得突破性成功。

著名物理学家杨振宁谈到科学家的胆魄时曾说:"当你老了,你会变得越来越胆小……因为一旦有了新想法,马上会想到一大堆永无休止的争论。而当你年轻力壮的时候,却可以到处寻找新的观念,大胆地面对挑战。"为什么有些大人物成名之后辉煌难再? 其重要原因之一恐怕就在这里。反对研制飞机的那些科学大师们就是这样。因此,我们应该学习莱特兄弟,不向习惯低头,敢于挑战权威。

●及时改变不习惯的习惯

说到习惯,我们常常会想,是不是有一些过去的习惯就在你的眼前欺骗或者伤害了你呢?我们所要做的就是摒弃以往那些不好的习惯,这说起来好像很轻松,而付诸实践却是很难的。

曾有一个广告人告诉我他有嗜烟的习惯,这一习惯最终害苦了他——他的身体被毁了,所以他决定要摒弃这个习惯——戒烟,下面就是他克服这个坏习惯的方法。

他知道,如果他总是因为戒烟而觉得对不起自己,那他就没救了。别人会说"只要意志坚强就可以嘛",但对于戒烟来说,确实很难。戒烟让他变得脾气暴躁,工作效率降低,而他最终解决这个麻烦的方法是马上再养成其他的习惯来代替抽烟。

现在,他说,当我们看到他站在窗口前深呼吸的时候,他就是在以此为替代抽烟;当我们看见他在漱口的时候,他就是在当自己正在抽烟;当我们看见他吃晚饭后直接去刷牙时,他就是在当自己正在抽烟。他用这些行为强迫自己形成了新的习惯,代替了自己以前抽烟的恶习。

其实,习惯的新陈代谢,不仅在生活中会常常发生,就是经商开店,也会因地情与人情的变化,而不得不改换经营的思路。

广州某新区有一条马路,路边的几家小饭馆就数由北方阿姨经营的饭堂最红火。这家饭堂用料纯,分量足,味道美,卫生条件也不错。虽然花色品种不多,总体档次不高,但经济实惠,颇受周围居民及附近的建筑工匠们欢迎,因此回头客多,生意很旺。

两年过后,老板赚了一把,于是花一大笔钱把店堂装修一新,蓝色玻璃墙替代了铁皮拉闸门,高级霓虹灯换下了木板门牌,粗桌粗椅不见了,高级餐桌摆上了……

可是,事与愿违,本指望生意能发扬光大,谁知适得其反,重新开张几个月了,饭堂门可罗雀。原来,居民们、工友们一见新饭堂那么漂亮,心想,人家鸟枪换炮了,档次和消费水准自然高了,服务对象也高了,再不是自己的去处了。顾客走了,饭堂还好得起来吗?

　　本来小饭堂主要是为所在街区的居民服务的，到一个街区开办饭堂，首先应该想到的是本街区居民的基本情况，充分考虑他们的文化水平、经济能力、生活档次，才能准确定位，合理设定服务项目与服务等级。在一个以工薪旗下打工族为主要居民的街区，不适当地提高装修水平，提高服务档次，把老顾客给吓跑了，自己也就断了财路。这家饭堂前期经营成功，是因为他自觉或不自觉地适应了本街区居民的消费能力与生活需求，定位准确，切合地情，故而有效地占领了市场。后期经营失败，则是因为它背离地域的客观存在，头脑发热，试图通过提高服务水平，人为地拔高消费者的承受能力，违背地域实际，结果只能自砸牌号，自毁前程。

　　天津"狗不理"包子久负盛名，在北方几乎是家喻户晓，可分店开到深圳时，却大受冷遇。商家尽管不断加大宣传力度，多方开展促销活动，始终只能热闹一阵，难以吸引众人持续钟情于它。经营者面对尴尬的局面，深入街区调查，发现不是包子质量不好，也不是口味不对，而是深圳人对"狗不理"的名称太感冒了，心理上接受不了。经营者思之再三，忍痛摘下"狗不理"的牌子，换上"喜相逢"的匾额。真是神了，立即柳暗花明，顾客盈门，生意大有起色。

　　很多时候就须如此，因为地域不同，观念有异，对应办法也应该有所改变。

　　"狗不理"的根据地在北方，朴实的北方人视之为宝贝，自己的孩子自己爱嘛！深圳人就不同了。深圳毗邻香港，重视名头，讲究吉祥，忌讳很多。"狗不理"字面意思不雅，深圳人接受不了。聪明的经营者虽然空间视角不灵，但一经发现问题，当即请教社会，深入街区调查，并立即调整思路，是很有理智的。

　　可见，消费者对商品有不同的审美习惯。符合他们习惯的便会产生购买欲，反之，则再美也弃之不用。欧美国家视黄色为太阳与光明，巴基斯坦则对黄色表示厌烦，希腊、罗马认为黄色象征吉祥，叙利亚则以黄色象征死亡。我们看一些小例子：

　　山羊牌闹钟在许多国家受欢迎，在英国却一个也卖不出去。原来，山羊在英国被喻为"不正经的男子"。上海出口一种防蚊虫叮咬的药膏，名为"必舒膏"。言下之意是用了这种药膏，必然感到舒适。可产品到了香港，却无人问津。原因是"必舒"谐音"必输"。香港人好"发"，好赢，谁去买"必输"呢？

　　世界就是这样，不同的国家、不同的地区就有不同的文化、观念和心理。当习惯不再习惯时，我们就应及时地改变。

◉培养让自己快乐的习惯

快乐并不是一个空洞的名词，它是一种重要的力量，你可以予以利用，使自己获得好处。没有了它。你就像一个没有了电的电池。

快乐是一把火，它可以燃起成功的希望。快乐也是可以传播的分子，它可以把美好的感情传给更多的人。我们都曾在不同场合遇到这样的情况，某人说："我有一个好消息。"这时所有的人都会停下手里的工作望着他，等他说出来才罢。好消息除了引人注意以外，还可以引起别人的好感，引起大家的信心与干劲，甚至帮助消化，使你胃口大开。

有人问，快乐一定需要有非常雄厚的物质基础吧？其实，快乐并不是贵族的专利，它就像水和空气一样，是我们身边最常见的物质，只是有时候，我们无法看到它的存在。

美国前总统卡特先生出生在肯塔基州森林里的一间小木屋里，生活中的不幸几乎都被他遇到了。然而，卡特从未就此而失去快乐。他认为苦难和快乐是两回事："不仅是在必要的情况下忍受一切，而且还要喜爱这种情况。"

后来，卡特回忆说："这种快乐的心理很重要，可以使自己保持从自己的实际条件和境界出发，从来不抱怨什么，终于成为一个成功者。"

他曾说："如果我出生在一个贵族家庭，在哈佛大学法学院得到学位，而又有幸福美满的婚姻生活的话，我也许绝不可能在盖茨堡发表演说，也不会在第二次演说中说出那句如诗般的名言——这是美国统治者所说过的最美也最高贵的话：不要对任何人怀有恶意，而要对每一个人怀有喜爱……"可以说，卡特的一生成就就是用快乐写成的，没有快乐心理的支配，他就不可能成功。

假如你也希望像卡特那样，充分享受每一天快乐的日子，那么，就试着从现在开始吧。每天回家时尽量把好消息带给家人共享，告诉他们今天所发生的好消息。尽量讨论有趣的事情，同时把不愉快的事情抛在脑后。也就是说，只能散布好消息。把好消息告诉你的同事。要多多鼓励他们，每一个场合都要夸奖他们，把公司正在进行的积极事情告诉他们。不要像蝙蝠那样，到处传播坏的消息，因为传播坏消息的人比传播好消息的要多，所以你要千万了解这一点！散布坏消息的人永远得不到朋友的欢心，也永远一事无成。

要获得快乐，就需要培养快乐的习惯，那么，快乐的习惯如何培养和创造呢？常见的方法有以下六种：

1. 精神胜利法

这是一种有益身心健康的心理防卫机制。在你的事业、爱情、婚姻不尽如人意时，在你因经济上得不到合理对待而伤感时，在你无端遭到人身攻击或不公正的评价而气恼时，在你因生理缺陷遭到嘲笑而郁郁寡欢时，你不妨用阿 Q 的精神调适一下你失衡的心理，营造一个祥和、豁达、坦然的心理氛围。

2. 难得糊涂法

这是心理环境免遭侵蚀的保护膜。在一些非原则性的问题上"糊涂"一下，无疑能提高心理承受的阈值，避免不必要的精神痛楚和心理困惑。有这层保护膜，会使你处乱不惊，遇烦不忧，以恬淡平和的心境对待各种生活的紧张事件。

3. 随遇而安法

这是心理防卫机制中一种心理合理反应。培养自己适应各种环境的能力，遇事总能满足，烦恼就少，心理压力就小。古人云："吃亏是福"……生老病死，天灾人祸都会不期而至，用随遇而安的心境去对待生活，你将拥有一片宁静清新的心灵天地。

4. 幽默人生法

这是调和心理环境的"空调器"。当你受到挫折或处于尴尬紧张的境况时，可用幽默化解困境，维持心态平衡。幽默是人际关系的润滑剂，它能使沉重的心境变得豁达、开朗。

5. 宣泄积郁法

心理学家认为，宣泄是人的一种正常的心理和生理需要。你悲伤忧郁时，不妨与异性朋友倾诉；也可以通过热线电话等向主持人和听众倾诉；也可进行一项你所喜欢的运动；或在空旷的原野上大声喊叫，既能呼吸新鲜空气，又能宣泄积郁。

6. 音乐冥想法

当你出现焦虑、忧郁、紧张等不良心理情绪时，不妨试着做一次"心理按摩"——音乐冥逛"维也纳森林"，坐"邮递马车"……

◉培养敬业的习惯

在我们生活的周围，经常听到一些年老的同事发出这样的感慨：现在的年轻人敬业精神不如以往，工作漫不经心，犯了错他人也说不得，要求严格了，便一走了之。而且能虚心学习、苦干实干、认真负责的实在不多。

我们先不讨论这些老同事的观点是否正确，但其中有一点至关重要，即一个人的敬业精神。这也是现代人应该具备的职业道德，如果你在工作上能敬业，并且把敬业变成一种习惯，你会一辈子从中受益。

所谓"敬业"，就是要敬重你的工作！这可以从两个层次去理解。低层次来讲，"拿人钱财，与人消灾"，也就是说，敬业是为了对老板有个交代。如果我们上升一个高度来讲，那就是把工作当成自己的事业，要具备一定的使命感和道德感。不管从哪个层次来讲，"敬业"所表现出来的就是认真负责——认真做事，一丝不苟，并且有始有终！

很多年轻人初入社会时都有这样的感觉，自己做事都是为了老板，为他人挣钱。其实，这也并无什么关系，你出钱我出力，情理之中的事。再说，要是老板不赚钱，你怎么可能在这一公司好好待下去呢？但有些人认为，反正为人家干活，能混就混，公司亏了也不用我去承担，他们甚至还扯老板的后腿，背地做些不良之事。稍加细致地想想，这样做对你自己并没什么好处。工作敬业，表面上看是为了老板，其实是为了自己，因为敬业的人能从工作中学到比别人更多的经验，而这些经验便是你向上发展的踏脚石，就算你以后换了地方、从事不同的行业，你的敬业精神也必会为你带来助力！因此，把敬业变成习惯的人，从事任何行业都容易成功。

有人天生就有敬业精神，任何工作一接上手就废寝忘食，但有些人的敬业精神则需要培养和锻炼，如果你自认为敬业精神不够，那就应趁年轻的时候强迫自己敬业——以认真负责的态度做任何事！经过一段时间后，敬业就会变成一种习惯！

养成敬业的习惯之后，或许不能立即为你带来可观的好处，但可以肯定的是，如果你养成了一种"不敬业"的不良习惯，你的成就相当有限，你的那种散漫、马虎、不负责任的做事态度已深入你的意识与潜意识，做任何事都会"随便做一做",结果不问也就可知了。如果到了中年还是如此,很容易就此蹉跎一生!

所以,"敬业"短期来看是为了雇主,长期来看是为了你自己呀!此外,敬业的人还有其他好处:

首先,容易受人尊重。就算工作绩效不怎么突出,但别人也不会去挑你的毛病,甚至还会受到你的影响哩!

其次,易于受到提拔,老板或主管都喜欢敬业的人,因为这样他们可以减轻工作压力,事情交给你放心。你如此敬业,他们求之不得!

当然,有的人会想,现在找工作也并不只有一条路,此处不留,自有他处,不如过一天算一日。如此混混先生,只能一年到头去找工作了。

◉培养果断决策的习惯

前面说过,意志力对一个人的成功具有很重要的作用,形成果断决策的个性,则是意志训练中最重要的工作。

一个人的判断力如静水深流,深植于个性当中。

处理任何重要事情都需要判断力来帮忙。除了事实本身的状况外,良好的判断力不应受情感波动、建议、批评等表面现象的干扰。世界上成千上万的人虽然拥有出类拔萃的能力,可是却因为缺乏果断的个性而沦为平庸之辈,这是多么可惜的一件事情。要知道,在任何情况下,不能信心百倍地做出自己的决断都是一种悲剧。许多人招致失败,就是因为缺少果断的决策力而非缺乏能力。

我认识的一个人,人品非常好,为人处世非常得体,但就是由于这优柔寡断的性格,他得不到人们的信赖。无论做什么事情都犹犹豫豫、瞻前顾后,老是担心给自己留的重新考虑的余地不够大,甚至连写信也都这样。对他来说,寄一封信可不是一件容易的事,他总担心自己的信的内容会有什么改动,不到最后一分钟绝对不会封口。即使信的一半已经塞到邮筒里了,他还会把它再抽出来,拆开,再看一遍,哪怕是发现很小的不对头的地方,他都会拿回去重写。寄出去以后,他还是惴惴不安的,成天记挂着那封信的措辞是否得体,会不会又发生什么样的变故。最可笑的是有一次他把信寄出去以后,又发电报叫人家赶紧把信退回来、千万不要打开看,因为自己觉得里面说了一句自己认为是自夸的话,担心这样别人会认为自己不够谦虚。就这样,生活中他很少得到知己,事业上很难得到合伙人。

威廉·沃特曾经说过这样的一段话:

"如果一个人永远徘徊于两件事之间,对自己先做哪一件犹豫不决,他将会一件事情都做不成。如果一个人原本做了决定,但在听到自己朋友的反对意见时犹豫动摇、举棋不定,那么,这样的人肯定是个性软弱、没有主见的人,他在任何事情上都只能是一无所成,无论是举足轻重的大事还是微不足道的小事,概莫能外。他不是在事业上积极进取,而是宁愿在原地踏步,或者说干脆是倒退。古罗马诗人卢坎描写了一种具有恺撒式坚忍不拔精神的人,实际上,也只有这种人才能获得最后的成功——这种人首先会聪明地请教别人,与别人进行商议,然后果断地决策,再以毫不妥协的勇气来执行他的决策和意志,他从来不会被那些使得小人物们愁眉苦脸、望而却步的困难所吓倒——这样的人在任何一个行列里都会出类拔萃、鹤立鸡群。"

要知道,在当今激烈竞争的年代,机会瞬息即逝,只有在关键时刻冒着巨大风险,迅速做出决定,才能为自己创造财富。而那些成千上万的在竞争中溃败而归的人,大部分就是因为耽搁和延误。

因此,培养果断决策的习惯对我们来说是非常重要的,当然我们可能会犯错误,但是,你要知道,对一个人来说,偶尔做出错误的决定,总比从不做决定要好。我们要甘于冒险做出果断的判断、采取有力的行动。

●不可死守老一套的习惯

在日常生活中,有的人习惯于遵循老传统,恪守老经验,宁愿平平淡淡做事,安安稳稳生活,日复一日、年复一年地从事别人为他们安排的重复性劳动。他们的生活毫无波澜,更乏创造。这种人思想守旧,循规蹈矩,心不敢乱想,脚不敢乱走,手不敢乱做,凡事小心翼翼,中规中矩,虽然办事稳妥,但一般不会有多大出息。

有的人却一身"反骨",你拿苹果直着切,我偏横着切,看看究竟有啥不同;你说"不听老人言,吃苦在眼前",我偏不听你的,偏要自己闯闯看。这种人不愿死守传统,不愿盲从他人,凡事喜欢自己动脑筋,喜欢有自己的独立见解。他们思想开放,不拘小节,兴趣很多,好奇心重,喜欢标新立异,最爱别出心裁。因此,这种人脑瓜活,办法多,最能创造出好成绩。

我们希望读者能多做后面那种人,努力在生活和工作中开创新局面,别让习惯成娇惯。因为,只有拥有创新意识才会有创新实践。

一只大雁和一只狐狸都落入猎人设下的陷阱。它们各自都在思考如何逃过猎人的"魔掌",死里逃生。不久,猎人来了。

飞遍大江南北、见多识广的大雁知道,既然成为猎物,求饶是没用的,于是快速躺在地上装死。猎人以为是被狐狸咬死的,就抓了出来,扔在地上。

狐狸想,民间有"不打笑脸人"一说,于是嬉笑着说:大哥,咱们是好兄弟,您就饶了我吧。我不像大雁,老是糟蹋您的庄稼,我帮您惩罚它。但猎人根本不予理睬:狡猾的东西,我不会上你的当。一棍子就打死了它。再回头找大雁,谁知,大雁早拍拍翅膀,飞了。

在这则寓言中,我们看到狐狸虽然狡猾,但毕竟目光短浅,思想陈旧,缺乏创新意识,只知沿用老办法,终于难逃一死。而大雁却通过分析猎人的心理,认识到了自己与狐狸的强弱关系,于是力求创新,采用欺诈的办法,诱导猎人犯错误,最终逃过一劫。

这个寓言说的虽然是动物,其实,人也是如此。时代在不断发展,仅靠小聪明,死守老一套的习惯,已经不能适应社会的要求。在如今的社会,只有那些大胆创新,勇于挑战社会和挑战自我的人,才能成为时代的先行者。

◉ 摒弃说"下一次"的习惯

消极的人总是喜欢这样说:"这次工作没做好,下一次我一定能完成!"问题出现在"下一次"这个词上,我敢打赌这些人下一次一定还做不好。人们之所以喜欢说"下一次",是因为他们想让自己免于受到别人的批评或者避免自己内心的谴责。

当人们说完"下一次我一定能完成、一定能做好"之后,他们继续走在原来的路上。

不知道你是否有过这样的经历:你开车前设定了自己的目的地,却不知不觉行驶到别的地方。就拿我来说，原本每天上班是走同一条路线，而最近一段时间，途中因为施工经常导致交通堵塞，于是，我有意识地为自己规划了另一条行车路线。然而不幸的是，我还是很多次走上了拥堵的老路。

思维和行为的懒惰让人们不愿意改变自身，显然，大多数人曾经"痛下决心"说出这样的话："我保证下一次一定做好！"但是刹那之间，这个决定被抛到九霄云外，下一次做错之后，他们依然重复地说一样的话。如果你不改变你的态度、思想、行动，你的工作还会停留在表面上，以至走向深渊。

现在的问题是，人们有多少次可以做表面文章的机会呢？这并不是危言耸听，很多情况下，根本没有"下一次"的机会。当你还来不及说"我下一次一定能做好"的时候，你已经被解雇了。

张伟供职于某家金融公司，一直是一位表现出色的员工，颇受上级的青睐。直到有一天，张伟在给上司赶一份重要合约的时候，忽然接到一个电话，原来是他的朋友里奥纳多想约他周末参加郊游活动。张伟挂掉电话后便心不在焉，他在遐想郊游该有多么快乐：森林、美酒、烧烤、闲谈，他都有些迫不及待了。但是手上的重要合约提醒他应该停止胡思乱想，张伟重新投入到工作当中。可是没过5分钟，张伟又开始想应该准备哪些野餐的食物。就这样，在不断走神与专注工作的矛盾交替中，一份合约起草好了。

由于张伟一直很稳定的表现，文件交给上司的时候，上司只是大概浏览了一下就签了字，然后合约被寄出。结果，这份合约上存在的一个严重、但是很隐蔽的数据错误导致公司亏损了几十万美金，张伟因此被直接炒掉——他天天都有时间去郊游了。

不可否认，上司或老板一向都很欣赏那些表现突出的员工，就因为这样，他们更不容许工作中出现错误，这就要求每个人在工作的时候必须把手上的工作做得细致入微，尤其做表面工作最容易出现致命错误了。可见，我们并没有太多的"下一次"！

但是，很多人并不认为自己仅仅是在做表面工作，因为他们觉得自己花了很多的时间和精力在里面。诚然，具备良好的工作态度是非常重要的，但是花了时间和精力却只造成高效能工作的假象却是一种陷阱，对于爱做表面工作的人，无论他们一天、一周、一月，还是一年完成多少任务，每个任务都做不到位，在我看来，结果加在一起就是零。一个事实，企业中可以长久存在的员工不是做事情速度快但效果差的，而是速度慢却效果好的。

那么，为什么不在接受任务时就跟自己说"我一定能做好"呢？

深入地工作对你个人和你所在的团队都很重要,你也会因此受益匪浅。杜邦公司的贺利得先生能够从周薪50美元的工作,迅速升至副董事长的职位,不久后又升任公司的董事长,就是因为他做每一件事都会认真负责到底。周围人对他的评价是:"贺利得先生是我们的榜样和朋友,他总是能及时发现和解决工作中出现的问题,让杜邦公司持续前进。"

美国前总统杜鲁门的桌子上摆着一个牌子,上面写着"问题到此为止",这就是我说的"深入地工作"的能力。如果在工作中,对待每一件事都是"问题到此为止",每次都能完整地完成工作任务,我敢说,这样的公司将让所有人为之震惊,这样的员工将赢得足够的尊敬和荣誉。

要能成为一个成功的人,把工作做到位才是关键。

此外,在你开始着手工作之前,你必须有完成工作的坚定的决心。一个很好的建议就是在接受工作任务的同时,跟自己说:"我能完成!"或"我肯定能做好!"

美国西点军校闻名世界,曾诞生了许多成功人士,这些人士在不同的行业发展,都有卓越的表现。在1980届学员二十年之后的聚会上,你可以见到:一位国会议员、四位白宫工作人员、驻越南和约旦的大使馆官员、一名曾在太空行走过的宇航员、一位联邦调查局特工以及诸多首席执行官、医生、大学教授、部长、律师、企业家、工程师、科学家和飞行员。

问起这些西点人,为什么都能取得工作上的巨大成就,他们的答案几乎一致:"在西点,人们只能有一个态度,就是在接受任务的时候对自己说:'我能完成!'剩下的就是去很好地完成你的任务。"这个态度给了他们极大的帮助,指引他们取得成功。

如果你反复对自己说"我相信我能做得到",那么你就极有可能做到;如果你总是说"我真的做不到",那你注定只能一事无成。

"我能完成"是非常有力的一句话,现实中很多人也运用这句话。对大多数人来说,这句话具有特别重要的意义,而且还非常实用。人们相信自己能做什么,就一定可以做到。有人说,世界上除了一些精神失常的人之外,可以实现的事情与真正实现之间的距离其实很小很小,但首要的是他一定要相信自己能行。

从自我怀疑的枷锁中挣脱出来吧,这样,你就能达到期望的高度;没有什么办不到,只要相信自己能行。就这么简单?当然不是。生活中值得追求的东西没有什么是随随便便的。那到底能不能办到呢?要是你不努力,而且不是努力再努力,那你永远也不会知道。

短距离的目标很容易命中,可生活中我们不能如此鼠目寸光。我相信世界上最坚不可摧的力量就是相信自己的意志,敢于瞄准远大目标的勇气,以及坚定追寻梦想的信心。

◉ 小的坏习惯也不可小视

在日常生活里我们常会遇到一些人,由于一些微不足道的习惯,使他们成为一个不受欢迎的人。他们这些微不足道的缺点却像那遮住明月的乌云一样,掩盖了他们原有的美丽与皎洁的光辉。

1. 当众打呵欠

当你和朋友在一起谈话的时候,尤其是当你的朋友在滔滔不绝地发表意见时,也许你感到疲倦了,但你能按捺住性子不让自己打呵欠吗?

在大庭广众中,你能忍住不打呵欠吗?

假使是你和你的老朋友谈话,你知道在老友面前打呵欠会引起老友不快吗?

打呵欠在社交场合中给人的印象是:你不耐烦了,而不是你疲倦了。

2. 当众掏耳和挖鼻

有些手痒的人,只要他看见什么可以用,就会随手取一支来掏耳朵。尤其是在餐室,大家正在饮茶、吃东西的当儿,掏耳朵的小动作,往往令旁观者感到恶心,这个小动作不仅实在不雅,而且失礼。即使你想洗耳恭听,此时此刻也不是时候。同样,用手指挖鼻孔也是非常失礼的动作。

3. 当众剔牙

宴会席上,谁也免不了会有剔牙的小动作,既然这小动作不能避免,就得注意剔牙时不要露出牙齿。而且把碎屑乱吐一番,这也是失礼的事情。假如你需要剔牙,最好用左手掩住嘴头略向侧偏,吐出碎屑时用纸巾接住。

4. 当众搔头皮

有些头皮屑多的人,在社交场合会忍耐不住皮屑刺激的搔痒,而搔起头皮来。搔头皮必然使头皮屑随风纷飞,这不仅难看,而且令旁人大感不快。

搔头皮这种现象在公共场合,尤其在社交场和放臭屁一样失礼。特别是在宴会上,或者较为严肃、庄重的场合,这种小动作是很难叫人谅解的。

5. 当众双腿抖动

这种小动作多发生在坐着的时候,站立时较为少见。这种小动作,虽然无伤大雅,但由于双腿颤动不停,令对方视线觉得不舒服,而且也给人有情绪不安的感觉,这也是失礼的。同样,让跷起的腿钟摆似的打秋千也是相当难看的姿态。

6. 当众放屁

放屁原属生理现象,是一种有益人体的细菌在肠内制造出来的。人即使在正常的生理状态下,也不能够不放屁。但是在公共场合,放一个屁是可以破坏整个会场的气氛。即使放个闷屁,其臭味也叫人恶心。据一个有经验的人说,预感到要放屁的瞬间可以来三次呼吸。要不,就悄悄地离开人群一会儿。

7. 拉链和鞋带松着

这种疏忽,是种难以宽恕的疏忽。鞋带忘记系上或男士的裤子拉链忘记拉上,在大庭广众的场合,无疑是件有伤大雅的事。

8. 留长指甲和有污垢

留长指甲可能是一种癖好,但也有一些人却疏于修剪,而且他疏于清理指甲内的污垢,这就近于失礼了。当和对方握手或者自己取烟、用筷时,半月形的指甲污垢赫然在目,实在不雅之极!

9. 以"喂"来喊人

打电话时,人们为了接通线路,经常"喂"一声,待互通声气以后,照例是"早安"或者是"你好",然后再说下去。

但是有些人,平时见到朋友也像接电话一样先来"喂"一声,这就有失礼貌了,应该以姓名称呼来招呼对方才对。

我们也常见有些人问路,也是"喂"一声。虽然对方是路人,为了礼貌起见,也得来一声"你好"、"请问阁下"

10. 频频看手表

假如你不是忙人,而且又无其他重要约会,那么当你和朋友攀谈时,最好少看自己的手表。这样的小动作会使你的朋友认为你还有什么重要的事情,不愿把谈话继续下去;同时,你的小动作也可能引起对方的误会,以为你没有耐心再谈下去。

如果你确实有要事在身的话,你不妨委婉地告诉对方改日再谈,并同时表示歉意。

11. 不守时

有一位小姐,她是一个非常可爱的人。

然而,她有一个很令人头痛的坏习惯:不守时。

有很多次,朋友们在车站等她一起去旅行,大家都到了,而她却左等也不来,右等也不来。有的人坚持要等她,有的人却老早就不耐烦了。

终于,她来了,仍然那么轻盈,那么潇洒,那么清新飘逸,同时又那么清甜,那么愉快,那么悠然自在若无其事,在别人的埋怨声中,她竟连一句道歉的话也不说。

我们不知道她的心里是怎么想的,不过,渐渐地她就被摒除在社交生活之外了。因为人们对她越来越反感,觉得她每次浪费别人这么多时间,是一种不可饶恕的行为。这种情形,要尽量避免。

12. 打听别人的私事

社会复杂,为了保护自己的安全,我们有许多事情是不希望别人知道的。所以,除了对很亲近的人或很熟悉的朋友之外,一般人对别人的私生活都不会询问。有时为了表示自己的关切,也要请求别人同意,让别人自愿告诉你。倘若他不大愿意告诉你,你就应该不再去追问。倘若他愿意把他的事情告诉你,你也不要把此事当作新闻一样,到处去讲。至于偷听别人的谈话,偷看别人的书信、日记或其他文件等等,实在是一种犯罪的行为。

13. 借物不还

在一般社交活动中,总应尽量避免借用别人的财物,除非万不得已,千万不要犯这社交上的大忌。尤其手表、车子、照相机等是最不放心借给别人的。这些东西,在自己手里损坏了,没有话说,倘若在别人手中损坏了,心里总是很不自在,叫人赔偿也不是,不叫人赔,又白白地受了损失。一般人都有这种心理,因此也都避免向别人借用物件。至于钱呢,那就更紧张了,人人的收入支出都有预算,一项一项分配好了,倘若借了不还,岂不打乱了别人的生活?更何况,一般人的钱财多数都是花费一番心血所得,造成别人金钱上受到损失,就是等于让别人白白地为你做了几天没有报酬的工作,这是多么不公平的事啊!

●重视容易被忽视的好习惯

好习惯的范围太广泛,在整个自我管理体系中,所有有助于成功以及品性培养、心志磨炼的行为都可以成为好习惯。

习惯贯穿于我们的生活,我们的生活由行为组成,而行为受习惯的支配,所以生活各个方面都会涉及到相关的好习惯。一些比较重要又常常被人们忽视的习惯有:

1. 自我激励的习惯

在我们的生活中,不可能随时随地都能保持特别高昂的情绪,有的时候难免会出现伤心、悲观、失望、丧气等消极情绪。所以,当这些情绪出现时,就应当养成自我激励的习惯。

著名喜剧演员黄宏在一次春节联欢晚会上表演的小品《打气》揭示的主题就是自我激励,其中有一句台词:"当你泄气的时候,给自己打打气;当你气满的时候,给自己放放气。"这句话虽然平淡,却道出了生活的哲理。

养成自我激励的习惯,让自己更快地调整心态,对未来充满信心。

2. 自我解脱的习惯

现代人压力很大,为了生存竞争,拼命地工作,繁重的工作压得大家都喘不过气来。如果一根弹簧长时间处于紧缩状态,它会发生形变,失去原动力,如果人一直处于紧张状态会导致许多的生理和心理疾病。

适时地给自己减压,寻求自我解脱是非常必要的,当自己觉得压力过重时,不妨换一个环境或扔掉负担,只有这样,你才能继续开动机器。

3. 注意休息的习惯

人不是机器,不可能24小时不停地运转,何况机器也要适当地停工。人们在追求成功的时候,却忽视了自己的身体,其中主要的问题是不注意休息,这种做法很不明智。

休息可以让你产生更高的效率,绝不是浪费时间。成功人士都注意休息。美国石油大王约翰·洛克菲勒不仅是世界富豪,寿命也相当长,活到了98岁,其中最重要的原因是注意休息。他有午睡的习惯,在午睡时,即使美国总统打来电话他也不接。

4. 守时的习惯

中国人最大的缺点是办事不讲效率,没有时间观念,不过现在越来越多的人已认识到守时的重要性。守时不仅在工作中很重要,在人际关系上也很重要,守时可以增加别人对你的信任,说明你重视对方以及你们之间的约定。守时也反映一个人的精神气质,拖沓的人总是"姗姗来迟",给人留下很不好的印象。守时的习惯会让你大为受益。

好习惯比较多,本书其他部分的介绍也比较详细。养成好习惯不是一朝一夕的事情,需要你长期的努力和坚持。最重要的是看你的行动,没有行动,所有的计划都会成为废话。如果你现在决定养成好习惯,改掉坏习惯,记住,在应当付出行动时一定要对自己守信,不能以任何理由改变你的决定。

5. 简洁的习惯

凡事应该力求简洁,直截了当,切中要害。它既是一种机敏,也是一种智慧。

宝石的价值不在于它的重量。日常呼吸的空气,一旦经过压缩,就有了炸弹一样的力量,再坚固的岩石也抵挡不住。涓涓细流般的娓娓劝说,我们可能过后就忘,不留任何痕迹;但换成一声狮子吼,却有摧枯拉朽、涤荡一切的力量。话人人都会说,这不足为奇,但思想却像沙里淘到的金子,它才能真正启发大家的思考。

子弹只有密集才更有杀伤力。如果你要真正有所成就,那么,你应该集中精力;如果你希望别人也知道你工作的价值,那么,你应该化繁为简。

大法官鲁弗斯·乔特可以一分钟把问题说得很透彻,其他人却需要一小时才能够讲述明白。同样的主题,贺拉斯·格里利会给《纽约论坛》写长篇大论,瑟罗·威德却只在《奥尔巴尼晚报》上寥寥几笔就可以完全让人信服。

◉养成注意自己形象的习惯

无论我们认为从外表衡量人是多么肤浅和愚蠢的观念,但社会上的一切人都每时每刻根据你的服饰、发型、手势、声调、语言等自我表达方式在判断着你。无论你愿意与否,你都在留给别人一个关于你形象的印象,这个印象在工作中影响着你的升迁,在商业上影响着你的交易,在生活中影响着你的人际关系和爱情关系,它无时无刻不在影响着你的自尊和自信,最终影响着你的幸福感。让我们看看西方人的研究和发现吧!

美国著名形象设计师莫利先生曾对美国《财富》排名榜前300名公司的100名执行总裁调查,97%的人认为懂得并能够展示外表魅力的人,在公司中有更多的升迁机会;100%的人认为若有关于商务着装的课,他们会送子女去学习;93%的人会由于首次面试中申请人不合适的穿着而拒绝录用;92%的人不会选用不懂穿着的人做自己的助手;100%的人认为应该有一本专门讲述职业形象的书以供职员们阅读。

英国著名的形象公司CMB对世界著名的300名金融公司的决策人调查发现,在公司中位置越高的人越认为形象是成功的关键,因而就越注重形象的塑造和管理,并且他们也愿意雇用和提拔那些有出色的外表和能向客户展示出良好形象的人。

美国得克萨斯州立大学奥斯汀分校在对2500个律师的调查后发现,形象甚至还影响着个人收入,外表形象有魅力的律师的收入高于其同事14%。

美国纽约州希腊求斯大学管理学系对《财富》前1000个首席执行官的调查,96%的人认为形象在公司雇人方面是极为重要的,尤其是对那些要求可信度高的工作和与人打交道的工作,如市场、销售、金融、律师、会计等等。

西方有句名言:"你可以先装扮成'那个样子',直到你成为'那个样子'。""看起来像个成功者和领导者",在你的事业中会为你敞开幸运的大门,让你脱颖而出。民主选举时,由于你"像个领导",人们会投你一票;提拔领导时,由于你"像个领袖",你会被领导和群众接受;对外进行商务交往,由于你"像个成功的人",人们愿意相信你的公司也是成功的,因而愿意与你的公司进行交易。

1980年与里根竞选总统的杜卡基斯,这个祖先是希腊籍的小个子民主党领袖,无论外表还是声音,无论演讲还是表演,在英俊、高大、富有感召魅力的里根的衬托下,越发显得"不像个领袖",因而落选。而演员出身的里根用自己的微笑、声音、手势、服装及高超的演技,表现出一个具有迷人魅力的领袖形象,从而掩盖了他在知识和智力上的不足。

1960年尼克松与肯尼迪之争中,老牌政治家尼克松似乎在资历上占有绝对的优势,但是却忽略了对自己外表的包装。以至于贵族家庭出身的肯尼迪评价他:"这家伙真没有品位!"受到家族的影响,肯尼迪懂得如何利用自己的外在优势获取选民的信任。在他与尼克松的电视辩论上,年轻、英俊、风流倜傥的肯尼迪浑身散发着领袖的魅力,看起来坚定、自信、沉着,不仅能够主宰美国的政坛,而且能平衡世界的局面。在电视节目中的一个握手动作上，就使得一位政治评论家宣称"肯尼迪已经获胜"。当他提出"不要问国家能为你做什么，问一问你能为国家做什么"的口号时，激起美国人民上下一片的爱国热潮。他是美国人理想的领袖形象。几十年过去了，他的形象一直让人难以忘怀，是世界领袖的标准形象。克林顿就是受到肯尼迪的影响，从小立志从政，他以肯尼迪为榜样，终于成为美国总统。在克林顿的身上，正反两面，都有肯尼迪的影子。尽管他是美国历史上丑闻最多的总统，但是他在每一次事件中都能够安然过关，人们一次次由于他富有魅力的形象而原谅他的不检点。相比之下，尼克松一次"水门事件"就被迫离开了白宫。

杰出的政治家都深刻地认识到"看起来像个领袖"在选民中的重要影响，都雇有形象设计师及沟通交流专家、社会心理学家为他们塑造一个能表现自己最佳形象的模式，对自身影响形象的任何一个因素，包括对服饰、发式、声音、手势、姿势、表情等都精心地设计。

在西方政治家竞选时，竞选人的幕后策划班子里四个最不能够缺少的专业人才之一就是形象设计师。他们的目的就是要让竞选人看起来就像是个能够胜任领袖职位的人。如果看起来不像个领袖，无论你的政治观点多么深入人心，也会失去很多追求"魅力领导人"的选民。这样的例子在西方的商业界也数不胜数。因为他们深刻理解"看起来像个成功者"的形象对事业的促进作用。成功者如果忽略了对自己外在形象的维护，看起来不像个成功的人，是难以得到别人的尊重的。

形象到底是什么？

形象，并不是一个简单的穿衣、外表、长相、发型、化妆的组合概念，而是一个综合的全面素质，一个外表与内在结合的、在流动中留下的印象。形象的内容宽广而丰富，它包括你的穿着、言行、举止、修养、生活方式、知识层次、家庭出身、你住在哪里、开什么车、和什么人交朋友等等。它们在清楚地为你下着定义——无声而准确地在讲述你的故事——你是谁、你的社会位置、你如何生活、你是否有发展前途……形象的综合性和它包含的丰富内容，为我们塑造成功的形象提供了很大的回旋空间。

加拿大某保险公司人事部门主管，谈到形象在初次面试中的重要性时，他说："这是至关重要的(It is vital)。我们的职业代表着公司的形象，职员的形象反映着我们的产品质量。"当被问到什么是他们认为可信的形象时，他回答："能展示出自信、可靠，知道自己在干什么，整洁的外表，合乎身份的举止。"他们认为职员的形象最重要的是能:(1)沟通交流、公众演讲、流利的口才、出色的文笔;(2)出色的外表形象包括穿衣、修饰、个人卫生、发式、指甲、体形、礼仪等等。伦敦商学院的著名行为心理学家尼克森教授说:"人们用三个概念描述成功的领导者——性格、能力、形象。"因为"社会上的人在自己的大脑意识层已为成功者设立了模式",而"现在的管理界有意回避对领导的外形研究,是不符合现代管理思想的"。他形容人们期望"领袖有着杰出的优势,他高大、有魅力、有漂亮迷人的音质、有自信的手势、能充分利用身体语言进行沟通和交流"。在心理学家对成功的领导者的调查中,人们普遍认为成功的领导者"看起来就像领导人"。西方心理学家们对魅力领导人和成功者的研究结果,为追求做领导的人提供了丰富的参考价值,帮助无数向往成功的人少走了多少弯路,节省了多少时间。

这个研究结果同样适用于我们。它给我们直接的启示就是,你需要习惯性的、有意识塑造你的个人形象。

开始时要想树立成功者形象也许是最难的,那时有许多需要考虑的问题,但是人们还是应该优先考虑树立形象的问题。因为,从一无所有的地基上树立起一个成功者形象,要比容忍、一个恶劣形象的发展好得多,这就好像在一片空旷的土地上建起一座新楼要比先推倒一座旧楼再建新楼容易得多。

第四章 培养受益一生的好习惯

良好的习惯是成功的基础,良好的习惯是成功的保证。可以说,成功者之所以成功,不是因为他们有着多么高的天赋和超常的才能,而是因为他们养成了良好的习惯。所以,每一个渴望成功者都应积极培养各种良好的习惯,为自己的成功增添动力。

◉微笑是最好的习惯

微笑是最好的习惯。生活中,我们每个人都应该学会微笑。

"笑容能照亮所有看到它的人,像穿过乌云的太阳,带给人们温暖。"这是戴尔·卡耐基曾经说过的一句话,道出了微笑的无穷魅力。

大卫·史汀生是美国一家小有名气公司的总裁,他还十分年轻。他几乎具备了成功男人应该具备的所有优点,他有明确的人生目标,有不断克服困难、超越自己和别人的毅力与信心;他大步流星、雷厉风行、办事干脆利索、从不拖沓;他的嗓音深沉圆润,讲话切中要害;而且他总是显得雄心勃勃,富有朝气。他对于生活的认真与投入是有口皆碑的,而且,他对待同事们也很真诚,讲求公平对待,与他深交的人都为拥有这样一个好朋友而自豪。

但初次见到他的人却对他少有好感。这令熟知他的人大为吃惊。为什么呢?仔细观察后才发现,原来他几乎没有笑容。

他深沉严峻的脸上永远是炯炯的目光、紧闭的嘴唇和紧咬的牙关,即便在轻松的社交场合也是如此。他在舞池中优美的舞姿几乎令所有的女士心动,但却很少有人同他跳舞。公司的女员工见了他更是畏如虎豹,男员工对他的支持与认同也不是很多。而事实上他只是缺少了一样东西,一样足以致命的东西——一副动人的微笑的面孔。

一个人的面部表情亲切、温和、充满喜气,远比他穿着一套高档、华丽的衣服更吸引人注意,也更容易受人欢迎。

现实的工作、生活中,一个人对你满面冰霜、横眉冷对,另一个人对你面带笑容,温暖如春,他们同时向你请教一个工作上的问题,你更欢迎哪一个?当然是后者,你会毫不犹豫地对他知无不言,言无不尽,问一答十;而对前者,恐怕就恰恰相反了。

因为微笑是一种宽容、一种接纳,它缩短了彼此的距离,使人与人之间心心相通。喜欢微笑着面对他人的人,往往更容易让对方渴望亲近。难怪有人说微笑是成功者的先锋。

在一次谈话中,我的朋友米歇尔给我讲了一个他自己的故事。就在前年,他在一家小型的电脑公司任经理,当时,有一件事令他很苦恼,因为市场部缺少一个能干的经理。当时具有市场开拓能力的人很难找,但是,最后他还是找到了,他说:

"我为了替公司找一个电脑博士几乎伤透脑筋,最后我找到一个非常好的人选,刚刚从名牌大学毕业。几次电话交谈后,我知道还有几家公司也希望他去,而且都比我的公司大,比我的公司有名。当他表示接受这份工作时,我真的是非常高兴也非常意外。他开始上班后,我问他,为什么放弃其他更优厚的条件而选择我们公司?他停了一下然后说:'我想是因为其他公司的经理在电话里是冷冰冰的,商业味很重,那使我觉得好像只是另一次生意上的往来而已。但你的声音,听起来似乎你真的希望我能成为你们公司的一员。因为我似乎看到,电话的那一边,你正在微笑着与我交谈。你可以相信,我在听电话的时候也是笑着的。'"

的确,如果说行动比语言更具有力量,那么微笑就是无声的行动,它所表示的是:我很满意你、你使我快乐、我很高兴见到你。"笑容是结束说话的最佳'句号'。"这话真是不假。

"你希望别人高兴来见你,你就必须高兴地会见别人。"这是一位行政单位的秘书的经验之谈。他说他所属的办公室主任只要是见到上司总会微笑着打招呼、点头,上司也以同样的态度回敬他。可一回到自己的科室,对下属便很冷淡,很严厉,从不露笑脸,这样他也就得不到同事们的微笑与拥护。

对人微笑是一种文明的表现,它显示出一种力量、涵养和暗示。一个刚刚学会微笑的中年领导干部说:"自从我开始坚持对同事微笑之后,起初大家非常迷惑、惊异,后来就是欣喜、赞许,两个月来,我得到的快乐比过去一年中得到的满足感与成就感还要多。现在,我已养成了微笑的习惯,而且我发现人人都对我微笑,过去冷若冰霜的人,现在也热情友好起来。上周单位搞民主评议,我几乎获得了全票,这是我参加工作这么多年来从未有过的大喜事!"

有微笑面孔的人,就会有希望。因为一个人的笑容就是他好意的信使,他的笑容可以照亮所有看到它的人。没有人喜欢帮助那些整天皱着眉头，愁容满面的人，更不会信任他们。

总而言之一句话：一个人，只要活着、忙着、工作着，就不能不微笑……

◉错了就坦率地承认

卡尔住的地方，几乎是在纽约的地理中心点，但是从他家步行一分钟，就可以来到一片野森林。春天的时候，黑草莓丛野花盛开，松鼠在林间筑巢育子，马草长得高过马头。这块没有被破坏的林地，叫做森林公园——它的确是一片森林，也许跟哥伦布发现美洲那天下午所看到的并没有什么不同。卡尔常常带着雷斯到公园去散步，它是卡尔的小波士顿斗牛犬，是一只友善不伤人的小猎狗。因为他们在公园里很少碰到人，所以，卡尔常常不给雷斯套狗链或戴口罩。

有一天，他们在公园里遇见一位骑马的警察，他好像迫不及待地要表现出他的权威。

他训卡尔："你为什么让你的狗跑来跑去，不给它套上链子或口罩，难道你不知道这是违法的吗？"

"是的，我知道，"卡尔轻柔地回答，"不过我想它不至于在这里咬人。"

"你不认为，法律是不管你怎么认为的。它可能在这里咬死松鼠或咬伤小孩。这次我不追究，但如果下次让我再看到这只狗没戴口罩出现在公园里，那你就必须跟法官去解释啦。"

卡尔客气地答应照办。

卡尔的确照办了——而且是好几回。可是雷斯不喜欢戴口罩，卡尔也不喜欢那样，因此他想碰碰运气。起先很顺利，可惜好景不长，不久他同雷斯就撞上了暗礁。

一天下午，雷斯和卡尔在一座小山坡上赛跑，突然间——很不幸——他看到那位执法大人，骑在一匹红棕色的马上。雷斯跑在前头，直向那个警察冲去。

卡尔知道这下完了，所以不等警察开口他就说："警察先生，这次你当场逮到我了，我有罪，我没有托词，没有借口了。你上星期已警告过我，再不戴口罩带小狗出来你就要罚我。"

"是啊！我已警告过你，为什么还要这样呢？不过你承认错了，这很好，"警察的回答变得柔和了,"我知道在没有人的时候,谁都忍不住要带这么一条小狗出来遛达。"

卡尔回答说:"的确是忍不住,但这是违法的。"

"这样一条小狗大概不会咬伤人吧。"警察说。

"不,它可能会咬死松鼠。"卡尔接着说。

"哦,你把事情看得太严重了,"他告诉卡尔,"你看这样办吧,你只要吸取教训,保证今后不再这样,事情就算了。"

那位警察也是一个人,他要的是维护大家应共同遵守的准则和作为一个执法者的尊严。因此,当你犯有过失的时候,唯一能增强他自尊心的方法,就是以诚恳的态度忏悔。

如果卡尔有意为自己辩护的话——嗯,你会觉得怎样呢?

如果我们知道自己错了,免不了会受责备,何不自己先认错呢? 听自己谴责自己不比挨人家的批评好受得多吗? 如果我们对自己作了指责和批评,别人十之八九会对你予以宽大谅解而饶恕你的错误——正如那位警察对待卡尔和雷斯那样。

费丁南·华伦,一位商业艺术家,他使用这个方法赢得了一位暴躁易怒的艺术品主顾的好感。

"精确,一丝不苟,是制作商业广告和出版读物的重要内容。"华伦先生事后说。

"有些艺术编辑要求他们所交下来的任务立即完成。在这种情况下,难免会发生一些小错误。我认识某一位艺术组长,总是喜欢从鸡蛋里挑骨头。我每次离开他的办公室时,总觉得倒胃口,不是因为他的批评,而是因为他攻击我的方法。最近,我交了一件匆忙完成的画稿给他,他打电话给我,要我立即到他的办公室去,说是出了问题。当我到了他的办公室后,正如我所料——麻烦来了。他满怀敌意,很高兴有了挑剔我的机会。他恶意地责备了我一大堆。这正好是我运用所学到的自我批评的机会。因此我说:'先生,如果你的话不错,我的失误一定不可原谅。我为你画稿这么多年,实在该知道怎么画才对。我觉得惭愧。'"

"他立刻开始为我辩护起来:'是的,你的话没有错,不过这终究不是一个严重的错误。只是……'"

"我打断了他的话。我说:'任何错误要付的代价都可能很大,叫人不舒服。'"

"他开始插嘴,但我不让他插嘴。我很满意,有生之年第一次批评自己——我好高兴这样做。"

"'我应该更小心一点才好',我继续说,'你给我的工作很多,照理应该使你满意,因此,我打算重新再来。'"

"'不! 不!'他反对起来,'我不想那样麻烦你。'他开始赞扬我的作品,告诉我只要稍微改动一点就行了,又说,一点小错不会多花他公司多少钱,毕竟,这只是小节——不值得担心。"

"我急切地批评自己,使他怒气全消了。结果,他还邀我同进午餐,分手之前,他开给我一张支票,又交代我另一件工作。"

即使傻瓜也会为自己的错误辩护——大部分的傻瓜都会那么做——但能承认自己错误的人,却会得到别人的谅解,并给人以谦恭有礼的感觉。比方说,历史上对南北战争时的李将军有一段极美好的记载,就是他把毕克德进攻盖茨堡的失败完全归咎于自己。

毕克德的那次进攻,无疑是西方世界最显赫最辉煌的一场战斗。毕克德本身就很辉煌。他长发披肩,而且跟拿破仑在意大利战役一样,他几乎每天都在战场上写情书。在那悲剧性的 7 日午后,当他的军帽斜戴在右耳上方,轻盈地放马冲刺北军时,他那支忠诚的部队不禁为他喝彩起来。他们喝彩着,跟随着他向前冲刺。队伍浩荡,军旗翻飞,军刀闪耀,阵容威武,北军也不禁发出了惊讶的赞叹。

毕克德队伍轻松地向前冲锋,穿过果园和玉米地,踏过花草,翻过小山。同时,北军的大炮也一直没有停止轰击,但他们继续挺进,毫不退缩。

突然,北军步兵从隐伏的墓地山脊后冲出来,对着毕克德那毫无提防的军队,一阵又一阵地开枪。山间硝烟四起,惨烈有如屠场。几分钟之内,毕克德所有的旅长,除了一名之外,全部阵亡,5000 士兵折损五分之四。

阿姆斯德统率余部奔上石墙,拼死冲杀,把军帽顶在指挥刀上指挥,高喊:"兄弟们! 宰了他们!"

他们拼了。他们跳过石墙,用枪把、刺刀拼死肉搏,终于把南军军旗竖立在墓地山脊的北方阵线上。

军旗只在那里飘扬了一会儿。虽然那只是短暂的一瞬,却是南军战功的辉煌纪录。

毕克德的冲刺——虽然勇猛、光荣——却是失败的开始。李将军失败了。他没有办法突破北方。

南方的命运决定了。

李将军震惊不已，大感懊丧，他将辞呈送上南方的戴维斯总统，请求改派一个年轻有为之士。如果李将军要把毕克德的进攻所造成的惨败归咎于别人，那他可找出数十个借口。但是，李将军太可贵了，他不愿迁怒别人。当毕克德的残兵从前线退回南方战线时，李将军只身骑马出迎，自我谴责起来。"这是我的过错，"他承认说，"我，我一个人，败了这场战斗。"

历史上很少有将军有这种勇气和情操。

艾柏·赫巴是曾闹得满城风雨的最具独特人格的作家之一，他那尖酸的笔触经常惹起强烈的不满。但是赫巴以少见的为人处世的技巧，常常化敌为友。

当一些愤怒的读者写信给他，表示对他的某些文章不以为然，结尾又痛骂他一顿时，赫巴就如此回答——

"回想起来，我也不尽然同意自己。我昨天写的东西，今天不见得全部满意。我很高兴你对这件事的看法。下次你来附近时，欢迎驾临，我们可以交换意见。遥祝敬意。赫巴谨上！"

面对一个这样对待你的人，你还能怎么说呢？

当我们对的时候，我们就要试着温和地、巧妙地使对方同意我们的看法；而当我们错了——若是我们对自己诚实，就要迅速而坦率地承认。这种技巧不但能产生惊人的效果，而且在任何情形下，都要比为自己争辩还有用得多。你信不信呢？

别忘了这句古话：

"用争斗的方法，你绝不能得到满意的结果；但用让步的方法，收获会比你预期的高出许多。"

因此，如果你希望妥善地解决争端，请记住这条规则——错了，就坦率地承认。

◉让大声说话成为你的习惯

一个人气质如何，首先会从语音表现出来。气质好的人，往往说话也自信，可谓"掷地有声"，自不自信，对生活有没有掌控感，是通过声音完全可以判断出来的。懦弱、胆小的人，往往说话声音也小；而那些声若洪钟、说话干净利落的人,则常常是自信满满、底气十足的人。

英国反对党领袖伊恩·邓肯·史密斯在2002年9月接受BBC电视台记者采访。他面色茫然、腼腆、毫无生机,他用有气无力的、贫乏的语调攻击了托尼·布莱尔首相及其政党的政策。记者问道:"你认为自己能出任下一届首相吗?"他犹豫了一下,目光下垂,语气不坚定地说:"是的,我可以,但我需要努力争取。"几分钟之后,电视台出现不满意的观众的电子邮件及电话录音:"他自己都不相信自己能成为首相,让我们如何相信他可以做我们的首相?""他看起来根本就不像个英国首相!""难道保守党再找不到别人做领导者吗?"

在日常生活中,我们常说"这个人性格开朗",或说"那个人很内向"。其实,"开朗"或"内向"的印象,并非由性格来判断,而是由自我表现的方式所决定的。

拿破仑·希尔指出,有很多思路敏锐、天资高的人,却无法发挥他们的长处参与讨论。并不是他们不想参与,而只是因为他们缺少信心。

在会议中沉默寡言的人都认为:"我的意见可能没有价值,如果说出来,别人可能会觉得很愚蠢,我最好什么也不说。而且,其他人可能都比我懂得多,我并不想让他们知道我是这么无知。"

这些人常常会对自己许下很渺茫的诺言:"等下一次再发言。"可是他们很清楚自己是无法实现这个诺言的。时间久了,次数多了,沉默寡言也就成为一种习惯了。这种习惯会形成一种恶性循环。每次这些沉默寡言的人不发言时,他就又中了一次缺乏信心的毒素了,他会愈来愈丧失自信。

从积极的角度来看,如果尽量发言,就会增加信心,下次也更容易发言。所以,要多发言,让发言成为一种习惯,这是信心的"维他命"。

我国前任政府总理朱镕基就有着强烈的个人语言魅力,这种语言魅力为他塑造了良好的和人气质,也为我们塑造了良好的国家形象。

有一次朱镕基召开了记者招待会。当提问开始时,一只只手臂如林举起。因为朱镕基在开场白中讲了"愿意回答大家的任何问题",来自天南地北的记者们没有了任何顾虑。一个半小时的提问、回答,自始至终显得轻松活泼,亲切自然。而朱镕基诙谐幽默的谈吐,则令记者们不时发出会心的微笑。

当中央电视台记者问道,您认为当前中国的改革和发展最迫切需要解决的、最富有挑战性的问题是什么时,朱镕基笑着说:"你这个问题就是要我发表'施政纲领',但是我不知道在座诸位有没有耐心听我讲下去。"然而就是这篇侃侃而谈的"施政纲领",思路清晰、目标明确、条理分明地把本届政府的工作重点讲述得明明白白。"一个确保、三个到位、五项改革",言简意赅,切中要害,既朴实无华,又富有新意,牢牢地吸引了记者们的注意力。记者看到,好几个"老外"竖起了大拇指。会见后,一位记者评价道:作为一个 12 亿人口大国的政府首脑,特别是在面临东南亚金融危机冲击这样一个特殊时期上任,肩上担子分量之重可想而知。朱镕基在回答提问时用"现在我当了总理,失去了部分'自由'",这样诙谐而又轻描淡写的语言带过,可见其信心之强。"不管前面是地雷阵还是万丈深渊,我都将一往无前,义无反顾,鞠躬尽瘁,死而后已。"

"只要我们高举邓小平理论伟大旗帜,在以江泽民同志为核心的党中央正确领导下,紧紧依靠全国人民,我相信本届政府将无往而不胜。"

当这些掷地有声的语言从共和国新任总理口里说出时,记者群中不知是谁带头拍起了巴掌,霎时,掌声如潮水般响彻大厅。

响亮的语言、自信的语调总是能感染别人;人们也总是愿意与这样的人相处,谁都不愿与一个成天不开心的人共事。况且,连话都不敢大声说,还能指望你去做什么呢?

别担心如何说话这件事,只要你培养自信、让你的语音也"响亮"起来,你也一定会拥有自己的个性魅力。

声音的共鸣能达到具有韵律感的愉快声调,鼻音共鸣能达到这一点,但这并不是指原始的鼻音。"真正具有共鸣效果的鼻音是指如同训练过的法国歌星或演说家的声音。"卡耐基如是说。

戴尔·卡耐基在教学班上让学生们当众起来训练朗读抒情诗,以训练声音的共鸣感。

一位公司的董事长大卫·M·顾立区便是通过先阅读并朗诵抒情诗开始训练演讲的声音技巧的。

他参加训练班前曾告诉过卡耐基先生,他的发音不太准确,而且每逢说话时便惊恐万状,一个字也说不出。于是卡耐基先生让顾立区先生在训练班同学面前先发言并朗诵诗,开始顾立区先生非常腼腆,但还是朗诵了印度戏剧家卡利大森的诗。

3 个月后,他的演讲进步神速,在一次聚会中他激动地说:"让我们祛除对生命的恐惧吧!"

这种声音训练法又被卡耐基先生称之为"将微笑及愉悦的灵魂投入声音中"的技巧。首先,你得有勇气站出来身体力行去演说,但又不要把演说看成是一个大难题,那只不过是一场稍微严肃些的谈话而已,不用害怕,你运用你的声音首先感染自己,再去感染别人。

每天训练自己有意识地大声说话,让自己的嗓音在习惯中洪亮起来。

试试看,大声说:"我今天很痛快!"说话时是不是感觉比先前更舒服一点呢? 你必须时时刻刻保持这样的状态,让大声说话成为你的习惯,你的感觉每天都会很好。

●遇事从容不迫

任何一个在事业上成功的人,遇事都能保持轻松从容的心情。成功的人甚至在碰到逆境的时候,他的脑筋也会保持沉着、冷静的状态,从而随时准备好捕捉和发掘新机会,以及了解和对付新的问题。

高明商人那种心境轻松的情形,就像一个够格的橄榄球员一样。当球员传球的时候假如球意外地落到他的手中,他并不胆寒或惊慌。而高明的商人也是一样,面对突发的新情况,并不会手忙脚乱。他能灵敏地反应,他有办法掌握或对付新情况,他会紧抱着球跑过去,或者警觉而放松地转个方向,以免对手扑过来。

有些刚开始做生意的人,就已具备这种轻松的内在能力,但是大多数的生意人,只有经过多次经验,才能养成这种习惯。

"随时都要把你自己看成是一个在湖中翻了船的人!"一个资深的石油商人在盖蒂事业刚开始的时候忠告盖蒂:"如果你能保持镇静,你就可以游到岸边,至少在浮凫时有人来救起你。假如你失去冷静,你就完蛋啦。"

当一个人刚开始创业的时候,真有点像突然沉溺在湖中央的人。如果他保持镇静,他生存的机会就较大,否则他就很可能溺死。刚开始做生意的人或年轻的职员,都应该常常把这警句牢记在心里,这样,你就会养成心情轻松的习惯,而获得不少的帮助,也有办法应付任何情况。

不管在任何场合,如果能够保持从容不迫顺应自然的态度,那么,任何事情都能应付自如。

伟大的人物都是"镇静"的高手,面对突然变故,仍然镇定自若。因为他们懂得,不能慌,慌则无法思考应付的妙招。如果他们慌了,那么周围的人更没有主见,那就慌作一团了。因此,他们大都大喝一声:"慌什么?"这一半是对别人说的,一半则是自我暗示。

如果你感到慌张,你的大脑就失去正常的思考能力,你就会丢三落四,语无伦次。许多人掉了重要东西,或者说话说漏了嘴,就是因为心里有"鬼",慌里慌张。这种时候,你要有意地放慢你的动作的节奏,越慢越好,并在心里说:"不要慌!千万不要慌!"动作和语言的暗示会使你慢慢镇静。你的大脑就恢复正常的思考,以应付周围发生的事情。这一点对面对考试的学生尤其重要。

没有见过大场面的人,一到人多的场所,就会周身不自在。克服这种心理的方法是把所有的人都当作朋友,点点头,大声招呼,别人自然也会致意回报。虽然他可能永远也无法想起曾经在哪儿认识你,但是你却因此消除了紧张。

有机会你就主动当众讲讲话。自我考验,你就会养成从容不迫的习惯。

⊙高效能人士的7个习惯

畅销书作者史蒂芬·柯维在《高效能人士的7个习惯》一书中指出,成功人士应当具有以下7个习惯:

1.换位思考的沟通

如果一位眼科医生为病人配眼镜,他先摘下自己的眼镜让病人试戴,其理由是:"我已经戴了十多年,效果很好,就给你吧,反正我家里还有一副。"那么,谁都知道这是行不通的。如果医生还说:"我戴得很好,你再试试,别心慌。"在病人看到的东西都扭曲了的同时,医生还反复说:"只要有信心,你一定能看得到。"那就真叫人哭笑不得了。我们常说遇事要将心比心。因此,"知彼知己"是交流的原则。

这位医生尚未诊断就开处方,谁敢领教?但与人沟通时,我们常犯这种不分青红皂白、妄下断语的毛病。因此我必须强调:"了解他人"与"表达自我"是人际沟通不可缺少的要素。首先要了解对方,然后争取让对方了解自己,才是进行有效人际交流的关键,要改变匆匆忙忙去建议或解决问题的倾向。要培养设身处地"换位"沟通习惯。欲求别人的理解,首先要理解对方。有效地倾听不仅可以获取广泛的准确信息,还有助于双方情感的积累。当我们的修养到了能把握自己、保持心态平和、能抵御外界干扰和博采众家之言时,我们的人际关系也就上了一个台阶。

2. 别指望谁能推着你走

如果你不向前走,谁又会推你走呢? 因此,积极主动的态度,是实现个人愿望的原则。

我们常说:"我不会……,因为遗传……""我迟到,因为……""我的计划没完成,因为……"我们总是在找借口或是抱怨,在不满中消耗自己的生命。而人类与动物的区别正是人能主动积极地创造、实现梦想,来提升我们的生命质量。所以,有效能的人士为自己的行为及一生所做的选择负责,自主选择应对外界环境的态度和应对方法;他们致力于实现有能力控制的事情,而不是被动地忧虑那些无法控制或难以控制的事情;他们通过努力提升效能,从而扩展自身的关切范围和影响范围。

3. 远离角斗场的时代

懂得利人利己的人,把生活看作一个合作的舞台,而不是角斗场。一般人遇事多用两分法:非强即弱,非胜即败。其实,世界给了每个人足够的立足空间,他人之得并非自己之失。因此,"双赢思维"成为人们运用于人际领导的原则。树立双赢思维就是要在人际交往中不断寻求互利,以达成双方都满意并致力于合作的协议计划。利人利己观念的形成是以诚信、成熟、豁达的品格为基础的。豁达的胸襟源于个人崇高的价值观与自信的安全感,所以不怕与人共名声、共财势,从而肯尝试无限的可能性,充分发挥创造力和宽广的选择空间。

4. 1 + 1 可以大于2

集思广益的合作威力无比。许多自然现象显示:全体大于部分的总和。不同植物生长在一起,根部会相互缠绕,土质会因此改善,成片的植物比单独生长更为茂盛;两块砖头所能承受的力量大于单独承受力的总和。这些原理也同样适用于人,只有当人人都敞开胸怀,以接纳的心态尊重差异时,才能众志成城。

5. 过着身心平衡的生活

人生最值得投资的就是磨炼自己。生活与工作都要靠自己,因此自己是最值得珍爱的财富。工作本身并不能给人带来经济上的安全感,而具备良好的思考、学习、创造与适应能力,才能使自己立于不败之地;拥有财富,并不代表有永远的经济保障,拥有创造财富的能力才真正可靠。身心和意志是我们达到目标的基础,所以有规律地锻炼身心将使我们能接受更大的挑战,静思内省将使人的直觉变得越来越敏感。当我们平衡地在这两方面改善时,则加强了所有习惯的效能。这样我们将成长、变化,并最终走向成功。

6. 忠诚于自己的人生计划

高效能的人懂得设计自己的未来。他们认真地计划自己要成为什么人，想做些什么，要拥有什么，并且清晰明确地写出，以此作为决策指导。因此，"以终为始"是实现自我领导的原则。这将确保自己的行为与目标保持一致，并不受其他人或外界环境的影响。我们将这个书面计划称之为"使命宣言"。任何一个存在的社会组织都需要"使命宣言"，任何一个企业或个人也不例外。"使命宣言"需要阶段性地评估以及持续修正和改良。确立目标后全力以赴，就是我们所说的在正确的时间做正确的事，并把事情做对。

7. 做最重要的事情

每个人的时间都是有限的，所以要做重要的事，即你觉得有价值并对你的生命价值、最高目标具有贡献的事情；要少做紧急的事，也就是你或别人认为需要立刻解决的事。消防队的最大贡献应是做好防火工作，而不只是忙于到处救火。因此，"要事第一"是自我管理的原则。有效能的人只会有少量非常重要且需立即处理的紧急、危机事件，他们将工作焦点放在重要但不紧急的事情上，来保持效益与效率的平衡。"有效管理"是把最重要的事放在第一位的重点管理。先由领导决定什么是重点后，自己掌握住重点并时刻把它放在第一位，以免被感觉、情绪或冲动左右。要想集中精力于当前的要务，就必须先排除次要事情的牵绊，要勇于说"不"。

⦿敢于向自我挑战

如果你不逃避现实，敢于承认自己的缺点、向自我挑战，那么，成功对于你就为期不远了。

每个人都会有缺点，这个世界上，十全十美的人是不存在的。有些人面对自己的缺点，总是想办法遮掩，害怕别人笑话。其实，这样做反而会使人感到虚伪，不真实，也就没有人愿意与你交往。正确的思维是坦然面对自己的缺点，不有意掩饰，敢于挑战自我，承认缺点，这样就会赢得大家的尊敬。

首先，影响一个人成功的主要缺点就是不敢与人交往。不敢与人交往可能是存在自卑心理，在现代社会这就成为阻碍一个人发展的关键。作为一个现代人，一定要树立自信，要敢于与陌生人谈话。为了能适应与不熟识的各类人打交道，在进入社会之初就应多参加人才交流会，从中接触到各种各样的人，谙熟各行人士的种种心理,那么他的自卑心理就逐渐消失,自信心也自然而然地增强。

其次,不敢在熟人面前露丑是一种不良习惯。人的许多毛病或不良习惯可能是从小形成的,也许正是这些不良习惯,让我们与成功绝缘。也许你不会相信,一个读了几年大学的人不敢上台表现自己。害怕露丑,就永远没有机会成功。有个职员有一次被逼着去参加卡拉OK大赛,他自己也没有想到,竟然差点儿拿了奖。这一次在众目睽睽下表演虽然失败了,但是正是这大胆的第一步,让他以后敢于迈出第二步第三步……其实,没有什么大不了的,丑媳妇总得见公婆,走出第一步,你就有自信了。

再次,敢于正视自己的缺点。"金无足赤,人无完人",不要因有缺点而自卑。

有一个女孩,在一次偶然的会议中,她温柔的语气引起了一个小伙子的注意。给小伙子的第一感觉是,她是个纯情的、多才多艺的女孩子。尽管她相貌平平,不怎么漂亮,却使小伙子陷入了单相思。可小伙子想想自己,身材矮小,相貌一般,无德无才,凭什么去追这样的女孩? 经过一段激烈的思想煎熬,小伙子终于给她寄去了一封情书。信发出后,小伙子无时无刻不在期盼着她的回音。但一个多月过去了仍无音信,小伙子的心犹如被冷水泼凉。在希望即将破灭之际,老天有眼,小伙子知道了她的电话号码。为了拨这次电话小子不知道在房子里徘徊了多少次,想象着怎样和一个女孩子交谈。电话终于有人接了,她的声音出现在话筒里,是那样的温柔,而小伙子原先准备的"台词"此刻一点也未用上。怎么办呢? 小伙子还是逼自己至少跟她聊上五分钟。最后五分钟过去了,他们还没有放下话筒,但是聊的不外乎是生活、学习上的一些琐事。就这样,每个周末他们通过电话线来拉近彼此的心,彼此了解对方。

后来,小伙子终于把她约了出来,度过了一个美妙的夜晚,感受到了初恋。上天给了我们同样的生命权,很多的机会也是均等的。世界上最大的敌人是自己,不敢承认自己的弱点而逃避现实的人,会永远与成功无缘。相反,敢于拿出勇气,向自我挑战的人,成功就为期不远了。

●自己的事自己做主

现实生活中,许多人之所以不能发展,原因之一在于保守。这里,我们强调自己敢于冲破习俗,敢做决定是成大事的关键。

社会进步与个人发展都需要敢于挑战常理的人,而不需要事事顺应潮流、听天由命的人。推动社会进步的往往是那些具有革新精神、敢于打破常规、改造环境的人。如果你要变消极适应环境为积极改变环境,就必须学会抵制促使你顺应社会习俗的各种压力,可以说这是真正生活的必要条件。这样,别人或许会认为你这是离经叛道;然而,要自己思考问题,就要准备付出这种代价。人们可能会说你别出心裁,标新立异;"正常"人可能不赞许你,甚至会孤立你。其实,既然你否定了其他人所信奉的行为标准,他们自然会不以为然。你会听到人们经常提出这样的一种论点:"如果每个人都仅仅遵守自己愿意遵守的规定,那我们的社会将会成为什么样子呢?"对这种说法的一个简单答复便是:大家不会都这样做的!我们社会中大多数人都习惯于依赖世界、循规蹈矩,因此他们不可能都这样做。

我们在这里绝不是鼓吹无政府主义。我们并不希望破坏社会秩序,只是希望在维护社会秩序的情况下,挣脱那些毫无意义的"必须"、"应该"的条条框框,使个人得到更多的自由。

即使是合理的法律与规则也并非能适用于各种场合、各种环境。我们要努力争取的,不必总是严格按规矩办事,不必时时刻刻考虑社会环境的需要,否则,你就是一个毫无主见、随波逐流的人。要掌握自己的生活,就需要有灵活性,需要自己不断地确定在具体情况下各种规定是否适用。的确,亦步亦趋、照章行事比较容易,然而只要你认识到法律是为你服务的,而不是你的主人,你就会逐步消除自己的"必须性"。

要抵制不合理的社会习俗,首先要心胸开阔。别人可能会违心地按规定办事,那就让他们做出自己的选择,你不必为别人的选择生气,只要保持住自己的信念就行了。要想不为社会环境所左右,就需要做出自己的决定,争取不声不响地付诸行动。大吵大闹、表示敌对情绪都不会起到积极作用。不合理的规定、传统和政策是不会轻易消失的,然而你却不必受其约束,其他人如果愿意听任摆布,这与你没有关系。他们要这样做完全可以,一旦你不适宜的时候,你最好宽忍一些,千万不要大肆张扬。再说,为这种事而大吵大闹往往会引起别人的反感和愤怒,悄悄规避某种规定要比公开对抗来得容易一些。你或可按照自己的意愿生活,或可根据别人的要求生活——这得由你来选择。

各种导致社会变革的新思想最初往往是为人们所拒绝的,甚至曾经是不符合法律的。进步总是时时与传统发生冲突。爱迪生、福特、爱因斯坦以及莱特兄弟在取得成功之前,都曾受到人们的嘲讽。同样,你如果抵制不合理的规定和措施,也会遭到一些人的反对。

◉不为打翻的牛奶而哭泣

几个学生向苏格拉底请教人生的真谛。

苏格拉底把他们带到果树林边,这时正是果实成熟的季节,树枝上沉甸甸地挂满了果子。“你们各自沿着一行果树,从林子这头走到那头,每人摘一枚自己认为是最大的最好的果子。不许走回头路,不许作第二次选择。”苏格拉底吩咐说。

学生们出发了。在穿过果林的整个过程中,他们都十分认真地进行着选择。

等他们到达果林的另一端时,老师已在那里等候着他们。

“你们是否都选择到自己满意的果子了?”苏格拉底问。

学生们你看着我,我看着你,都不肯回答。

“怎么啦?孩子们,你们对自己的选择满意吗?”苏格拉底再次问。

“老师,让我再选择一次吧!”一个学生请求说,“我走进果林时,就发现了一个很大很好的果子,但是,我还想找一个更大更好的,当我走到林子的尽头后,才发现第一次看见的那枚果子就是最大最大的。”

另一个学生紧接着说:“我和师兄恰巧相反,我走进果林不久就摘下了一枚我认为是最大最好的果子,可是以后我发现,果林里比我摘下的这枚更大更好的果子多的是。老师,请让我也再选择一次吧!”

“老师,让我们都再选择一次吧!”其他学生一起请求。

苏格拉底坚定地摇了摇头:“孩子们,没有第二次选择,人生就是如此。”

选择了人生，就已别无选择，所以永远不要对自己的选择后悔。

有一天，上帝召集了所有的动物聚在一起吃饭。吃完饭后，上帝取出了一双翅膀。

"我有一样东西想要赐给各位，如果你还蛮喜欢这件礼物，就可以把他拾起来放在背上。"

动物们一听到有礼物可领，便争先恐后地挤到了上帝的面前。但是当他们看到躺在地上的翅膀时，不禁面面相觑，心想，把这么笨重的东西放在背上，不累死才怪呢！

动物们在看了翅膀一眼后，纷纷回到座位上。

最后，一只小鸟走过来，看了看地上的翅膀，心想，上帝应该不会亏待动物们，所以这个看起来笨重的东西，或许是一种恩赐。

于是，小鸟就把地上的翅膀捡起来，背在背上。过一会儿，小鸟轻轻地试着挥动翅膀，没想到不但感觉不沉重，反而还轻盈地飞上了天。许多动物目睹此景，心中后悔也来不及了。

◉通过各种途径来汲取知识

"积累知识比积累金钱更重要。"

如果没有足够的知识储备的话，那么一个人就很难在工作和事业中取得突破性进展。许多天赋很高的人，终生处在平庸的职位上，导致这一现状的原因就是因为他们不读书、不学习，宁可把业余时间消磨在娱乐场所或闲聊中，也不愿意看书。他们意识不到新知识对自身发展的价值；即便是意识到了，也没有足够的毅力进行艰苦的自我培训，这种种的表现就是不思进取。

要想取得成功，你必须为成功积蓄足够的储备。

托马斯·金曾面对一棵参天大树，深受启发，他说道："在它的身体里蕴藏着积蓄力量的精神，这使我久久不能平静。崇山峻岭赐予它丰富的养料，山丘为它提供了肥沃的土壤，云朵给它带来充足的雨水，而无数次的四季轮回在它巨大的根系周围积累了丰富的养分，所有这些都为它的成长提供了能量。"

商业领域中同样如此。比起那些庸庸碌碌、不学无术的人来，那些学识渊博、经验丰富的人成功的机会更大。

　　记得有位商界中人这么说过："我的所有职员都从最基层做起。俗话说：
'对工作有利的，就是对自己有利的。'任何人在开始工作时如果能记住这句话，
前途一定不可限量。"

　　一个聪明的年轻人随时随地都会注意磨炼自己的工作能力，对于一切接触
到的事物，他都细心地观察、研究，对重要的东西都务必弄得一清二楚。因为对
于任何事情，他都想比别人做得更好；他会珍惜与自己前途有关的一切学习机
会，随时随地把握机会来学习。比如说，他会随时随地注意学习做事的方法和
为人处世的技巧，就算是极小的事情，只要认为有学好的必要，他都会牢牢把握
其中的方法与技巧。对他来说，积累知识比积累金钱更要紧。也许他所做的很
多事情是分外的事情，不会得到任何的额外报酬，但是，通过做这些他为自己赢
得了不可计数的内在财富，为自己造就了光明的前途。

　　知识和经验并不是仅仅通过专门的技能培训或者课程补习得来的，如果一
个人真有上进的志向、真的渴望造就自己、决心充实自己，那么，无论何时、无论
何人都可能增加他的知识和经验。比如说，你现在从事出版业，那么一名普通
的印刷工人帮助你提高书籍装帧的知识；即使你是一个高级机械工程师，那么
一名普通修理工的经验也会对你有所启发。

　　要使自己的学识更加广博、深刻，使自己的胸襟更加开阔，你就要积极地通
过各种途径来汲取知识，只有这样才能自如地应对各种各样的问题。

　　今后能否取得成功，取决于你今日对待学习的态度。

　　习惯把握身边的一切机会来提高自己，在各种各样的事情中积累学识，是
你将来成功的坚实基础，这是一个人最宝贵、最有价值的财富。

● 凡事积极主动

　　著名精神病专家维克多·弗兰克尔在研究人的本性的基本原理时认为：在
任何环境下取得卓越成就人的第一个，也是最基本的习惯是积极主动。

　　"积极主动"这个词在关于管理的理论书籍中十分常见。这个词的意思不
仅仅是采取主动，它还有一种更深一层的意思——作为人类，我们应对自己的
生活负责。我们的行为是我们所作决定的作用，不是我们的条件的作用。我们
能使感情服从于价值，我们做任何事情时应该具有主动性和责任心。

凡是积极主动的人都十分熟悉"责任心"这一词。他们并不把自己的行为归因于环境、条件或条件反射。他们的行为是他们根据价值而进行有意识的选择的产物，而不是受条件支配的产物。

我们人类生性积极主动，并不是我们的生活依靠条件反射和周围环境的作用，那是因为我们根据有意识或无意识的决定选择使这些情况支配自己。

在做出这种选择时，有人会变得消极被动。消极被动的人常常受到自然环境的影响，如果天气很好，他们就感到愉快；如果天气不好，那就影响他们的态度和行为。而积极主动的人则能掌握他们自己的天气，不管下雨还是出太阳，对他们都毫无影响。

消极被动的人容易受到社会环境和"社会气候"的影响，当人们对他们表现得十分友好时，他们感觉良好；当人们对他们不好时，他们变得处处提防。消极被动的人总是根据别人的行为来确定他们的感情生活，别人的缺点有时也成为指引他们的"向导"。

积极主动的人具有一种使冲动服从于价值的能力。消极被动的不仅人受感情、境况、条件的驱使，而且受他们所处环境的影响。积极主动的人受价值的驱使——精心考虑、挑选并使之内在化的价值。

当然，积极主动的人也会受到外来刺激的影响，这些影响有自然的、社会的，还有心理方面的。但是，他们对刺激的反应，不管是有意识的还是无意识的，都是根据价值做出的选择或反应。

正如埃莉诺·罗斯福所说："没有一个人能不经你同意就伤害你。"印度著名的政治家甘地也说过："如果我们不把自己的自尊给他们，他们是夺不走我们的自尊的。"我们有些人说是心甘情愿地容忍我们的遭遇，我们总是认同我们的遭遇对自己造成的伤害，而且这种伤害远远超过我们最初的遭遇。

其实并不是我们的遭遇在伤害我们，而是我们对自己的遭遇所作的反应在伤害我们。当然，有些事情确实会使我们在身体或经济上受到伤害和损失，会引起悲痛。但是，我们的习惯、我们的基本特性并不一定受到任何伤害，我们所经受的最困难的经历是一个大熔炉，它能够锻炼我们的意志，培养我们的性格，发展我们的内在能力。

我们经常可以看到有些人处于十分困难的境况，他们也许病入膏肓，也许身体严重残缺，但他们却保持惊人的精神和毅力，他们体现和表达出了一种激励生活、鼓舞生活和使生活崇高的价值，这种意识可以给别人留下最强烈、最持久和不可磨灭的印象。为此，维克托·弗兰克尔提出，人的一生中有三种中心价值：

第一，经验价值，即我们每天所发生的情况；

第二，创造价值，即我们使之产生的情况；

第三，态度价值，即我们在诸如病入膏肓之类的困难境况下做出的反应。

在这三种价值中，最高的价值应该是态度价值，不管是按照模式还是按照重新组织的意义。换言之，最为重要的是，我们如何对生活中经历到的事情做出反应。

生活中的困境往往引起人们习惯和行为模式的改变，使人产生新的习惯，人们根据这些习惯观察世界，并从中观察自己和别人，了解生活向他们提出的要求。

◉懂得居安思危

在动物界，狼是一种非常聪明的动物。如果让狗与狼单打独斗，那败的肯定是狗。虽然狗与狼是近亲，它们的体型也难分伯仲，但为什么败的总是狗呢？经人类长期豢养的狗，因为不面临生存的危机，狗的脑容量大大小于狼，而生长在野外的狼，为了生存，它们的大脑被很好地开发，不但有良好的创造性，而且有着异常的生存智慧。

其实，动物如此，人类又何尝不是这样呢？克罗克是美国颇负盛名的麦克唐纳公司的老总。有一段时间公司出现严重亏损，克罗克发现其中一个重要原因就是公司各职能部门经理总是习惯于靠在舒适的椅背上指手画脚，把许多宝贵时间耗费在抽烟和闲聊上。于是，他派人将所有经理的椅背都锯掉了，逼他们离开了舒适的椅子。开始，经理们不解、不满，不久他们悟出了克氏的良苦用心，于是纷纷深入基层实地调查、处理问题。他们的行动影响和带动了全体员工，公司短期内就扭亏为盈。椅背锯掉了，惰性的温床便不复存在，人的活力与创造力被激发，公司效益随即扶摇直上。这一良性循环的规律同样也适用于其他领域，尤其是人生奋斗的过程中。

商界巨子唐纳·里普出身纽约一个富贵家庭，年轻时他充满幻想，大学毕业后进入父亲的公司，凭着超人的天赋，他在公司干得很出色。27岁时，他接管了公司的业务，并开始涉足美国房地产业，短短几年时间，他跑遍了全美的房地产市场,对美国房地产所有的经营规则和庞大的关系网了如指掌。此后,他与美国最大的建筑商——伯哈特公司合作,在纽约的黄金大道上矗立起威震全美的曼哈顿大厦。由此,唐纳·里普踌躇满志,他开始把目光投向更远,他需要一座巨大无比的、真正的城堡,以此来铭记和镌刻他那传奇般的经历与荣耀。机会真的降临了。

1985 年 3 月,当美国赌博管理委员会解除了希尔顿酒店的赌博牌照时,唐纳·里普忽然意识到这可能是一个机会。当时,赌场在美国是一个具有垄断意味的行业,几乎全美各州都实行严格控制。而开设和经营赌场,又被世界普遍认为是房地产业的深度开发,也是房地产业的又一发展方向。唐纳即刻进军大西洋城,把希尔顿赌场大酒店接收下来。此后,唐纳又斥资 5000 万美元购买了假日酒店的赌场产权,并改名为"唐纳·里普广场"。在唐纳购买了最大最豪华的"泰姬玛哈"赌场后,他开始不思进取,沉迷于享乐之中,而且他干脆把管理权交给了弟弟罗伯特,而罗伯特对赌博业却一窍不通。这一致命的错误为其衰败埋下了种子。罗伯特常常为一些小事与客户争执不下,因此伤了许多客户的心。

后来,唐纳苦心经营,多年拼搏创立的赌业神话开始破灭。辉煌一时的"泰姬玛哈"赌场收益迅速下滑,唐纳手足无措,竟然拆东墙补西墙,将"唐纳"广场一些最好的客户引到"泰姬玛哈"来,以图挽救这个庞然大物,结果使尚有生机的"唐纳"广场也由此衰败。

唐纳的故事告诉我们,人皆有惰性,一旦条件优越,就难免不思进取。然而,一个人要想在异常激烈的社会竞争中不被淘汰,还是有一点生存危机的好,这样就可以未雨绸缪,主动出击,多一点生存的技能与智慧,对未来就多几分机会与把握。

数十年前,高中毕业下乡插队的张女士,顶替父职到某企业工作,先后当过工人,车间调度,总公司办公室收发兼档案管理。饱经风霜的她任劳任怨。可近年来企业经营不景气,单位不断进行机构改革与调整。此时此刻,她猛然意识到自己年龄大、学历低,又无专长,绝对不是不可缺少的人,下岗的忧患时刻威胁着自己。她思虑再三,决心在短期内掌握一技之长。

平常在工作中帮打字员校对文稿,发现她不仅打字速度慢,而且错漏百出,校对后还要耗时修改,工作效率很低,公司里的几位老总都对其不满。看来,换人是迟早的事。

于是,张女士利用空闲时间苦练电脑打字技术。这对 40 多岁的女士来说确实不容易。经过大半年时间的刻苦学习,她的电脑录入速度提高到每分钟50字,而且准确率相当高,几乎可以免除校对了。而且排版美观大方、文字摆放疏密有致,令人赞不绝口。

不久,一位档案管理专业大学毕业生接替了她的工作,她则被聘为办公室打字员。而那位比她年轻十多岁的前任则无可奈何地下了岗。

由此可见,想在这个社会上赢得一席之地,就必须要养成居安思危的习惯。如果做一份什么人都可以做的工作,而又不思进取,那么说不定什么时候就被人淘汰了。

◉ 与成功者为伍

毫无疑问,生活环境对一个人来说是极为重要的,周围的环境是愉快和谐的还是令人沉闷的,身边的朋友是经常激励支持你还是对你漠不关心,对一个人理想的树立和成就的取得都有着极为重要的影响,这直接关系到一个人的前途与命运。

其实,每个人的体内都蕴藏着巨大的潜能,只是一般人很少能够注意到这一点。可是一旦被外界的东西激发,外界的东西可能是微不足道的,也许是一句格言,也许是一次讲演,也许是一则故事,也许是一本书,也许是朋友的一句鼓励……它就会从酣睡中苏醒,促使人们做出惊人的事业。

另外,别人的成功也可能会激发一个人的潜能。当你在某个饭馆、剧场或者其他什么场合遇到成功人士,听到他们的演讲,或者听到别人提起某个成功人士的事迹,你可能会深受触动,"看他们取得的成就,难道我就不能做到吗?我就不能有这么成功的一天吗?"带着这样的激情与信心,你可能会以一种全新的姿态重新投入到自己的事业中来。

据调查发现,很多业绩一般的小型企业家开始创业时并不是非常成功,但当他们有机会拜访或者参观一些知名大企业之后,深受触动,获得前进的巨大动力。比如说,年轻的乡村医生参观了大城市的医院后,更加坚定了在医学界出人头地的信念。学生听完本专业大师的演讲,心中可能会燃起万丈豪情。一位默默无闻的年轻运动员与他心目中的偶像、一位世界级明星的一次会面,也许是他一生的转折点。正是这些成功人士的成功激发了他们的进取心。

"物以类聚，人以群分。"这句话一点不假，纵观社会，成功者的身边总是围绕着同样成功的人士，差别只是成就的大小。散漫者的圈子里也都是散漫的人，而失败者也总是与失败者为伍，因为正是他们的不幸使得他们互相吸引，共同哀叹。

很多人厌倦了大城市的繁华，他们不喜欢其中高压力的生活，小城市和乡村的安静与舒适总是魂牵梦绕着他们的心灵，可是要知道，处在小城市或者乡村中是很容易消磨一个人的雄心壮志的，而且也缺少足够的激励，处在那种环境里，人们与世无争地生活着，无法通过一定的标准来衡量自己的能力，周围没有什么东西可以刺激这些人的进取心，个人的能力很容易消散在乐天知命的日常生活中。

印第安人生活在部落中，大部分的部落是些乐天知命的安逸的人群，他们很少具有较高的文化，所以，从部落中出来的印第安人小孩一开始个个神态憨拘，一幅很腼腆的样子。可是当其中一部分人在结束大学学业之后，他们的神情显得气宇轩昂、才华横溢，看起来注定要做一番大事业的样子。可是，其中一些人没有选择到更大的地方深造或者选择比较大的天地一展拳脚，相反他们回到原来居住的部落，享受周围人艳羡的目光，自鸣得意，不思进取；很快，他们就又回到了原来的样子。这是因为他们自己放弃了能够激励自我的环境，将刚刚激发的潜能再度催眠。这样的人岂不可惜。

无论你处于什么样的环境中，从现在起，要不惜一切代价进入能够激发自己潜能的氛围中，努力接近那些了解你、信任你、鼓励你的人。多接触成功人士或多阅读些他们的成功传记，相信你这样做了之后，对你日后的成功会有莫大的影响。

◉专心致志做事情

历史上，人们眼中的聪明、拥有极高天赋的人很少能取得令人惊羡的成就，相反，那些看似平平庸庸的普通人反而取得较大成功。这的确是一件令人惊奇的事情。

如果我们仔细地分析一下，就会发现，这种现象并不奇怪。那些看似愚钝的人对自己有明确的认识，他们知道自己要想取得成功，必须具有比别人更顽强的毅力,付出比别人更大的努力。所以,他们一旦确定做什么事情,就会具有坚如磐石的决心,不受任何诱惑、不偏离自己既定目标,专心致志地去做自己的事情。相反,那些聪明的人,自认为高人一等,做什么事情都马马虎虎、三心二意,面对一点点的小挫折就会转移自己的目标,他们往往没有一个明确的生活目的,四处出击,结果分散精力,浪费才华,自然也就很难取得什么比较杰出的成就。

即便是拥有相同才智的人,在同一个环境中,在同样的时间内,也是有些人学到的知识多,做出的成就比别人高,这是因为他们意志坚强,注意力集中,所以能够全身心扑在自己的事业上。甚至可以说,他们做起事来,有一股忘我的、六亲不认的劲头。据说爱迪生在新婚之夜,突然想到一个问题,于是抛下新娘,一头扎到实验室里研究起来,直到有人来叫他,他才想起这是什么日子。想想看,如果没有这种干劲,爱迪生在他的一生中能做出那么多的发明贡献吗?

詹姆斯·瓦特从小就被认为是出了名的心灵手巧,很小的时候,他就对机械构造产生很大兴趣,他常常跑到父亲的造船作坊里观看工匠做工。小瓦特的大部分课余时间都消磨在车间里,观察大人们干活,静静地思考。瓦特是一个非常内向、好静的孩子。但是,只要是他感兴趣的事,无论他准备做、正在做、还是暂时中断,他都会把全部心思花在上面。用了很短的时间他就掌握了修理航海仪表的技术,工匠们都很喜欢他,夸他说:"每根手指头上都刻着好运纹。"正因为如此,他才做出很伟大的发明创造——高效率蒸汽机。

所以,你要记住:如果不专心致志就永远不会取得成功。

◉不达目的决不罢休

著名的推销大师,即将告别他的推销生涯,应行业协会和社会各界的邀请,他将在该城中最大的体育馆,做告别职业生涯的演说。

那天,会场座无虚席,人们在热切地、焦急地等待着那位当代最伟大的推销员做精彩的演讲。当大幕徐徐拉开,舞台的正中央吊着一个巨大的铁球。为了这个铁球,台上搭起了高大的铁架。

一位老者在人们热烈的掌声中,走了出来,站在铁架的一边。他穿着一件红色的运动服,脚下是一双白色胶鞋。

人们惊奇地望着他，不知道他要做出什么举动。

这时两位工作人员，抬着一个大铁锤，放在老者的面前主持人这时对观众讲：请两位身体强壮的人，到台上来。好多年轻人站起来，转眼间已有两名动作快的跑到台上。

老者这时开口和他们讲规则，请他们用这个大铁锤，去敲打那个吊着的铁球，直到把它荡起来。

一个年轻人抢着拿起铁锤，拉开架势，抡起大锤，全力向那吊着的铁球砸去，一声震耳的响声，那吊球动也没动。他就用大铁锤接二连三地砸向吊球，很快他就气喘吁吁。另一个人也不示弱，接过大铁锤把吊球打得叮当响，可是铁球仍旧一动不动。

台下逐渐没了呐喊声，观众好像认定那是没用的，就着老者做出什么解释。

会场恢复了平静，只见老者从上衣口袋里掏出一个小锤，然后认真地，面对着那个巨大的铁球。他用小锤对着铁球"咚"敲了一下，然后停顿一下，再一次用小锤"咚"敲了一下。人们奇怪地看着，老者就那样"咚"敲一下，然后停顿一下，就这样持续地做。

10分钟过去了，20分钟过去了，会场早已开始骚动，有的人干脆叫骂起来，人们用各种声音和动作发泄着他们的不满。老者仍然一小锤一小锤地工作着，他好像根本没有听见人们在喊叫什么。人们开始愤然离去，会场上出现了大块大块的空缺。留下来的人们好像也喊累了，会场渐渐地安静下来。

大概在老者进行到40分钟的时候，坐在前面的一个妇女突然尖叫一声："球动了！"霎时间会场立即鸦雀无声，人们聚精会神地看着那个铁球。那球以很小的摆度动了起来，不仔细看很难察觉。老者仍旧一小锤一小锤地敲着，人们好像都听到了那小锤敲打吊球的声响。吊球在老者一锤一锤的敲打中越荡越高，它拉动着那个铁架子"哐、哐"作响，它的巨大威力强烈地震撼着在场的每一个人。终于场上爆发出一阵阵热烈的掌声，在掌声中，老者转过身来，慢慢地把那把小锤揣进兜里。

老者开口讲话了，他只说了一句话：在成功的道路上，你没有耐心去等待成功的到来，那么，你只好用一生的耐心去面对失败。

成功者要像棋坛高手一样，要沉得住气。既然知道这是一盘永远也下不完的棋，那么就让我们耐心一些，耐心是一种成熟的标志。耐心最好的伙伴是信心和决心。人类的决心就像魔术师一样，你想要什么，就一定能得到什么。在有效付出的保障下，有决心和耐心的人一定会得到回报。

日本有一个流传近千年的故事。故事讲的主人公是两位名叫阿呆和阿图的渔民,梦想成为富翁。一天,阿呆做了一个梦,梦里有人告诉他对岸岛上的寺里有 49 株朱槿树,开红花的一株下面埋了一坛黄金。阿呆满心欢喜地驾船去了小岛,岛上一切景色果然如梦中所说。春天一到,49 株朱槿树全都盛开,只不过开的是清一色的淡黄花,阿呆便垂头丧气地回去了。阿图知道了这件事后也来到了寺里,从秋天等到第二年春天。果然,在春风的吹拂下,朱槿花凌空开放,一株朱槿树盛开出美丽绝伦的红花。阿图激动地在树下挖出一坛黄金,成为村里最富有的人。

为什么阿呆的梦想没有成真,而阿图却实现了梦想? 因为阿呆做事没有恒心、没有执著追求的精神。我们每个人都有自己的梦想,不管你的梦想是大是小,要实现它,都会遇到很多的困难和挫折。但是,如果你有了战胜困难的耐心,有了不达目的决不罢休的习惯,最终你一定会收获成功。

◉抛弃借口找方法

一个遇事喜欢找推脱借口的人,在面临挑战时,总会为自己未能实现某种目标找出无数个理由。比如,那些喜欢发牢骚、抱怨的不幸的人曾经都有过梦想,却始终无法实现。为什么呢? 因为他们有遇事找借口的老习惯。

一位长期在公司底层挣扎,时刻面临着失业危机的中年人来到老板的办公室,他讲话时神情激昂,抱怨公司老板不愿意给自己机会。

“那么你为什么不自己去争取呢?”老板问他。

“我曾经也争取过,但是我不认为那是一种机会。”他依然义愤填膺。

“能告诉我那是什么事吗?”

“前些日子,公司派我去海外营业部,但是我觉得像我这样的年纪,怎么能经受如此折腾呢。”

“为什么你会认为这是一种折腾,而不是一种机会呢?”

“难道你看不出来吗? 公司本部有那么多职位,却让我去如此遥远的地方。我有心脏病,这一点公司所有的人都知道。”

其实,这位先生并没有什么心脏病,他只是为自己不愿远行找一个借口而已。

与之截然相反的是体育界的成功者罗杰·布莱克。他的杰出并不在于他非凡的令人瞩目的竞技成绩——他曾经获得奥林匹克运动会 4×100 米银牌和世界锦标赛 400 米接力赛金牌。而更让人感动的是,所有的成绩都是在他患有心脏病的情况下取得的。

除了家人、亲密的朋友和医生等仅有的几个人知道其病情外,他没有向外界公布任何消息。带着心脏病从事这种大运动量的竞技项目,不仅很难有出色的发挥,而且有可能危及生命安全。第一次获得银牌后,他对自己依然不满意。如果他告诉人们自己真实的身体状况,即使在运动生涯中半途而废,也会获得人们的理解的。但是罗杰却说:"我不想小题大做。即使我失败了,也不想将疾病当成自己的借口。"作为世界级的运动员,这种精神一直存在于他的整个职业生涯中。

那些认为自己缺乏机会的人,往往是在为自己的失败寻找借口。而成功者大都不善于也不需要编制任何借口,因为他们能为自己的行为和目标负责,也能享受自己努力的成果。

借口总是在人们的耳旁窃窃私语,告诉自己因为某原因而不能做某事,久而久之我们甚至会潜意识地认为这是"理智的声音"。假如你也有这种习惯,那么请你做一个实验,每当你使用"理由"一词时,请用"借口"来替代它,也许你会发现自己再也无法心安理得了。

有一次,一位朋友对我说:"我不做这件事情是有原因的。"

我回应他说:"是的,如果你想给自己找借口的话。"

"不——这不是借口,而是理由。"他急切地辩解道。

一个人在面临挑战时,总会为自己未能实现某种目标找出无数个理由。正确的做法是,抛弃所有的借口,找出解决问题的方法。二者之间的区别就在于习惯,你选择哪一种呢?

那些实现自己的目标,取得成功的人,并非有超凡的能力,而是有超凡的心态。他们能积极抓住机遇,创造机遇,而不是一遭遇困境就退避三舍、寻找借口。

如果那些一天到晚总想着如何欺瞒的人,肯将一半的精力和创意用到正途上,他们一定可以在任何事情上取得卓越的成就。如果你善于寻找借口,那么试着将找借口的创造力用于寻找解决问题的方法,也许情形会大为不同。

习惯性的拖延者通常也是制造借口与托词的专家。如果你存心拖延、逃避,你就能找出成千上万个理由来辩解为什么事情无法完成,而对为什么事情应该完成的理由却想得少之又少。事实上,把事情"太困难、太无头绪、太花时间"等种种理由合理化,的确要比相信"只要我们努力、勤奋就能完成任何事"的念头容易得多。

如果你发现自己经常为没做某些事而制造借口,或想出千百个理由为事情未能按计划实施而辩解,那么,我劝你最好还是自我反省一番吧!

◉永远不满足于现状

一个优秀的人总善于用和自己较劲的习惯,以期达到"永不满足"。这种不满足的习惯能激励一个人从弱者变成强者,从失败走向成功,从贫穷走向富裕;永不满足能够激励你不断取得成功!

富兰克林人寿保险公司前总经理贝克说:"我敦劝你们员工要永不满足。这个不满足的含意是指上进心的不满足。这个不满足在世界的历史中已经导致了很多真正的进步和改革。我希望你们绝不要满足。我希望你们永远迫切地感到不仅需要改进和提高你们自己,而且需要改进和提高你们周围的世界。"

常常有机会看见那些天分颇高的员工,一生只做些平凡的事。他们的天分虽高,却没有受过充分的训练、培养,他们从来没有意识到自己应该进步。他们熙来攘往,所看到的只是月底领薪水,以及领到薪水以后几天中的快乐时间,结果他们的一生总是平平庸庸。之所以这样,就是因为他们满足于现状,任何人只要满足现状,就不会有所作为。

很多员工以为在学校里学了一定的知识,可以找个工作,能够养家糊口就心满意足了。这样,人们只能利用其一小部分的天赋才能以从事事业,而不能尽其教育与训练的全部天赋才能,所以他们在事业上一定要受很大的影响。本来足以领导人的人,因为满足于现状,就没有更辉煌的前途了。

有一位名叫克尔的人,大学毕业后去了纽约,找了一份好工作,又娶了一位好太太,生活非常美满。一次他的大学同学到纽约出差,顺便去看他。他带着同学到大饭店去用餐,他的同学对他说:"都是老同学了,随便找个地方吃点就行了。"他看出来老同学的意思,怕这里消费不起,便说道:"我不是打肿脸充胖子,到这个地方来对你我都有好处。你只有到这个地方来,才能知道自己的包里钱少,你才能知道什么是有钱人来的地方,你才会努力改变自己的现状。如果你只是去中等饭店,永远也不会有这种想法。我相信只要努力,总有一天,我会成为这里的常客。"这些话有一定的道理，人只有不满足自己的现状，才会产生出动力，去改变自己。如果满足自己已经取得的现状，你就不会有所成就了。

美国某铁路公司总经理，年轻时是一个三等列车上的工人，周薪只有12美元。有一个老工人对他说："你不要以为做了管理制机的工人，就觉得了不起。告诉你，你想当车长，还得好几年呢。到那时，你才可以趾高气扬，享受一周100美元的待遇。"没想到这位年轻人满不在乎地说："你以为我做了车长就满足了吗？我还准备做公司的总经理呢！"正因为这位年轻人不满足于现状，最终就实现了他的愿望。

一个员工不满足现状，就要永不满足，它可以改变你的现状。你可以利用十分钟思考一个工作的难题，在自省上下一分功夫，就足以助你在事业上上进一分。许多成功员工的早期，年薪很低，工作却很苦，但他们利用其闲暇的时间，勤思苦练以求上进，比之他们在日间的工作更为努力。在他们看来，薪水并不是大事，而追求知识、要求进步则是真正的大事。不满足现在，立志在未来，所以，成功者就不断地追求知识，给自己创造机会。

无论怎样，一个员工愈能求知，则愈有知识。你能多多储备知识，就能够丰富你的生命。这种努力，日积月累，可以使你于日后大有收益，可以使你更为充实，可以使你更能应付人生。

一个青年，他常有机会坐火车、轮船旅行远方。每次在火车中，他总是随身带些读物，如袖珍书本、函授学校的讲义，他总是利用那些易为一般人所浪费的零星时间来求自己的进步。结果，他对于各门学问都有相当的认识，他对于历史、文学、科学及其他各种重要的学问都了解很多，研究很深。不满足自己现有的知识，不断地学习，就能够为自己创造适应社会发展的机会。

许多员工在空闲的时间虚掷光阴，闲暇时间不做或者只做些有损无益的事情，虽然这算不上什么坏事，但是，这些人和上述的那个青年相比，岂不愧死！

孜孜以求自己的进步的精神，是一个员工"优越"的标记与"胜利"的征兆。

只要能够知道，一个员工怎样度过他的工休时间，怎样消磨他浪漫的秋日黄昏，那么就可预言出那个青年的前程怎样。

有的员工或许以为利用闲暇的时间来思考工作总得不到多大的成绩，因而不想在闲暇的时间多做一些努力。这无异于一个人因为自己进款不多，以为即使尽量储蓄，也不能成为巨富，所以一有金钱，尽数挥霍，不屑储蓄！但是有许多员工，就是因为利用了零星的闲暇时间求得了工作的巨大成绩，这样的事例不胜枚举。

工作竞争日趋剧烈,工作情形日益复杂,所以你必须具有充分地思考工作,接受充分的工作训练以作为你的甲胄,来应对公司的变化。如果你满足现状,不思进取,那么,你不仅不能使自己的向命运更好的方向发展,而且可能会使你在不远的将来混不下去。在今天的工作里任何人都不敢满足现状,每个人都必须勤奋努力,才能适应公司要求,实现工作目的。

大多数员工的问题,就在一心希望在顷刻之间成就大事。其实事情是要渐渐成就的。这些员工应该不断地努力思考工作,不断地充实自己的知识宝库,渐渐地推广我们知识的地平线,提升工作的态度,最终就能够改变自己命运。

不满足是工作的动力,有了这个动力,你就能够克服所有的困难,不断提升自己,不断改变自己,实现自我价值。因此,不满足的习惯正是敢于和自己较劲的体现。

●在疲倦来临之前就休息

要防止疲劳和忧虑,首先要做到:常常休息,在你感到疲倦之前就休息。

约翰·洛克菲勒创了两项惊人的纪录:他赚到了当时全世界为数最多的财富,也活到98岁。他如何做到这两点的呢? 最主要的原因当然是,他家里的人都很长寿,另外一个原因是,他养成了休息的习惯,他每天在办公室里睡半小时午觉。他会躺在办公室的大沙发上——在睡午觉的时候,哪怕是美国总统打来的电话,他都不接。

在一本名叫《为什么要疲倦》的好书里,丹尼尔·柯西林说:"休息并不是绝对什么事都不做,休息就是修补。"在短短的一点休息时间里,就能有很强的修补能力,即使只打五分钟的瞌睡,也有助于防止疲劳。棒球名将康黎·马克说,每次出赛之前如果不睡一个午觉,到第5局就会觉得筋疲力尽了。可是如果他睡午觉的话,哪怕只睡五分钟,也能够赛完全场,一点也不感到疲劳。

爱迪生认为他无穷的精力和耐力,都来自他能随时想睡就睡的习惯。

拿破仑·希尔曾建议好莱坞的一位电影导演杰克·查纳克试试这种方法,查纳克后来说,这种办法可以产生奇迹。几年前他是米高梅公司短片部的经理,常常感到劳累和筋疲力尽。他什么办法都试过,喝矿泉水、吃维他命和别的补药,但对他一点帮助也没有。

两年之后，拿破仑·希尔再见到他的时候，他说："出现奇迹，这是我医生说的。以前每次我和手下的人谈短片问题的时候，我总是坐在椅子里，非常紧张。现在每次开会的时候，我躺在办公室的长沙发上。我现在觉得好多了，每天能多工作两个小时，却很少感到疲劳。"

如何使用这些方法呢？如果你是一位打字员，你就不能像爱迪生或是山姆·高尔温那样，每天在办公室里睡午觉；而如果你是一个会计员，你也不可能躺在沙发跟你的老板讨论账目的问题。可是如果你住在一个小城市里，每天回去吃中饭的话，饭后你就可以睡十分钟的午觉。这是马歇尔将军常做的事。在第二次世界大战期间，他觉得指挥美军部队非常忙碌，所以中午必须休息。如果你已经过了 50 岁，觉得你还忙得连这一点都做不到的话，那么赶快趁早买人寿保险吧。

如果你没有办法在中午睡个午觉，至少要在吃晚饭之前躺下来休息一个小时，这比饭前一杯酒要便宜得多了。如果你能在下午 5 点、6 点或者 7 点左右睡 1 个小时，你就可以在你生活中每天增加一小时的清醒时间。为什么呢？因为晚饭前睡的那 1 个小时，加上夜里所睡的 6 个小时——一共是 7 小时——对你的好处比连续睡 8 个小时更多。

从事体力劳动的人，如果休息时间多的话，每天就可以做更多的工作。佛德瑞克·泰勒，在贝德汉钢铁公司担任科学管理工程师的时候，就曾以事实证明这件事情。他曾观察过，工人每人每天可以往货车上装大约 12 吨半的生铁，而通常他们中午时就已经筋疲力尽了。他对所有产生疲劳的因素，做了一次科学研究，认为这些工人不应该每天只能装 12 吨半的生铁，而应该能装运 47 吨。照他的计算，他们应该可以做到目前成绩的 4 倍，而且不会疲劳，只是必须要加以证明。

泰勒选了一位施密德先生，让他按照秒表的规定时间来工作。有一个工人站在一边拿着一只马表来指挥施密德："现在拿起一块生铁，走……下面坐下休息……现在走……现在休息。"

结果怎样呢？别人每天只能装运 20 吨半的生铁，而施密德每天却能装运到 40 吨生铁。在佛德瑞克·泰勒在贝德汉钢铁公司工作的那三年里，施密德的工作能力从来没有减低过，他之所以能够做到，是因为他在疲劳之前就有时间休息：每个小时他大约工作 26 分钟，休息 34 分钟。他休息的时间要比他工作时间多——可是他的工作成绩却差不多是其他人的 4 倍。

常常休息，照你自己的办法去做——在你感到疲劳之前先休息，然后你每天清醒的时间,就可以多增加一小时。

不论有多强的意志力,大自然都会强迫一个人人睡。大自然会让我们可以长久不吃东西、不喝水,却不会让我们长久不睡觉。

所以,要想不为失眠症而忧虑,拿破仑·希尔建议我们,要按下面五条规则做:

其一,如果你睡不着,就起来工作或看书,到你打瞌睡为止。

其二,不要害怕失眠,从来没有人因为缺乏睡眠而死,为失眠忧虑对你的损害,通常会比失眠更厉害。

其三,试着祈祷。

其四,让全身放松,看一看《消除神经紧张》这本书。

其五,多运动,使身体因劳动而累得无法保持清醒。

◉正确把握自己的时间

某天,在富兰克林报社前面的商店里,一位犹豫了将近 1 个小时的男人终于开口问店员了:"这本书多少钱?"

"1 美元。"店员回答。

"1 美元?"这人又问,"你能不能少要点?"

"它的价格就是 1 美元。"没有别的回答。这位顾客又看了一会儿,然后问:"富兰克林先生在吗?"

"在,"店员回答,"他在印刷室忙着呢。"

"那好,我要见见他。"这个人坚持一定要见富兰克林。于是,富兰克林就被找了出来。

这个人问:"富兰克林先生,这本书你能出的最低价格是多少?"

"1 美元 25 分。"富兰克林不假思索地回答。

"1 美元 25 分? 你的店员刚才还说 1 美元呢。"

"这没错,"富兰克林说,"但是,我情愿倒给你 1 美元也不愿意离开我的工作岗位。"这位顾客惊异了。他心想,算了,结束这场自己引起的谈判吧,他说:"好,这样,你说这本书是最少要多少钱吧。"

"1 美元 50 分。"

"又变成 1 美元 50 分？你刚才不还说 1 美元 25 分吗？"

"对。"富兰克林冷冷地说："我现在能出的最好价钱就是 1 美元 50 分。"这人默默地把钱放到柜台上，拿起书出去了。这位著名的物理学家和政治家给他上了终生难忘的一课：对于有志者，时间就是金钱。

利用好时间是非常重要的，一天的时间如果不好好规划一下，就会白白浪费掉，就会消失得无影无踪，我们就会一无所成。经验表明，成功与失败的界线在于怎样分配时间，怎样安排时间。人们往往认为，这儿几分钟，那儿几小时没什么用，其实它们的作用很大。本杰明·富兰克林指出："你热爱生命吗？那么别浪费时间，因为时间是组成生命的材料。"

如果想成功，必须重视时间的价值。时间是要争取才有的，时间是自己安排出来的，忙碌的人能够读很多书，就是因为这个缘故。时间并非一成不变，时间有密度，也有年龄。明天的时间就比今天的时间衰老。衰老的时间没有气势，就好像旭日东升，朝气蓬勃，而日落西山的太阳，就完全没有那种气势。失去效率的时间是没有什么用的。

想要有成功的人生，必须把握现在的时间。如何把握现在呢？效率专家认为，分析、计划、行动，三个步骤缺一不可。

第一步，分析——检查你以往利用时间的习惯

想要知道时间是如何用掉的最好方法就是：

用心观察自己的日常作息。准备一本记事本，详细记录一周的活动。每一天（包括周末）都按时划分。每完成一件工作，就在记事本上写下完成事项及所花费的时间。然后，留意你自己对时间运用状况的感受：是运用妥当？还是浪费了？精力是高昂或是颓丧？谁剥夺你的时间或提高了你对时间运用的效率？

一周之后，摘要记录各项活动所花的时间：打电话、写信、开会，和朋友聚会、运动、休闲，和家人相处等等活动的时间各占多少。分门别类后，这份摘要可以告诉你各项活动所花费的时间。接下来，检查你的体能周期状况：你是上午体力比较好，还是下午？如果有规律可循，可考虑在体力最好的时候，做最重要的工作。

想一想，你精神最好的时候，是和人串门子，还是独处？也许你喜欢一个人独自工作；又或许你不喜欢孤独的滋味，所以花在电话上的时间过多。有没有什么日常琐事可以一并处理，或切割成数个部分，做更有效率的处理？二者都可有效节省你的时间。有哪些事根本就不需要浪费时间来做？可不可能避免重蹈覆辙？有哪些事可以做得再快点？更有效率点？你通常花多少时间在重

要与不重要的工作上呢？

把时间运用得当和运用不妥当的活动区隔开来。想想该如何改变行为模式，好提高效率呢？

第二步，计划——列出工作的优先顺序

如同任何一种管理，时间管理也一定要妥善计划才能发挥效用。计划之初，先从下列几个观点来检视：必要性、重要性及选择性。依据这些原则，就可列出工作的优先顺序。

现在，多花点儿时间在必要的工作上，而少用些时间在选择性工作上。等你完成必要与重要的工作后，再来做选择性的工作。

第三步，行动——与拖拉习气作斗争

依据计划所列的优先顺序迅速、果断、有效率地采取行动，可以把你因迟疑、拖延所带来的不快压力一扫而空。要主动控制时间，少做浪费时间的事，多做能节省时间的活动。

据专家研究表明，生活中大约有五分之一的成年人喜欢拖拖拉拉，这给他们的工作和生活都带来了不良后果。所以，要与拖拉习气作斗争，要设法做到：

（1）定出期限。即使计划中没有时限，你也要为自己定上一个。要真有那么一个时限，那在终期来临之际再去看看做了多少工作，你也许就会吓一跳。所以，在每一周末来临之际，你都问问自己究竟做了多少事？

（2）砍掉枝枝节节。注意因事情停止和重新返工而浪费掉的时间和精力。要学会在某段时间内集中心力于某一件事，这会给你自己树立一种风范。而且，在你放下一件事情以前，你都力求把它了结，或至少提出解决的办法来，那样，你也就给自己培养了一种很好的习惯，这种习惯会为你的将来带来很好的报偿。

（3）犒劳一下自己。最好是在每次按时完成计划的时候，你都给自己一个小小奖励，比如给自己买支冰激凌雪糕，或挑个阳光明媚的日子，自己去逛逛街。这些都属小事，但对自己鼓励却很大。

◉真诚地赞赏别人

每个人都有自己的优点和缺点。但我们有些人看待他人时,往往总是盯着他人的缺点和不足之处,而看不到他人的优点,他们不愿称赞对方,不会夸奖他人,因而也得不到他人的赞赏。其实,即使那些历史上的伟人,他们也深知真诚地赞赏他人。

柯立芝总统执政的时候,在一个周末对他的一位女秘书说:"你今早穿的衣服极好看,你是一个极美貌的青年女子。"

这恐怕是一向寡言的柯立芝总统一生中赏赐给一位秘书的最动人的称赞了。这确实有点极不平常,极出乎意料,因而那女子面红耳赤,不知所措。柯立芝于是说道:"不要难为情,我说这些话只是为了让你觉得好过一些。从现在起,我希望你多注意一下你的缺点。"

尽管柯立芝总统采用的办法似乎太明显了一点,但他运用了一种心理技巧——当我们听到他人对自己的优点加以称赞以后,再去听一些不愉快的话,自然觉得好受一些。这正如理发师在替人修面之前,先涂上一层肥皂一样。

要与他人进行友好的协作,就要善于肯定他人的成绩。日常生活中,我们全都力图获得对于我们有重要意义的人的赞扬和嘉许,而那些人也需要我们的关注,像我们一样希望得到赞扬。

我们大多数人都很注意别人做出的使我们恼火的行为,这种注意恰恰是支持鼓励了那些行为。认识到这一点,便能够消除怒气。

指责和抱怨如同微笑和赞许一样,都是给予关心注意的形式,也都具有对于行为产生影响的力量。尽管人们都说只需要爱和温情,当没有指望得到积极的鼓励时,人们就会寻求任何一种可能得到的关注,甚至是体罚形式的关注。

有人曾做过这样的实验,实验的对象都被外界完全隔绝,各自躺在一个像棺材一样的小房间里,每隔一段时间询问他们在想什么、有什么愿望。起初,他们都回答说觉得挺舒服:有人说,让他休息睡觉很满意;还有些人产生了有关食物、趣事和性的愉快幻想。

但是,随着时间的延长,这些人越来越抱怨身体不舒适,感到孤独寂寞,最后,在实验快要结束的时候,每一个实验对象都说脑子里集中在想的是希望得到任何一种刺激。许多人说非常渴望身体接触什么东西或者引起某种形式的注意,甚至愿意有人来推他一下或者打他一顿。

有一些父母亲在抱怨他们的孩子"淘气"的时候说,他们相信自己的孩子常常"简直是故意找挨揍"。如果调查一下这些作父母亲的人,热情拥抱和抚摸孩子的次数究竟多少,一定很有意思。如果他们很少亲近抚摸孩子,孩子能够设法同父母亲在身体接触的路子大概只有挨揍了。

我们当中有太多的人每天同别人相处,不知不觉地把我们大部分的注意力放到了我们所最痛恨的行为上。如果孩子们表现得很好,当父母亲的就容易视而不见或者不理不顾,而去注意他们"最吵闹、最淘气的表现"。我们意识不到:正是由于我们自己给予鼓励或者加以冷淡的态度,在实际上助长了我们所抱怨的那些事情。我们参与造成了自己不愉快,却对此毫无所知。所以,我们以为自己不愉快是别人给的,就牢骚满腹,而不承认这种痛苦之所以继续下去,其中我们也要负责任。

有一个肥胖的妇女,抱怨她的丈夫总是往家里买甜点,可是她不知道,只有在她的丈夫给她买来甜食的时候,她才能对他露出笑容。她是在无意之中支持鼓励她的丈夫帮她发胖。

你现在是不是感到内疚,是不是心里这样想:"我总是帮倒忙。我的孩子有了错处,我一骂就是几个小时;可是他们乖乖的时候,我却不理他们,跟朋友打电话聊天。我想,这就是向消极方面的鼓励支持。所以,我现在承认自己是破坏者!准是因为我不停地责骂教训他们,他们才过一会儿就做一些讨厌的事情。不过我只是想要帮助他们,想要教给他们怎样做才正确。我可做梦也想不到,这样会助长他们的过错!"

我们绝大多数人都是想要做正确有益的事情,但是往往容易把人与人之间本来应该起有益作用的信息交流搞颠倒了。

我们的意图总是好的,然而,我们的行为却并非如此!

在别人使我们感到高兴或者碰到我们所喜欢的事时,我们很少有人当时就表示鼓励支持。我们一般总有很多理由:"我不需要说任何话。他们什么时候都知道我是多么喜欢和感激他们。我用不着表示得太过分。"

然而,他们并不知道,你一定要告诉他们。由于你不肯给他们报偿,你所喜欢的那些行为可能永远不再出现了。你无论怎样鼓励也不会太过分。

不管什么时候,只要你发现自己和别人交流信息搞得不好,干坏了一件工作,或者出了一个差错,这时你正应该尊重称自己已经做出的努力和尝试。要相信自己的诚意和好处。你已经习惯于对自己阻挠破坏,尽管整个过程都是不自觉的。现在,你能够有意识地学会停止对自己阻挠破坏了。责骂自己也会起一种注意的作用,这种注意会使你那些不健康的行为方式更加发展。

查理·夏布是全美少数年收入超过百万美元的商人。1921 年,安德鲁·卡耐基慧眼独具,提名夏布为新成立的"美国钢铁公司"第一任总裁,那时夏布才38 岁。

为什么安德鲁·卡耐基每年要花 100 万聘请夏布先生呢?这几乎等于每天支付 3000 多元。难道夏布先生确实是个了不起的天才?还是夏布先生对钢铁生产比别人懂得多?都不是。夏布先生亲自告诉我,在他手下工作的许多人对钢铁制造其实都懂得比他多。

夏布说他之所以获得高薪,主要是因为他善于处理人事,管理人事。我问他是如何做到这一点的,他跟我讲了下面这段话。

我想,我天生具有引发人们热情的能力。促使人将自身能力发展到极限的最好办法,这就是赞赏和鼓励。

来自长辈或上司的批评,最容易丧失一个人的志气。我从不批评他人,我相信奖励是使人工作的原动力。所以,我喜欢赞美而讨厌吹毛求疵。如果说我喜欢什么,那就是真诚、慷慨地赞美他人。

这就是夏布成功的秘诀。

几年前,有人对离家出走的妇女进行过研究。你知道这些妇女离家的主要原因是什么吗?——"没有人领情"。我相信,离家出走的男人大概也有相同的理由。虽然我们也常常心里感谢另一半所做的一切,却从来没有说出自己的感激之情。

有个朋友的妻子参加了一种自我训练与提高的课程,回家后,她要先生列出 6 种能让太太变得更加理想的事项。这位先生说道:

"这个要求真让我吃惊。坦白地说,要我举出 6 件事实在简单不过——天晓得,我太太可是能列出上千个希望我变得更好的事项——但是,我没有这么做,我告诉她:'让我想想看,明天早上再告诉你。'

"第二天早上,我起了个大早,打电话要花店送六朵红玫瑰给我太太,并且附上纸条写着:'我想不出有哪六种事希望你改变,我就喜欢你现在的样子。'

"傍晚回家的时候,你想谁会在门口等着我呢?对啦,我太太!她几乎含着眼泪等我回家。没必要再说什么了,我很高兴没有照她的请求趁机批评一番。

"星期天她再次去上课的时候,她把事情经过向他人讲述出来,许多太太走过来告诉我:'这真是我听到过的最善解人意的事。'我也因此体会到赞赏的力量。"

在日常生活中,我们通常忽略的美德之一便是赞赏。有时候,儿女从学校带回一份好成绩单,我们忘了称赞他们;当孩子们第一次烤了一个蛋糕或做了一个鸟笼,我们也忘了鼓励他们。对孩子们来说,父母的注意和赞赏是最令他们高兴的。

下一次,你在餐馆里见到盘中漂亮的装饰,不妨告诉厨师他们做得多好;当疲累的店员耐心地拿出货物给你看时,也别忘了称赞他们。

每一位演讲者、公共发言人都知道,当他们倾心面对所有的听众,却得不到一丝赞赏时,他们的内心有多失望。同样的情形发生在办公室、店铺和工厂的员工,甚至我们的家人和朋友,他们也会有同样的感受,甚至是加倍的感受。别忘了一点,在人际交往里我们所接触的是人,他们都渴望被人赞赏。

给他人以欢乐,这是合情合理的一种美德。

◉对他人要心存感激

在日常生活中,很多人常听到父母抱怨孩子们不听话,孩子们抱怨父母不理解他们,男朋友抱怨女朋友不够温柔,女孩子抱怨男孩子不够体贴。在工作中,也常出现领导埋怨下级工作不得力,而下级埋怨上级不够理解,不能发挥自己的才能。总之,对生活永远是一种抱怨,而不是一种感激。

在日本藤泽市,有个妇人名叫佐伦敦子。她十几岁时,很渴望到美国去。对于美国生活,她所知道的大部分是从教科书读到的。

后来,敦子终于如愿以偿,到美国加州去读大学。可是,她到达美国以后,发现那个国家和她想象中的美好世界完全不一样。"人人都在竭力应付各种问题,似乎常常都精神紧张。"她说,"我感到很孤寂。"

各学科之中,她觉得体育最难应付。"我们打排球,"她说,"其他同学都打得很好,就我不行。"有天下午,教练指定由敦子负责把球传给队友扣杀过网。对大多数人来说,这没什么困难,但是敦子很惊慌。她怕自己会做不好,受人讪笑。有个男同学察觉到她心里害怕,便走到她面前,轻声说:"放心,你应付得了。""这句鼓励的话给她的感受,是任何人永远都不会了解的。只是区区几个字:'你应付得了'。"她的那一节课终于过了关。六年后,敦子27岁,回到日本去做售货员。她说:"我始终没有忘记那几个字。每逢遇到困难,我就会想起它们。"她肯定那男同学完全不知道他那点好意对她意义之大。"他甚至不记得这件事了。"她说。

敦子如今在日本常东奔西走,忙于事业。可是,她仍经常记起"你应付得了"这句简单的话,她一直对那位男同学心存感激,因为这句话对她来说,实在是太重要了。是的,有时候最简单的话会产生极深远的影响。

感激不是天生就有的,它是培养出来的,许多人从未真正感觉到它。由于我们只注意我们需要什么,很少注意这些东西是从哪来的。如果你要拥有美好的生活,就应培养感恩的心。

一次,古罗马众神决定举行一次欢迎会,邀请全体美德神参加。真、善、美、诚以及各大小美德神都应邀出席,他们和睦相处,友好地谈论着,玩得很痛快。

但是主神朱庇特注意到:有两位客人互相回避,不肯接近。主神向信使神秘库瑞述说了这一情况,要他去看看这是什么问题。信使神立即将这两位客人带到一起,并给他们介绍起来。

"你们两位以前从未见过面吗?"信使神说。

"没有,从来没有。"一位客人说,"我叫慷慨。"

"久仰,久仰!"另一位客人说,"我叫感恩。"

正如这个故事揭示的:生活中慷慨的行为总是难以得到真诚的感恩。事实上,我们每个人每天的生活都在仰赖着他人的奉献,只是很少有人会想到这一点。

世界上最大的悲剧是一个人大言不惭地说:"没人给过我任何东西!"这种人不论是穷人或富人,他的灵魂一定是贫乏的。

有些人对感恩迟钝,对怨恨却十分敏感。这类不知感恩喜,只怨天尤人的人,必定会走厄运,而且感觉人生充满不幸。这类人对别人的要求特别高,喜欢用自己的思考模式来规范他人,结果往往成为不受欢迎的人物。整天抱怨他人,却不知好好检讨自己。

这种人有时会因有人庇佑,而威风一时。不过由于此类人多半专横、自私,只知从别人身上得到好处却不知回馈而不受欢迎。短视近利的后果,往往是令帮助他的人感到失望,不再给予支持。这类人多半自以为是,从不考虑自己的责任,老是认为别人在算计他,对他不怀好意,想要陷害他。消极的心态会使这类人离开对他有利的人,而和同类型的人在一起,然后逐渐深陷其中而无法自拔。

对于曾经帮助过我们的人表达感激应成为一种习惯。很遗憾,中国人对这样的方式在长久以来都是不太习惯的。好在感恩的心是可以培养的,那就让我们很含蓄地搁在心底,用时间来酝酿醉人的醇酒,一旦开了瓶,人情与酒香将成为最佳的咏叹调!

凡事开头难,尤其是习惯的培养,但是尝试做一次、两次……你会发现其实并不太难,难的是你是否愿意付诸行动,让人生不再遗憾。

一个坚强,有自尊心的人,当他们意识到上天的赐予有多丰厚时,他们会真正地谦卑起来。他们感激别人对他们的生活所做的贡献。当一个人记起了信心、梦想和希望是促使他生活下去的原因时,他就会越伟大越谦卑。任何人以自己的成功为荣时,都应该想起他从先人处接受的东西有多少。先人的伟大为他的生活设定了方向,他所能做的便是实现先人的理想。

◉多为别人着想

多为别人着想,不仅能使你不再为自己忧虑、善待自己也能帮助你结交很多的朋友,并得到很多的乐趣。

美国密苏里州春田镇的波顿先生讲述的《我如何快乐起来》的故事曾感动了许多人。他这样写道:

"我9岁的时候失去了母亲,12岁的时候失去了父亲。我母亲在19年前的某一天离开了家,从此我就再也没有见过她。以后我也没有见过她带走的我的两个小妹妹。她一直到离家七年之后,才写信给我。我父亲在母亲离家三年之后死于一次车祸。他和一个合伙人在密苏里的一个小镇买下了一间咖啡店,合伙人趁他出差的时候把咖啡店卖了,得了现款之后潜逃。一个朋友打电报给父亲,叫他赶快回家,在匆忙中,父亲在堪萨斯州沙林那城因车祸丧生。我的两个姑姑,她们又穷又老又病,把我们五个孩子中的三个带到她们家里去了。没有人要我和小弟弟,我们只好靠镇上的人来帮忙。我们很快被人家叫做孤儿,或者被人家当作孤儿来看待,但我们所担心的事情很快发生了。

"我和一个很穷的人家在镇上住了一阵子,可是日子很难过,那家的男主人失了业，所以他们没有办法再养我。后来罗福亭先生和他的太太收留了我，让我住在他们离镇子 11 英里的农庄里。罗福亭先生 70 岁，他告诉我说，'只要我不说谎，不偷东西，能听话做事'，我就能一直住在那里。这三个要求变成了我的圣经，我完全遵照它们生活。

"我开始上学，其他的孩子都来找我的麻烦，拿我的大鼻子取笑，说我是个笨蛋，还说我是个'小臭孤儿'。我伤心得想去打他们，可是收容我的那位农夫罗福亭先生对我说：'永远记住，能走开不打架的人，要比留下来打架的人伟大得多。'我一直没有和人打过架。最后有一天，有个小孩在学校的院子里抓起一把鸡屎，丢在我的脸上，我把那小子痛揍了一顿，结果交上了好几个朋友，他们说那家伙活该。

"我对罗福亭太太给我买的一顶新帽子感到非常得意。有一天，有个大女孩子把我的帽子扯了下来，在里面装满了水，把帽子弄坏了。她说她之所以把水放在里面，是要'那些水能够弄湿我的大脑袋，让我那玉米花似的脑筋不要乱爆。'我在学校里从来没有哭过，可是我常常在回家之后号啕大哭。这一天，罗福亭太太给了我一些忠告，使我消除了所有的烦恼和忧虑，而且把我的敌人都变成了朋友。她说：'罗夫，要是你肯对他们表示兴趣，而且注意能够为他们做些什么的话，他们就不会再来逗你，或叫你小臭孤儿了。'我接受了她的忠告，我要用功读书。不久后我就成为班上的第一名，却从来没有人妒忌我，因为我总在尽力帮助别人。我帮好几个男同学写作文，写很完整的报告。有个孩子不好意思让他的父母亲知道我在帮他的忙，所以常常告诉她母亲说，他要去抓袋鼠，然后就到罗福亭先生的农场里来，把他的狗关在谷仓里，然后让我教他读书。死神侵袭到我们的附近，两个年纪很大的农夫都死了，还有另一位老太太的丈夫也死了。在这四家人中我是唯一的男性，我帮助那些寡妇们过了两年。在我上下学的路上，我都到她们的农庄去，替她们砍柴、挤牛奶，替她们的家畜喂饲料和水。现在大家都很喜欢我，而不再骂我，每个人都把我当作朋友。当我从海军退伍回来的时候，他们向我表露出对我的真正感情。我到家的第一天，有两百多个农夫来看我，有人甚至从 80 英里外开车过来。他们对我的关怀非常真诚，因为我一直很忙也很高兴地试着去帮助其他的人，所以我没有什么忧虑，而且十三年来再也没有人叫我'小臭孤儿'了。"

不管你的处境多么平凡，你每天都会碰到一些人，你对他们将怎样呢？你是否只是望一望他们？还是会试着去了解他们的生活？比方说一位邮差，他每年要走几百里的路，把信送到你的家门口，可是你有没有费心去问问他住在哪里？或者看一看他太太和他孩子的照片呢？你有没有问过他的脚会不会酸？他的工作会不会让他觉得很烦呢？或者杂货店里送货的孩子，卖报的人，在街角上为你擦鞋的那个人。这些人都是人——都有他们的烦恼、他们的梦想和个人的野心，他们也渴望有机会跟其他的人来共享，可是你有没有给他们这种机会呢？你有没有对他们的生活流露出一份兴趣呢？你不一定要做南丁·格尔，或是一个社会改革者，你可以从明天早上开始，从你所碰到的那些人做起。

这对你有什么好处？这会带给你更大的快乐，更多的满足以及你自己心中的满意。亚里士多德称这种态度为"有益于人的自私"。为别人做好事不是一种责任，而是一种快乐，因为这能增加你自己的健康和快乐。纽约心理治疗中心的负责人亨利·林克说："现代心理学上最重要的发现就是：必须要有自我牺牲或者是约束，才能达到自我了解与快乐。"这说明一个通俗却又浅显的道理：你为别人着想，别人也为你着想，这是一种简单而快乐的"回报效应"。

◉自纠己错，自我批评

富兰克林有一天突然警觉到他经常失去朋友，他此时才开始注意到原因在于他太爱争强好胜，所以始终跟别人处不好。有一天，大概是过年前几天，当年度计划大致拟订后，他坐下来列了一张清单，把自己个性上所表现的一些缺点全部列在上面，并且，从最致命的大缺点开始，到不足挂齿的小毛病为止，重新依次排列了一次。他下了极大的决心要一一改掉。每当他彻底改掉一个毛病，就在单子上把一条划去，直到全部删完为止。结果，他变成美国最得人心的人物之一，受到大家的尊敬和爱戴。当殖民地13个州需要法国的援助时，他们派富兰克林去，法国人对他的印象奇佳，他果然也不负使命。市面上所看到的有关"个性塑造"的著作中，几乎都会引述富兰克林的例子，且被公认为是个性自我改造最成功的例子之一。

反过来说，假如富兰克林的选择是依然故我，不对自己的个性加以检讨，假如他也像其他许许多多的人一样，放任自己的天生个性，假如他仍然不改争强好胜的毛病……那么，他绝不可能成功地争取到法国的援助，而整个美国历史也将改写了。一个人的性格居然也能影响一个国家的命运。可是，却还有很多人到处在说："我能怎么办？"其实，你怎么知道你办不到？你怎么知道即使经过数年的努力你仍不会有所获？林肯讲过："我要准备好自己以待时机来临。"他果然等到了那一天。他深信耕耘一定会有收获。至少，我们可以使我们周围的人都觉得人生还算合理、愉快；至少，我们不会为身边的人带来无谓的烦恼。

由于一个人的问题而使家里其他成员都活得很痛苦，这种例子何其多。由于做父母亲的不可理喻，而使其子女深恨自己生在这种家庭，这种例子更是不胜枚举。只要有一个性格乖张的人就足以毁灭一个家庭，使家人深以为苦。但是，同样的这个人，只要他运用天赋的威力——做选择的能力，他仍然可以给他周围的人尤其是他自己的家人，带来美好的生活感受。假如人人都能使自己的家庭生活成为一种心情欢畅的乐事，那么这个世界很快就会大为改观。

人在一生中迟早都会遇到所爱的人亡故的伤心事。但有些人在痛失其父、母亲或是兄弟姐妹或是至亲好友之后，往往感到不知所措，觉得生命不再有意义，他们会问："现在还有什么值得让我活下去的？"于是，世界上就有成千上万的人如行尸走肉一样地度过余生。他们对于自己本身所具有的"选择的能力"全然不知，他们甘愿让往后的生活成为自己也成为别人的负担。我们不能苛责这些人，因为他们的创巨痛深；打击来得突然，事前又无一点征兆，他们无法理解为什么会发生这种事。有时的确是不容易为这类突然事故找答案，但不论我们能否找到答案，更重要的则是如何去安排往后的生活。

◉学会适度宣泄

生活当中，人们有时对一些不公平的事表示愤怒。然而大怒之下，往往会导致身心受损。怒气在胸，就会有种不明的压力，使你情绪不稳，心神不安，整天恍恍惚惚。在这种精神状态下，不仅工作、学习效率大大降低，还有可能出现差错和事故。

小王一次因家务事，与丈夫发生争吵，由于语言过激，两人互相打斗起来。小王一怒之下，背过气去，丈夫见此状急忙收手，马上惊呼救人。小王在众人一阵手忙脚乱的掐人中、撸胸口、捶后背的救治下，总算缓过这口气来。可是她落下了终身都无法治愈的毛病，手脚抖动，给自身及家庭生活造成了意想不到的危害和不便，以至后悔莫及。俗话说：气大伤身后悔迟。像小王这样无节制地动怒，给自己招来无妄之灾，后悔岂不晚矣。

现代医学认为,人在发怒时,体内的肾上腺素含量显著增高,交感活动性物质增加,诱发肾素——血管紧张素增加,促使小动脉收缩痉挛,致使血压升高。同时,发怒时会使人体内甲肾上腺含量增高,会导致心跳加快,耗氧量增加,冠状动脉痉挛,心肌缺血,心绞痛,心律失常等。愤怒还可以使人的食欲降低,消化不良,出现消化系统功能紊乱。

发怒既对身心有害,那么是不是一定要把怒火压在心底呢?当然不是。

发怒固然有损健康,但怒而不泄同样对健康无益。英国一位权威心理学家认为,积贮在心中的怒气就像一种势能,若不及时加以释放,就会像定时炸弹一样爆发,可能会酿成大难。正确的态度是疏泄怒气,适度释放,可将心中的不满坦率地讲出来,找知己好友无所顾忌地倾诉;写信、写日记,使怒气在字里行间得到排解。

还可到室外打球、跑步、爬山、呼吸新鲜空气,让怒气与汗水一起流淌出来;亦可通过情绪转移的方式,或埋头工作,或欣赏音乐、戏曲,以求得心理平衡。

学会排解愤怒,也是道德修养的表现。养身贵在戒怒,戒怒就是养怡身心,尽量做到不生气、少生气,思想开朗,心胸开阔,宽宏大量,宽厚待人,谦虚处世。

这样不仅有益于身心健康,也利于提高自己的道德修养和思想水平,于人于己都会有益而无害。

容易动怒的人们,光知道如何排解怒气还是不行的,最主要的是如何让自己制怒,学会让自己尽量不发脾气,不轻易动怒,才是上策。这就要有一颗包容的心,事事宽解为怀。

宽容是一种修养,也是一种风度。以海纳百川的胸怀宽以待人,才能让自己心态平和,心胸开阔,心里永远充满阳光。

该知道如何对待自己易怒的情绪了吧!遇事冷静是根本。遇到不随意的事,尽量通过别的途径去解决,动怒不光于事无补,反而对己有害,何苦呢?

还是让我们以平和的心境来对待生活中繁杂的事情吧!小心别伤害了自己,只有健康才是生活的本钱。有了无法避免的怒气,学着适度地释放它,不要自我封闭。有时为缓和四处蔓延的紧张气氛,我们首先应该降低生活步调,使心情恢复平静,不再焦虑暴躁,保持稳定与和谐。

曾经有位医生在替一位企业家进行诊疗时,劝他多多休息。这位病人愤怒地抗议说:"我每天承担巨大的工作量,没有一个人可以分担一丁点儿的业务。大夫,您知道吗?我每天都得提一个沉重的手提包回家,里面装的是满满的文件呀!"

"为什么晚上还要批那么多文件呢。"医生惊讶地问道。

"那些都是必须处理的急件。"病人不耐烦地回答。

"难道没有人可以帮你忙吗？助手呢？"医生问。

"不行呀！只有我才能正确地批示呀！而且我还必须尽快处理完，要不然公司怎么办呢？"

"这样吧！现在我开一个处方给你，你能否照着做呢？"医生说道。

这病人听完医生的话，读一读处方的规定——每天散步两小时；每星期空出半天的时间到墓地一趟。病人怪异地问道："为什么要在墓地待上半天呢？"

"因为……"医生不慌不忙地回答："我是希望你四处走一走，瞧一瞧那些与世长辞的人的墓碑。你仔细思考一下，他们生前也与你一样，认为全世界的事都得扛在双肩，如今他们全都长眠于黄土之中，也许将来有一天你也会加入他们的行列，然而整个地球的活动还是永恒不断地进行着，而其他世人则仍是如你一般继续工作。我建议你站在墓碑前好好地想一想这些摆在眼前的事实。"医生这番苦口婆心地劝谏终于敲醒了这位企业家的心灵，他依照医生的指示，释缓生活的步调，并且转移一部分职责。他知道生命的真义不在急躁或焦虑，他的心已经得到平和，也可以说他比以前活得更好，当然事业也蒸蒸日上。

释放生活的步调还要克服好操心的习惯。好操心不是一件好事，因为它能使我们心绪不宁，要克服好操心，可用以下方式：

其一，告诉自己，"操心是一个非常不好的习惯，凭着信仰的帮助，任何习惯我都能改变。"

其二，你因为常操心而变成好操心的人，若能相反地培养更强而有力的信仰习惯，就可以免除操心。以你的一切力量和耐性开始信仰吧！

其三，对于过去那些你会消极地谈论的事情，今后请开始以积极的态度去谈论，不论任何事都说得积极些吧！例如，不可说"今天将成为可怕的一日"，而应断言"今天将是辉煌的一日"；不要说"我不会去做那件事"，要断然地表示"我要去做那件事！"

其四，绝不可参加闷闷不乐的谈话，同时自己的言谈必须表现乐观，若以悲观的态度说话，将会使周遭的人都感染好操心的个性，所以要尽量谈些令人振奋的话题，改变压迫性的气氛，而使每个人都感觉到希望和幸福的存在。

其五，多与充满希望的人交朋友，特别是那些积极的、有信仰的及对创造性气氛有帮助的朋友，让他们围绕在你的四周。他们将会以积极的心态来鼓励你。

其六,须了解自己能够帮助很多人治疗他们好操心的习惯。帮助别人克服好操心,则你本身的心理就能获得更大的力量。

总之,要学会适度宣泄,宣泄是一种排解负性情绪的有效方法。

◉不把工作带进家门

对于每一个人来说,事业与家庭是人生的两大支柱。然而,这两个支柱之间,却往往存在着许许多多的矛盾。要正确处理家庭和事业的矛盾,得养成一个良好的习惯,那就是:不把工作带回家,只带一份好心情回家。

不把工作带进家,意味着你不把烦恼带回家,这样可以使自己的家庭生活和谐快乐,反过来更加有力地推动事业发展。

各种研究表明,在当今社会,25% ~40%的人认为工作压力太大,有56%的人的配偶因此也跟着倒霉。心理学家认为,压力是一种极具传染性的东西,除非采取措施,否则它可能会破坏婚姻生活。配偶的某些工作状况的变化,如在工作中的职责变化——升迁、降级、责任增大——一般会在心理上给另一方造成深刻影响,加重另一方的压力。而且大多数时候来说,另一方处境更不容易,因为他(她)只能在一旁干着急。如果协调不好,夫妻之间终于会有对抗的一天,你的另一半也许会埋怨你没有把家放在首位。

现今社会节奏快,家庭里的每个成员为了给自己生活一个保障,都把时间花在进修或工作上,所以跟家人相处的时间就减少了。在这种情况下,每个家庭成员更要积极争取与家人相处的时间。要知道:"有没有钱并不能衡量你是不是成功的人,你要在能力范围内去做,不能因为别人有大洋房住你也要。因为洋房里的温暖,不是由里面的那些砖块拼成的,而是由家庭成员去共同营造的。"

生活中的确有苦恼,我们也可以向家人诉说,但却不能把苦恼全部转移到家人的身上。要知道,家是你温暖可靠的后方,我们应该用心呵护它,当你工作了一天,打开家门的时候,就应该把工作中的不快乐拒之门外,带一份好心情回家。

不把工作带进家,意味着你可以在家庭的温暖中使自己得到充分的休息,以更昂扬的姿态投入明天的奋斗。人生幸福的大部分内容是家的温暖,有一个幸福的家,我们的人生就可以如天上的那轮明月圆满而无憾。

年轻时我们并不看重家。那时我们个个怀有凌云壮志,如老师、父母所期望的那样,当科学家、作家,如果那时有人觉得下班后和妻子手牵着手去买菜是人生的大乐趣,我们必会笑他平庸甚至庸俗。

当岁月的风霜使我们的脸布满沧桑,当世事的艰难使我们的眼神不再清澈,当人生的坎坷使我们的心已千疮百孔,当我们闯世界疲惫归来却依旧是空空的行囊,我们终于明白了一个再简单不过的道理:事业辉煌仅靠聪明努力远远不够,它需要天时、地利、人和,以及命运的垂青,只有极少数人才能事业成功;甚至能做一份自己喜爱的工作的人也不是很多;绝大多数人,不过是为了谋生做着一份自己并不喜欢的工作;我们能拥有的仅仅是身边的这个家。不管丑的俊的,不管得意或失意,不管君子还是小人,生活给我们最大的平等和恩赐是:每个人都拥有一个家;而我们能得到的人生幸福,实际上绝大部分来自我们的家。

在茫茫人海,能免除我们孤独的是家;在喧哗的尘世,能让我们片刻安宁的是家;在纷扰的争斗中,能给我们疗伤的是亲人。

是的,有一个幸福的家,我们的人生就有了80%的幸福;有了一个幸福的家,工作的烦恼就可以忍受,因为我们的忍气吞声和辛苦劳累都有了价值——要赚钱养家使我们所爱的人丰衣足食;有了一个幸福的家,凄风苦雨我们都不再害怕,因为只要奔回家,只要打开家门,就有了温暖和宁静……

心理学家们发现,近年来,中年白领的心理危机越来越多。这些有成就的人,对自己往往有着比一般人更高更完美的标准。同时,他们又处于一种竞争激烈的环境之中,故他们一旦遇到某种挫折,就意味着对自己那种"高标准、严要求"目标的否定。而此时所处的高位使他们难以找到可以倾诉和求援的知心朋友,负性情绪难以排解。因而事业上取得成就的中年白领,更容易发生心理危机,在工作上、事业上铸成严重错误或给幸福的家庭带来不幸。在这个时候,家庭的放松作用就更加明显地显示出来了。因此,您一定要切记:不要把工作带进家门!

◉懂得保全别人的面子

数年以前,通用电器公司面临一项需要慎重处理的工作:免除查尔斯·史坦恩·梅兹担任的某一部门的主管职务。史坦恩·梅兹在电器方面有超过别人的天才,但担任计算部门主管却遭到彻底的失败。不过,公司却不敢冒犯他,公司绝对少不了他——而他又十分敏感。于是他们给了他一个新头衔,让他担任"通用电器公司顾问工程师"——工作还是和以前一样,只是换了一个头衔——并让其他人担任部门主管。

对这一调动,史坦恩·梅兹十分高兴。

通用公司的高级人员也很高兴。他们已温和地调动了这位最暴躁的大牌明星职员的工作,而且他们的做法并没有引起一场大风暴——因为他们让他保住了面子。

在一次谈话种,宾州哈里斯堡的佛瑞·克拉克说起了一件发生在他公司里的事:"在我们的一次生产会议中,一位副董事以一种非常尖锐的语气质问一位生产监督,这位监督是管理生产过程的。

"他的语调充满攻击的味道,而且明显地就是要指出那位监督在工作方式上的不当。为了不愿在他攻击面前被羞辱,这位监督的回答含混不清。这一来更使得副董事发起火来,他严斥这位监督,并说他说谎。

"这次遭遇之前所有的工作成绩,都毁于这一刻。这位监督,本来是位很好的雇员,从那一刻起,他对我们公司来说已经没有用了。几个月后,他离开了我们公司,为另一家竞争的公司工作。据我所知,他在那儿非常称职。"

然而另外一件和上述情形非常相似的事,因为处理的方式不同,结果也相差很大。能上能下的马佐尼小姐是一位食品包装业的市场行销专家,她的第一份工作是一项新产品的市场测试。她告诉班上同学说:"当结果回来时,我可真惨了,更糟的是,在下次开会提出这次计划的报告之前,我没有时间去跟我的老板讨论。

"轮到我报告时,我真是怕得发抖。我尽了全力不使自己精神崩溃,而且我知道我决不能哭,不能让那些以为女人太情绪化而无法担任行政业务的人找到借口。我的报告很简短,只说因为发生了一个错误,我在下次会议前,会重新再研究。

"我坐下后，心想老板定会批评我一顿。

"但是，他却谢谢我的工作，并强调在一个新计划中犯错并不是很稀奇的。而且他有信心，第二次的普查会更确实，对公司更有意义。

"散会之后，我的思想纷乱，我下定决心，我决不会再一次让我的老板失望。"

让他有面子！这是多么重要，多么极端重要呀，而我们却很少有人想到这一点！我们残酷地抹杀他人的感觉，又自以为是；我们在其他人面前批评一位小孩或员工，找差错，发出威胁，甚至不去考虑是否伤害到别人的自尊。然而，一两分钟的思考，一两句体谅的话，对他人的态度作宽容地了解，都可以减少对别人的伤害。

下一次，当我们在辞退员工时，当我们在指责批评他人时，应该记住这一点。

会计师马歇尔·格兰格在写给他的一封信中说："开除员工并不是很有趣，被开除更是没趣。我们的工作是有季节性的，因此，在三月份我们必须让许多人离开岗位。

"没有人乐于动斧头，这已成了我们这一行业的格言。因此，我们演变成一种习俗，尽可能快点地把这件事处理掉。通常是依照下列方式进行：'请坐，史密斯先生，这一季已经过去了，我们似乎再也没有更多的工作交给你处理。当然，毕竟你也明白，你只是受佣在最忙的季节里帮忙而已。'等等。

"这些话给他们带来失望以及'受遗弃'的感觉。他们之中的多数人一生从事会计工作，对于这么快就抛弃他们的公司，当然不会怀有特别的爱心。

"我最近决定以稍微圆滑和体谅的方式来遣散我们公司的多余人员。因此，我在仔细考虑他们每人在冬天里的工作表现之后，把他们叫进来。我是这样对他们说的：'史密斯先生，你的工作表现很好。那次我们派你到纽约去，真是一项很艰苦的任务。你遭遇了一些困难，但处理得很妥当，我们希望你知道，公司很以你为荣。你对这一行业很精通——不管你到哪里工作，都会有很光明远大的前途。公司对你有信心，支持你，我们希望你不要忘记！'结果呢？尽管他们离开了公司，但对于自己的被解雇感觉轻多了，他们不会觉得'受遗弃'。他们知道，如果我们有工作给他们的话，我们会把他们留下来。将来只要我们需要，他们还会来投奔我们。"

假使我们是对的，别人绝对是错的，我们也会因让别人丢脸而毁了他的自我。传奇性的法国飞行先锋和作家安托安娜·德·圣苏荷依写过："我没有权利去做或说任何事以贬抑一个人的自尊。重要的并不是我觉得他怎么样,而是他觉得自己如何,伤害人的自尊是一种罪行。"

工作中,当他人犯错误时,用"建议"而不用下"命令"的口气给他指出来,不但能维持对方的自尊,而且能使他乐于改正并与你合作。因为,一两句体谅的话,对他人的态度表示一种宽容都可以减少对别人的伤害,保住他的面子。

⊙ 宽恕曾经伤害自己的人

避免痛苦最好的方法,就是宽恕曾经伤害我们的人。宽恕不只是慈悲,也是修养。

有这样一个故事。

集中营里,威森塔尔每天为德国人干活。这一天,他在休息的时候一个护士向他走来,问他是不是犹太人。当获得肯定的回答后,护士示意跟她走。他们进了一栋大楼之后,来到一个房间。房间里有一张白色小床和一张小桌,床上躺着一个人。护士伏在床边对床上的人嘀咕了几句,然后就出去了,只剩下威森塔尔和他。他是一个伤势严重的德国士兵,年仅21岁。当护士出去后,床上的士兵让威森塔尔靠近,并拉住他的手表示,自己马上就要死了。士兵说:"我知道这个时候,成千上万的人都在死去,到处都有死亡,死亡既不罕见也不特别。可是有一些经历折磨着我,我实在想把它们讲出来,否则我死也不得安宁。"原来,这位濒死的士兵是请那位护士去找一个犹太人来听自己死亡前的诉说,护士碰巧遇上了威森塔尔,此刻他成了个倾听者。

"我叫卡尔……我志愿加入了党卫队……我必须把一些可怕的事情告诉你……一些非人的事。这是一年前发生的事……"

这个士兵到了波兰,经历了战争,也经历了残酷。他执行过这样一个任务:把几百个犹太人赶进一个三层楼阁,并运来一卡车油桶搬进屋子。锁上门之后,一挺机枪对准了房门。"我们被告知一切就绪后接到命令,要我们从窗户把手榴弹扔进屋去。""我们听到里边人的惨叫声,看到火苗一层一层地舔食着他们……我们端起机枪,准备射击任何从火海里边逃出来的人。我看到二楼的窗户后边,有一个人抱着一个小孩儿。这人的衣服正在燃烧,他身边站着一位妇女,毫无疑问是孩子的母亲。他空出的一只手紧捂着孩子的眼睛……随即他跳到了街上。紧随其后,孩子的母亲也跳到了街上。随后,其他窗户也有很多浑身着火的人跳了出来……""我们开始射击……子弹一排一排打了出去……"

说到这里,这位濒死的人用手捂着绷带覆盖着的眼睛,似乎想从脑海中抹去这些画面。但这个画面永远也抹不去了,白天、夜间,乃至奄奄一息的现在,"我知道我给你讲的那些事是非常可怕的。在我等待死亡的漫长黑夜里,我希望把这事讲给一个犹太人听,希望能得到他的宽恕。""要是没有忏悔……我就不能死。我一定得忏悔。但是该怎样忏悔呢?只讲一堆没有应答的空话……"正如威森塔尔自己所说:"毫无疑问,他是指我的沉默不言。可是我能说什么呢?"

这儿是一个濒死的人,一个不想成为凶手的凶手,一个在可怕的意识形态指导下成为凶手的人。他在向我这样一个人悔罪,而这个倾听悔罪的人可能明天又会死于和他一样的凶手之下,所以,威森塔尔保持沉默,自始至终只是充当了一个听者。

当晚,那个士兵死去了。

"我是否该满足这个濒死士兵的心愿?"威森塔尔自己并非拿得准这个问题,回来后,他和三个犹太同伴谈起过,他们一致认为威森塔尔做得对。但自此以后,威森塔尔和那个士兵一样,头脑里老是有一幅画面——那个头上缠满绷带的党卫队员。"我已经断绝了一个临终的人最后的希望。我在这位濒死的纳粹身边保持沉默是对还是错?这是一个非常不好处理的道德问题。这个问题曾经冲击着我的心灵。"1976年,威森塔尔终于把缠绕了自己三十年仍然没有确切答案的问题诉诸文字,交给了读者。他在结束写作时,这样问道:"亲爱的读者,你刚刚读完了我生命中这段令人忧伤的悲剧故事,你是否可以将心比心,设身处地地从我这个角度问一问你自己这样一个严酷的问题:'我要是遇到这样的事情,我会怎么做?'"

爱是一种伦理学,也是一种道德情感。宽恕,是建立在爱的基础上。此刻,宽恕离我不近不远。

人们在受到伤害的时候,最容易产生两种不同的反应:一种是憎恨,一种是宽恕。憎恨的情绪,使人浸泡在痛苦的深渊里,反复数落对方的不是,也不断地懊悔自己当初所做的种种不理智的行为。如果憎恨的情绪持续在心里发酵,可能会使生活逐渐失去秩序,行为越来越极端,最后一发不可收拾。而宽恕就不同了。宽恕必须随被伤害的事实经历从"怨怒伤痛"到"我认了"这样的情绪转折,最后认识到不宽恕的坏处,从而积极地去思考如何原谅对方。多数的心理分析家都承认,在被伤害、憎恨到平复、重修旧好的过程当中,人们肯定会经历一些困难的挣扎。

宽恕之所以很困难,是因为我们都认为,每个人都应该为自己所犯的错误付出代价,这样才符合公平正义的原则,否则岂不便宜了犯错的一方。但是不宽恕会产生什么结果或副作用呢?例如痛苦、埋怨、憎恶、报复等等,这些结果值不值得再承受,恐怕才是更重要的一个问题。

宽恕也是一种能力,一种停止让伤害继续扩大的能力。没有这种能力的人,往往需要承担因为报复所产生的风险,而这风险往往难以预料。

不愉快的记忆,使我们不能从被伤害的阴影中平安归来,痛苦总是如影随形,我们也就不能放松和平静了。所谓没完没了,除了不能释放对方,也可能使自己成为一名心灵被俘虏的囚犯。

宽恕不只是慈悲,也是修养。

路易斯·密得说:"也许在很久以前,有人伤害了你,而你却忘不了那件不愉快的往事,到现在还痛苦不堪,那就表示你还继续在接受那个伤害。其实你是很无辜的,你要了解到,你并不是世界上唯一有这种经验的人。赶快忘掉这不愉快的记忆,只有宽恕才能释放你自己,让你松一口气。"

曾经有三位前美军士兵站在华盛顿的越战纪念碑前,其中一个问道:"你已经宽恕了那些抓你做俘虏的人吗?"第二个士兵回答:"我永远不会宽恕他们。"第三个士兵评论说:"这样,你仍然是一个囚徒!"

显然,那位士兵心中有狱,什么狱?心狱。囚的是谁?自己,自己把自己囚在自己的心狱里而不能自拔。这实际上是说,不宽恕别人就是不放过自己。拒绝一个忏悔者的忏悔,类似于让一个犯罪的人再去犯罪。而罪恶的存在,却伤害我们每一个人的生存。

但……如果说道德过失和人格缺陷之类的行为可以宽恕,那么,反人类罪,特别是那种有预谋的、丧心病狂的,也可以宽恕吗?极其言,希特勒如果忏悔,是否也应宽恕?宽恕如果能够解决犯罪,一本《圣经》就够了,何必要法?更何况,宽恕是在罪恶之后,而我正被罪恶包围。当我面对世界上种种侵犯人权的劣行,它甚至发生在自己的周围,这时谈宽恕,是否有点奢侈?

的确,有些罪不能宽恕。像以国家名义和政权形式出现的反人类罪、反人性罪,如希特勒的种族灭绝……这样的罪行因其对人类乃至人类文明的毁灭性伤害,必须得到最严厉的指控和惩罚,绝不能以宽恕的名义赦免。人性中是有恶存在,但希特勒等已经不是一般的恶,而是恶魔的化身。宽恕恶魔,本身就是纵容之罪。20世纪70年代以来国际上兴起的一种叫做"非免责"的新人权运动。非免责就是不豁免人权侵犯者和迫害者的法律责任,它源自当年南美国家的极权受害者,其主要工作是调查极权统治时期统治者迫害民众的个案,并追究参与者的法律罪责。这项工作尽管是滞后性的,但它毕竟是在追溯迟到的正义,并且对当下的罪恶也可能形成一定的遏制:它使人权犯罪者有所戒惧——秋后可以算账。

宽恕是一种价值,但不是唯一的价值。耶稣可以宽恕出卖他的犹大,但没有权利宽恕没有危害他但却危害了人类的希特勒。因此,宽恕与否,还有一个"群己权界"的问题。害己而宽恕,属于私域,权在个我。而害群者,尤其是反人类性质的,我不但无权宽恕(因为这个问题已经属于公共领域),相反,参与追究,反而是在承担公共的正义。

◉站有站相,坐有坐相

站相坐姿是指人们在日常生活、工作、学习和社会交往中,一些最基本的动作应具备的礼仪规范。一些人因不注意这些小的动作而形成了不良习惯,结果后患无穷。

所谓站有站相,主要是指站姿要正直。人的正常站姿,也就是人在自然直立时的姿势。其基本要求是:头正、颈直,两眼向前平视,闭嘴、下颌微收;双肩要平,微向后张,挺胸收腹,上体自然挺拔;两臂自然下垂,手指并拢自然微屈,中指压裤缝;两腿挺直,膝盖相碰,脚跟并拢,脚尖张开;身体重心穿过脊柱,落在两脚正中。从整体看,形成一种优美挺拔、精神饱满的体态。这种体态的要诀是:下长上压,下肢、躯干肌肉群绷紧向上伸挺,两肩平而放松下沉。前后相夹,指臂后夹紧向前发力,腹部收缩向后发力。左右向中,自己感觉身体两侧肌肉群从头至脚向中间发力。这种站立姿势除少数人员作为工作体态外,主要是用来作为体态训练,它是其他各种形式站立的基础。不注意基础训练或训练中不得要领,会使人产生躯体型或习惯性畸形。常见的畸形有含胸、脊柱后弯、凸胸腆肚、探颈、视线高而鹅步、扣肩驼背,造成缩颈耸肩、胸部发育不良、臀部肌肉下垂、膝盖突出、站立重心偏移,易产生塌腰、背肩、拱臂、O形腿等。

　　平时站立时，两腿可以分开不超过一脚长的距离，如果又得太开是不雅观的。站立时间较长时，可以以一腿支撑身体的重心，另一腿稍稍弯曲，但上体仍需保持挺直。

　　在站立时，切忌无精打采地东倒西歪，耸肩勾背，或者懒洋洋地倚靠在墙上、桌边或其他可倚靠的东西上，这样会破坏自己的形象。站立谈话时，两手可随谈话内容适当做些手势，但在正式场合，不宜将手插在裤袋里或交叉在胸前，更不要下意识地微小动作，如摆弄打火机、香烟盒，玩弄衣带、发辫，咬手指甲等。这样，不但显得拘谨，给人以缺乏自信和经验的感觉，而且也有失仪表的庄重。

　　所谓坐有坐相，是指坐姿要端正。人的正常坐姿，在其身后没有任何依靠时，上身应挺直稍向前倾，头平正，两臂贴身自然下垂，两手随意放在自己腿上，两腿间距与肩宽大致相等，两脚自然着地。背后有依靠时，在正式社交场合，也不能随意地把头向后仰靠，显出很懒散的样子，这就是我们常说的"坐如钟"。但在日常生活中，我们又不可能处处这样端庄稳重。为了保证坐姿的正确优美，应该注意以下几点：一是落座以后，两腿不要分得太开，这样坐的女性尤为不雅。二是当两腿交叠而坐时，悬空的脚尖应向下，切忌脚尖向上，并上下抖动。三是与人交谈时，勿将上身向前倾或以手支撑着下巴。四是落座后应该安静，不可一会儿向东，一会儿向西，给人一种不安分的感觉。五是坐下后双手可相交搁在大腿上，或轻搭在沙发扶手上，但手心应向下。六是如果座位是椅子，不可前俯后仰，也不能把腿架在椅子或沙发扶手上、架在茶几上，这都是非常失礼的。七是端坐时间过长，会使人感觉疲劳，这时可变换为侧坐。八是在社交和会议场合，入座要轻柔和缓，直坐要端庄稳重，不可猛起猛坐，弄得坐椅乱响，造成紧张气氛，更不能带翻桌上的茶杯等用具，以免尴尬被动。

　　总之，坐的姿势除了要保持腿部的美以外，背部也要挺直。不要像驼背一样，弯胸曲背。座位如有两边扶手时，不要把两手都放在两边的扶手上，给人以老气横秋的感觉，而应轻松自然、落落大方，方显得文静优美。

　　除了站相和坐相以外，行走的姿势也是每个人的最基本的行为动作，它的姿势也是行为礼仪中所必不可少的内容。每个人行走总比站立的时候要多，而且行走一般又是在公共场所进行的，所以，要非常重视行走姿势的轻松优美。人的正常行走姿势，应当是身体挺立，两眼直视前方，两腿有节奏地向前迈步，并大致走在一条等宽的直线上。行走时要求步履轻捷，两臂在身体两侧自然摆动。走路时步态美不美，是由步度和步位决定的。如果步度和步位不合标准，那么全身摆动的姿态就失去了协调的节奏,也就失去了自身的步韵。

总之,走路的正确姿势应当是:轻而稳,胸要挺,头抬起,两眼平视,步度和步位合乎标准。走路过程中要特别注意以下几点:一是走路时,应自然地摆动双臂,幅度不可太大,只能作小幅度的摆动,切忌做左右式的摆动。二是走路时,应保持身体的挺直,切忌左右晃动或摇头晃肩。三是走路时,膝盖和脚踝都应轻松自如,以免浑身僵硬,同时,切忌走内八字或外八字。四是走路时,不要低头或后仰,更不要扭动臀部,这些姿势都不美。五是多人一起行走时,不要排成横队,勾肩搭背,边走边大说大笑,这都是不合礼仪的表现。有急事需要超过前面的行人,不得跑步,可以大步超过,并转身向被超者致意或道歉。六是步度与呼吸应配合成有规律的节奏,穿礼服、裙子或旗袍时,步度要轻盈舒畅,不可迈大步行走,若穿长裤步度可稍大一些,这样才显得活泼生动。七是行走时,身体重心可以稍向前,它有利于挺胸收腹,此时的感觉是身体重心在前脚上。

理想的行走轨迹是脚正对前方所形成的直线,脚跟要落在这条线上。若脚的方向朝里,会形成罗圈脚;脚尖过于外撇,会造成 X 形脚。这些都是不正确、不规范、不雅观的习惯。

第五章　抛弃阻碍成功的坏习惯

　　一个人想要取得更大的成功,必须尽可能多地抛弃身上的坏习惯。当然,抛弃坏习惯并不是一蹴而就的事情,它需要我们用毅力、恒心和不断的自我提醒才能做到。幸运的是,我们每个人都具备这些能力——只要你肯用心!

●不要寄希望于所谓的运气

　　爱默生说:"只有肤浅的人相信运气。坚强的人相信凡事有果必有因,一切事物皆有规则。"要想怎么收获先想怎么行动,这比坐待好运从天而降可靠多了。

　　一般来说,大凡在世界上取得成就的人,往往不是那些幸运之神的宠儿,反倒是那些"没有机会"的苦孩子。因为没有机会永远是弱者的推托之词。但凡成功者,都是命运的指挥者。

　　很多失败者都认为,他们之所以失败,是因为不能得到别人所具有的机会,没有人帮助他们,没有人提拔他们。他们会对你说,好的位置已经人满了,高等的职位已被挤走了,一切好的机会都已为他人捷足先登,所以他们毫无机会了。

　　但有骨气的人却不会推托,他们工作,他们不哀叹埋怨;他们只是迈步向前,不等待别人的援助。他们依靠的是自己。

　　亚历山大在打了一次胜仗之后,有人问他,假如有机会,他想不想把第二座城堡攻下来。"什么?"亚历山大怒吼起来,"机会! 我从不等待机会,我会去制造机会!"

　　世界上需要而缺少的,正是那些能够制造机会并牢牢把握机遇的人! 如果在你现在所处的地位中,或者已经是人满了,但在较高的地位上,却总是有着空隙。比如,很多人都失业,但在每所高等职业学校或职业介绍所所在地的门口,却总挂上招聘的广告。世界上每时每处都在寻找受过较好职业训练的管理者。高额的薪水、优厚的待遇,在等候着有能力并能够成功的青年男女去获取。

　　我们的坏处就在对于机会一是眼界太高,欲望太奢侈。我们往往只想摘取远处的玫瑰，反而将近在脚下的花草踏坏。千里之行，始于足下，可别忘了，大事业要从小处着手。

有许多人已经遇上了很好的机会，而他们却还在梦想着发财和高升的更大更好的欲望。面前的机会他们不认识，因为他们的心中另有不切实际的幻影。

每个人，只要有抓得住当前机会的能力，有为目标而奋斗的精神，都有获得巨大的成功的可能。但你应该牢记，你的出路就在你自己脚下。在你以为出路是在别的地方或别人身上时，你是要失败的。你的机会就包裹在你的人格中。

你成功的可能性，就在你自己的生命中，就像未来的参天大树的种子隐伏在野草灌木丛中一样。你的成功就是你的自我的演进、展开与实现。

在一个陋巷中出生的孩子可以成为法官和律师；最贫穷的孩子可以变成商界巨子，变成大银行家、大企业家，在铁路上的员工可以于日后成为铁路局长。

无论什么时候，我们都应该相信自己，相信自己有能力改变命运，去开创属于自己的明天。如果一个年轻人相信运气会从天而降，他就会不断地拒绝各种机会，因为那些机会都不够好，他所要的是大名厚利、高职位，他不屑从基层起步。我们可以想象，不久人们便懒得给他任何机会了。一味相信运气，使这个年轻人丧失了许多机会。而他一生很可能就这样耗费掉了。

真正想成功的人，会把运气撇在一边，抓住机会，不放过任何可能让他成功的机会。他不会等待运气护送他走向成功，而会努力换取更多成功的机会。他可能会因为经验不足、判断失误而犯错，但是只要肯从错误中学习，等他逐渐成熟后，就会成功。

人们对多半运气都采取宁可信其有的态度，不是有人具有第六感官吗？不是有人未卜先知吗？他们可以预测股市的涨跌，可以断定一个人的福祸，这些人也许可以告诉你是否会成功，或者如何成功。别相信他们，他们不过是善于掌握人类的心理罢了。

很多人预测成功时，总是谦逊地说："运气真好。"但我们应该知道，经验与判断力才是他们的利器。坐等运气的人，往往以空虚或灾难临头收场。他们也许会在偶然的一个机会里暴富，但这种繁华很容易变成过眼云烟。大起大落的人，通常是最相信运气的人。许多人庸庸碌碌、默默无闻，是因为他们认为人生自有天定，从没想到可以创造人生。事实是人生存在世上，那是天定；好好地把握自己的生活，使它朝着自己的计划和目标奋进，这就是人生。

可见，要想做一个成功的人士，至少需要具备以下因素：

其一，想象力。

伟大的人生从憧憬开始,憧憬自己要做什么或要成为什么。南丁·格尔的梦想是要做护士。爱迪生的梦想是做发明家。这些人都为自己设计出明确的前途,把它作为目标,勇往直前。

以 19 世纪的英国诗人济慈为例。他幼年就成为孤儿,一生贫乏,备受文艺批评家抨击,恋爱失败,身染痨病,26 岁即去世。济慈一生虽然潦倒不堪,却不受环境的支配。他在少年时代读到斯宾塞的"仙后"之后,就肯定自己也注定要成为诗人。济慈一生致力于这个目标,使他成为一位名垂青史的诗人。有一次他说:"我想我死后可以跻身于英国诗人之列。"

在人生的旅途中,如果自己在心里认定会失败,就永远不会成功。你自信能够成功,成功的可能性就大为增加。没有自信,没有目的,你就会俯仰由人,一事无成。

其二,常识。

圆凿而方柄是绝对行不通的。事实上,许多人在经过挫折之后,才找到自己真正的方向。美国画家惠斯勒最初想做军人,后来因为他化学不及格,从军官学校退学。司各特原想做诗人,但他的诗比不上拜伦,于是他就改写小说。

其三,勇气。

一个人真有个性,有信心,就会有勇气。大音乐家华格纳虽然遭受同时代人的批评攻击,但他对自己的作品有信心,终于战胜世人。黄热病流传许多世纪,死的人无法计算,但是一小队医药人员相信可以征服它,在古巴埋头研究,终告胜利。达尔文在一个英国小园中工作二十年,有时成功,有时失败,但他锲而不舍,因为他自信已经找到线索,结果终得成功。

目标、常识、勇气,即使是稍微运用,亦会产生很可观的结果。如果一个人一心想发财,他可能会遭受无情打击;如果他一心想享乐,他可能会自讨苦吃。但是,如果他所想的是有所建树,他就可以利用人生的一切机遇。

◉做事不要不分轻重缓急

曾读过一个贪心人的故事,说是有个地主去拜访一位部落首领,想要块地。首领说,你从这儿向西走,做一个标记,只要你能在太阳落山之前走回来,从这儿到那个标记之间的地都是你的了。

太阳落山了,地主没有走回来,因为走得太远,他累死在路上。

贪心人走不回来,是因为贪,贪得忘了他走路的最重要目的。然而现实生活中还有一类人,他们不贪,可是也走不回来,因为他们拖拖拉拉,轻重不分。

有一次,我要在客厅里钉一幅画,请邻居来帮忙。画已经在墙上扶好,正准备砸钉子,他说:"这样不好,最好钉两个木块,把画挂上面。"我遵从他的意见,让他帮着去找木块。

木块很快找来了,正要钉,他说:"等一等,木块有点大,最好能锯掉点。"于是便四处去找锯子。找来锯子,还没有锯两下,"不行,这锯子太钝了,"他说,"得磨一磨。"

他家有一把锉刀,锉刀拿来了,他又发现锉刀没有把柄。为了给锉刀安把柄,他又去校园边上的一个灌木丛里寻找小树。要砍下小树,他又发现我那把生满老锈的斧头实在是不能用。他又找来磨刀石,可为了固定住磨刀石,必须得制作几根固定磨刀石的木条。为此他又到校外去找一位木匠,说木匠家有现成的。然而,这一走,就再也没见他回来。当然了,那幅画,我还是一边一个钉子把它钉在了墙上。下午再见到他的时候,是在街上,他正在帮木匠从五金商店里往外架一台笨重的电锯。

工作和生活中有好多种走不回来的人。他们认为要做好这一件事,必须得去做前一件事,要做好前一件事,必须得去做更前面的一件事。他们逆流而上,寻根探底,直至把那原始的目的淡忘得一干二净。这种人看似忙忙碌碌,一副辛苦的样子,其实,他们不知道自己在忙什么。起初,个别的人也许知道,然而一旦忙开了,还真的不知忙什么了。

遍布全美的都市服务公司创始人亨利·杜赫提说过,人有两种能力是千金难求的无价之宝:一是思考能力,二是分清事情的轻重缓急,并妥当处理的能力。

白手起家的查理·鲁克曼经过十二年的努力后,被提升到派索公司总裁的职位,年薪10万美元,另有上百万其他收入。他把成功归功于杜赫提谈到的两种能力。鲁克曼说:"就记忆所及,我每天早晨5点起床,因为这一时刻我的思考力最好。我计划当天要做的事,并按事情的轻重缓急做好安排。"

全美最成功的保险推销员之一弗兰克·贝特格,每天早晨还不到5点钟,便把当天要做的事安排好了——是在前一个晚上预备的——他定下每天要做的保险数额,如果没有完成,便加到第二天的数额,以后依此推算。

长期的经验告诉我,没有人能永远按照事情的轻重程度去做事。但我知道,按部就班地做事,总比想到什么就做什么要好得多。

假使萧伯纳没有为自己定下严格的规定,保持每天写出 5 页稿纸的文字,他可能永远只是个银行出纳员。他度过了九年心碎的日子,九年总共才赚了 30块钱稿费,平均每天才一分钱。由于他一直把写作当成最重要的事去做,终于成了世界著名的作家。

◉不把今天的事情拖到明天

"明日复明日,明日何其多。我生待明日,万事成蹉跎。世人苦被明日累,春去秋来老将至,朝看水东流,暮看日西坠。百年明日能几何,请君听我明日歌。"

这是明代学士文嘉的《明日歌》,告诫人们要在今天抓紧努力,不要事事都寄希望于明天,如果那样的话,人生将一事无成。

什么是明天呢?"明"字由日月两部分构成,甲骨文以"日、月"发光表示明亮;小篆从日,从月,取月之光。其本义为明亮,清晰明亮。《荀子·天论》云:"在天者莫明于日月。"次于今天者谓之明天,它是一般将来时,指最近的将来光明再次降临的时光,始于子时,终于亥时,不,它并没有终了,而是衔接了另一个明天。

人人都期盼着拥有一个美好的明天。尤其是当我们因今天的经历而充满懊丧的时候,明天总是最好的心灵医疗师,明天总是使我们重新振作起来的灵药。明天意味着新的机遇、新的成长、新的希望……但这并不意味着你可以把事事都拖到明天去办。那样会使你的许多计划落空,办事效率低下,白白浪费大量宝贵时间,也易增加思想负担,招致别人不满。

而且,如果明日复明日,当几十年的风霜等闲白了少年头的时候,你就会突然明白自己的一生还没来得及做什么。然而这个时候,一切都已经晚了。即使再鼓足干劲也只能落个"夕阳无限好"。而这,恰恰是人生最大的悲剧。

不要把事情拖到明天,因为那样会贻误战机。1814 年 3 月 31 日,沙皇亚历山大率领俄军和各国反法联军进入巴黎,拿破仑被迫退位,被流放到地中海的厄尔巴岛。

1815 年 3 月 17 日,拿破仑东山再起,进入巴黎,重组资产阶级政府。英、俄、奥和普鲁士等国派出重兵,围攻巴黎。

6月15日、16日两天,拿破仑突破普鲁士12万大军的阵地,并打败英国军队,推进到比利时边境。

但是在这个紧要关头,6月17日,拿破仑却让法军休息了一天,18日才开始进攻固守在滑铁卢的英军,结果,给了英军构筑工事的时间。就这样,在18日的决战中,英军工事起了重要作用,拿破仑在滑铁卢一战惨败,带着一万残兵逃回巴黎。

6月22日,在强大的国际武装干涉下,拿破仑第二次被迫退位,囚禁在大西洋的圣赫勒拿岛上,1821年因病死去。

试想,如果拿破仑6月17日不让士兵休息,而是乘胜前进,那么历史就极有可能改写了。把事情拖到明天,经常会有意想不到的麻烦,而且,明天也总会有明天的事情。

巴尔扎克是位多产的作家,他的时间是一分一秒也不空过的。一次,巴尔扎克太累了,对一个朋友说:"我睡一会儿,你1小时后叫醒我。"1个小时过去了,朋友实在不忍心叫醒他。巴尔扎克醒来后,发现超过了1小时,几乎是暴跳如雷地对朋友说:"为什么不叫醒我,耽误了我多少时间啊!"朋友不高兴地说,"你这么累了,该好好休息一天,有事情明天不能做吗?"巴尔扎克大怒:"我明天还有别的事情呢!"

但是,在我们的日常生活中,总有些人磨磨蹭蹭,一点简单的事也要拖到明天。那么怎样才能改正这一不良习惯呢?

第一,充分认识到其危害,不要将它看做一种无所谓的习惯。

一个经理会因此坐失良机;一个指挥员会贻误战机;一个医生会因拖拉而危及病人的生命。如果年轻时不加以及时纠正,习惯成了自然,会带来许多本来可以避免的麻烦,因此,必须尽早加以根除。

第二,妥善地安排好事情的先后顺序。

由于杂乱无章与拖拉是有一定联系的,有的人遇到几件事,不知从何下手而犹豫不决,延误时间。要学会区别事情的轻重缓急,按其重要性与紧迫性依次排队,然后按部就班地处理,以免浪费时间和精力。

第三,为自己规定一个完成某具体事情的期限,限期完成。

自我控制力较差的人,也不妨将其计划告知家里人或同学,这样,一方面自尊心可敦促你抓紧时间,履行诺言,也可及时得到别人的提醒与督促,从而逐渐增强自觉性。

第四，不要避重就轻。

避重就轻虽可得到一时的舒服，但到头来会日积月累，难上加难。反正都得做的事，有时不妨先处理棘手的问题或事物，先难后易可使自己得到鼓舞，那剩余的其他任务也就迎刃而解了。

第五，不必为追求十全十美而裹足不前。

有些人就是因为怕做得不很完美，望而却步。其实，想到的也该做的事情最好是立即行动，有些事是需要在实践过程中去完善的。如果能去除过分追求完美的枷锁，就会避免许多自讨的烦恼，也就可变被动为主动了。

●爱发牢骚的习惯很不好

在现实生活中，失败者往往对自己的前程失望悲观，他们不喜欢自己的工作和所处的环境，总以为周围的人都是又虚伪又愚蠢，他们对任何事情都觉得不感兴趣，却又把自身的失意和无聊习惯传染给周围的人。要想成为一个成功的人，生活中一定要避免发牢骚。

美国洛杉矶大学医学院的心理学家加利·斯梅尔的长期研究发现，原来心情舒畅、开朗的人，若同一个整天愁眉苦脸、抑郁寡欢的人相处，不久也会变得情绪沮丧起来。一个人的敏感性和同情心越强，越容易感染上坏情绪，这种传染过程是在不知不觉中完成的。如果一个情绪并不低落的学生，和另一个情绪低落的学生同住一间宿舍，这个学生的情绪往往也会低落起来。在家庭中，某人如情绪低落，他们的配偶最容易出现情绪问题。

美国密西根大学心理学教授詹姆斯·科因的研究证明，只要20分钟，一个人就可以受到他人低落情绪的传染。在社会交往中，个人情感对其他人情绪有着非常大的传染作用，如果你喜欢和同情某个人，你就特别容易受到那个人的情绪影响。

牢骚会让人觉得你太刁钻。爱发牢骚的人，很难与人友好交往，即使她并没有直接说对方不好，但她那万事皆不如意的心态，让人很难同她找到舒心满意的共同语言。久而久之，人们还会觉得此人太"刁"，难以相处，常常避而远之，偶有接触，也只好打个哈哈敷衍了事。总讲负面话，最终会成为难以与人相融的孤家寡人。

牢骚会阻挡你前进的脚步。任何人都有粗心大意的时候,犯错时理应坦承错误,如果只是担心自己的实力让人低估,所以想尽量用牢骚来武装自己、争取旁人的肯定,这种人将无法获得真正的成长。人的一生如潮起潮落,起伏难定。当年林肯一生坎坷,屡受挫折,谁能相信这位鞋匠的儿子能成为历史上最伟大的总统之一呢?邓小平三落三起,当年人们"批邓"时,谁能想到若干年后,他为中国设计一幅崭新的改革蓝图呢?比尔·盖茨中途辍学时,谁会想到他能成为世界首富呢?这样的例子多得数不胜数,世界上什么样的奇迹都可能发生,其前提只有一点:我还活着就得努力行动,就得信心百倍,这才是人生中最宝贵的财富。

如果一旦传染上恶劣情绪,该怎么办呢?不妨设法消除产生恶劣情绪的根源,如劝那些给你带来低落情绪的同事去看医生,服用抗抑郁药,当然,如果你自己也难以从低落情绪中自拔,就应该一起去看医生。

对事态加以重新估计,不要只看坏的一面;提醒自己不要忘记其他方面取得的成就;不妨自我酬劳一番,如去饭馆美餐一顿或去逛逛商店;考虑一下怎样避免今后发生类似的问题;结交那些希望你快乐和成功的人,你就在追求快乐和成功的路上迈出最重要的一步;想一想还有处境比自己更差的人。

把自己目前处境与过去比较一下,尽量找出胜过过去的地方。

总之,要看到生活中光明的一面,不要让自己被烦恼所困扰。

◉骄傲是一种无知的表现

所有骄傲的人都认为,自己有学识,有能力,或有功劳;而谦逊的人却总是习惯认为自己还差得很远。骄傲者也许真的有其骄傲的资本,而谦虚者真的差得很远吗?

事实上,骄傲的真正原因并非饱学,而是因为无知。同样,谦虚的真正原因也不是他差得很远,恰恰相反,他的确不比别人差。谦虚与骄傲的原因在于一个人的总体修养如何,而不在于是否多读了几本书、多做了几件事。

希腊古代大哲学家苏格拉底的一则小故事,可以充分说明这个问题。苏格拉底是古希腊哲学家中最受人尊敬的一位,他不仅学识渊博,而且非常善于辨析,当时能够提出的任何问题,只要到了他的手里,没有不迎刃而解的。但是他非常谦虚,从来不以权威自居,循循善诱,让对方自己得出正确的结论。

由于博学而谦逊,苏格拉底被公认为最聪明的人,但是苏格拉底却一点也不这样认为。他说:"不可能!我唯一知道的事情是,我一无所知。"

众人仍异口同声地称赞他是天下最聪明的人,并建议他到山上的神庙去占卜,看看天神的意见如何。于是苏格拉底来到神庙去占卜,占卜的结果明白无误:他确实是天下最聪明的人。面对神谕,苏格拉底无话可说了,但是口里仍然喃喃自语:"我唯一知道的事情是,我一无所知。"可是总会有不少的人认为自己天下第一,这样的人,哪有不栽跟头的。

楚汉相争时,项羽勇将龙且奉命率领大军,日夜兼程向东进入齐地,救援齐王田广。韩信正要向高密进军,听说龙且兵到,召见曹、灌二将,嘱咐他们:"龙且是项羽手下有名的猛将,只可智取,不可跟他硬拼,我只能用计擒住他。"于是,命令部队后撤三里,选择险要的高地安营扎寨,按兵不动。

楚将龙且,以为韩信怯战,想渡河发起攻击。属下官吏向他建议:"齐王田广数万部队已经吃了败仗,又都是本地人,顾虑家室,容易逃散;他们溃逃,我们也支持不住。韩信来势很凶,恐怕挡不住。最好是按兵不动,暂不与他正面交锋。汉兵千里而来,无粮可食,无城可守,拖他们一两个月,就可不攻自破了。"

龙且性高气傲,目空一切,他连连摇头道:"韩信不过是一个市井小儿,有什么本领?听说他少年时要过饭,钻过人家的裤裆。这种无用之人,怕他什么!"副将周兰,上前进谏道:"将军不可轻视韩信。那韩信辅佐汉王平定三秦,平赵降燕,今又破齐,足智多谋,还望将军三思而行。"

龙且把手一摆,笑着说:"韩信遇到的对手,统统不堪一击,所以侥幸成功。现在他碰上我,他才晓得刀是铁打的,我管教他脑袋搬家。"当下龙且派人,渡水投递战书。

为准备决战,韩信命军寸:火速赶制一万多条布口袋。黄昏时分,韩信召部将傅宽,授予密计:"你带兵各自带上布口袋,偷偷到潍水上游,就地取泥沙装进口袋里,选择河面浅窄的地方堆上沙口袋,阻挡流水。等明天交战时,楚军渡河,我军发出号炮,竖起红旗,即命兵士捞起沙口袋,放下流水。"

韩信命众将当夜静养,第二天见红旗竖起,立即全力出击。同时,他又命曹参、灌婴两军留守西岸,自己率兵渡到东岸,大声挑战道:"龙且快来送死!"

龙且本是火炮性子,他跃马出营,怒气冲冲,举刀直奔韩信,韩信急忙退进阵中,众将出阵抵挡。韩信拍马就走,众将也忙退兵,向潍水奔回。

龙且哈哈大笑,说道:"我早说过韩信是个软蛋,不堪一击嘛!"说着,龙且领头追去,周兰等随后紧跟,追近潍水,那汉兵却渡过河西去了。

龙且正追赶得起劲,哪管水势深浅,也就跃马西渡。周兰看见河水忽然浅了,有些怀疑,急迫上去,想劝住龙且。楚军两三千人刚刚渡到河中,猛然一声炮响,河水忽然上涨,高了好几尺,接着便汹涌澎湃,如同滚筒卷席一般。河里的楚兵,站立不稳,被汹涌的大浪卷走,不久便是满河浮尸。

这时汉军阵中红旗竖起,曹参、灌婴从两旁杀来。韩信率众将杀回来。不管龙且如何骁勇,周兰如何精细,也冲不出汉军的天罗地网。结果是龙且被斩,周兰被擒,两三千楚兵统统当了俘虏。

列夫·托尔斯泰曾经有一个巧妙的比喻,用来说明骄傲的原因。他说:一个人对自己的评价像分母,他的实际才能像分子,自我评价越高,实际能力就越低。

●懊悔是一剂慢性毒药

纽约有一位心理医生,执业多年,成就卓著,在他即将退休时,写了一本医治各种心理疾病的专著。这本书足有 1000 页,书中有各种病情的描述及其治疗办法。

有一次,他应邀到一所大学讲学,在课堂上,他拿出厚厚的著作,说:这本书有 1000 页,里面有治疗方法 3000 种,药物 1 万类,但所有的内容,却只有几个字。

在学生惊愕的目光中,他转身在黑板上写下"如果,下一次"。

这位医生说,造成自己精神折磨的莫不是"如果"这两个字,"如果我考上了大学","如果我当年不错过她","如果我当年能换一项工作"……

医治方法有上千种,但最终的办法只有一种,那就是把"如果"改为"下一次","下一次我有机会再去进修","下一次我不会错过我爱的人"……造成自己心理障碍的,影响一个人的幸福观念的,有时候,并不是因为物质上的贫乏和丰裕,而取决于一个人的心境改变。如果把心灵浸泡在后悔和遗憾的水中,痛苦就必然占据你的整个心灵。

在人的一生中,懊悔就像一剂慢性毒药,在无休无止中磨灭你的意志,在不知不觉中消耗你的快乐,降低你成功的几率。它又像一些蛰伏在我们生命长堤上看似渺小的蚁群,总一天,我们会被自己造成的薄弱点导致被吞噬。

大脑健全的一个重要标志,就是具有兴奋与抑制过程相互转换的灵活性与平衡性,如果一个人的大脑长期被一种思绪所占据,久而久之也就会麻木。有句谚语:"不要为打翻的牛奶哭泣。"其中蕴涵着深刻的哲理。只知懊悔并不能改变过去,更不能打造未来。无休止地责备自己,非但于事无补,而且往往会磨灭对未来的追求。懊悔与懊丧之间,并没有不可逾越的鸿沟。懊悔与沮丧亦没有分别,而且人心一旦被沮丧所占领,便会使人变得心灰意冷,对未来失去信心,正如巴洛夫所说:"不要经常朝后看,它会使你木然若失。"

去掉"如果",改说"下一次",你就找回了真实的自己,它就是你的财富,包括阳光,空气和水,还有你心底的喜悦和脸上的微笑。这一切对谁都非常重要,只因为它构成了使你成功的要素。

◉千万不要喋喋不休

一百多年前,拿破仑三世和依琴妮·蒂芭女伯爵双双坠入情网,并且很快结了婚。

当时,他的大臣们纷纷指责。因为蒂芭仅是西班牙一个没落世家的女儿,可是拿破仑回答道:"那有什么关系呢?"是的,她的秀雅、她的青春、她的魅力、她的美丽已经使他喜不自胜,觉得自己太幸福了。他兴奋地向全国宣布说:"我已挑选了一位我所敬爱的女子,我不能要一个素不相识的女子。"

拿破仑皇帝和他的新婚夫人具有一般美满婚姻所必备的条件——健康、声望、财富、权力、美丽、爱情。神圣的结合之火从来没有像他们这样炽烈又辉煌。

可是,没多久,这股炽烈、辉煌的火焰却渐渐冷却下来,终于只剩一堆余烬。拿破仑可以使蒂芭小姐成为皇后,但是,他爱情的力量、国王的权威,却无法制止她的喋喋不休。

嫉妒、猜疑,使她侮慢他的命令。她甚至拒绝与他做夫妻间的韵事。她闯进他处理国事的办公室,她搅扰他和大臣的机要会议。她不容他单独一个人,总怕拿破仑跟别的女人相好。

她常常去找她姐姐,抱怨她的丈夫……诉苦、哭泣、唠叨不休。她常闯进他的书房,暴跳如雷、恶言谩骂……拿破仑身为法国元首,拥有十余所富丽的宫殿,却找不到一间小屋容他静住。

依琴妮·蒂芭小姐的吵闹得到了什么?

这就是答案——

仑·哈特的名著《拿破仑与依琴妮——一个帝国的悲喜剧》提到:"……拿破仑仍时常于夜间,由宫殿的一扇小门潜出。他用一顶软帽遮住眼部,由一个亲信侍从陪着,去与正期待着他的一位美丽女人幽会;或者在巴黎城内漫游,观赏一些国王平时不易见到的夜生活。"

诸如此类的情形,就是依琴妮小姐吵闹的结果。她高居法国的最高宝座,她的美丽盖世无双。然而,皇后之尊、盖世之美,却不能使爱情在吵闹的气氛下继续存在。

依琴妮曾放声哭诉"我最害怕的事,终于降临到了我的头上。"

降临到她头上? 这是她咎由自取。这可怜的女人,完全错在她的嫉妒和喋喋不休的吵闹。

地狱中烧毁爱情的一切烈火中,吵闹是最可怕的一种。就像被毒蛇蛟到,绝无生还之望的。

俄国大文豪托尔斯泰的夫人,亦曾发现此理,但已太迟了。她临死前向她的女儿忏悔道:"你父亲的去世是我的过错。"她的女儿们一言不发放声痛哭。她们晓得父亲死因,就是母亲永无休止的批评和喋喋不休的吵闹。

然而,托尔斯泰和他的夫人照理说该是十分幸福、快乐才是——他是历史上最著名的小说家之一,他的两部名著《战争与和平》及《安娜·卡列尼娜》在文学的领域里,永远闪耀着不朽的光辉。

当时托尔斯泰备受爱戴,崇拜他的人们日夜跟随在他的身边。他的每一句话,他们都快速记录下来。即使他说:"我想我该去睡了。"像这样平淡无奇的一句话,也都作了记录。

除了名誉之外,托尔斯泰夫妇有的是财产、地位、子女,普天下几乎已没有像他们那样的一段美好姻缘。起初,他们的结合似乎是太美满、太热烈了,以至于他们甚至跪下祷告,祈求上旁赐福他们永远这样快乐。

后来,惊人的事情发生了。托尔斯泰渐渐改变了,他整个变成了另外一个人,他对自己以及所写的作品竟感觉羞愧。从那时起,他把余生都贡献在撰写宣传和平、消弭战争与解除贫困的文章上。

他一度忏悔自己年轻的时候犯了许多不可想象的罪恶和过错,甚至于凶杀。他真实地遵从耶稣基督的教诲,把所有的土地都给了别人,自己过着贫苦的生活。

他亲自在田间工作，砍木头，拾稻草，做鞋子穿，打扫房子，用木碗盛饭，并且试着尽力去爱他的仇敌。

托尔斯泰的一生是一幕悲剧，而造成悲剧的原因，在他的婚姻上。

他的妻子喜爱奢华，他却鄙弃之；她渴望显赫、名望和社会上的赞美，但托尔斯泰都不屑一顾。她希望有金钱和财产，而他却认为私有的一切是一种罪恶。

这样过了好几年，她吵闹、咒骂、哭喊……因为托尔斯泰坚持主张让他的著作任人翻印，而她却一定要从中抽利。他一反对她，她就会像疯了似的大哭大闹，倒在地板上打滚，手拿一瓶鸦片烟膏威胁着要自杀，还起誓说不活了，要跳井。

在他们共同生活的过程中，有一件事是历史上最悲惨的一幕。我已经说过了，他们初婚十分幸福美满。但四十八年后，他竟连看她一眼都不能忍受。有一天晚上，这位年老伤心的妻子，她渴望着爱情，跪在她丈夫的面前，央求他朗诵五十年前为她写的最美丽的情诗。当他读到那些甜蜜、快乐的句子已成逝去的梦幻时，他们都激动地痛哭起来……眼前的现实和他们早年的美好回忆真是天壤之别呀！

在他82岁的时候，托尔斯泰再也忍受不了家庭中的痛苦折磨，在1910年一个大雪纷飞的夜里，离开他的妻子……向着酷寒和黑暗，不知去向了。

11天后，托尔斯泰因肺炎昏倒在一个车站上。他临死前要求，不允许他的妻子来看他。

这便是托尔斯泰夫人吵闹、抱怨和歇斯底里所换来的结果。

也许人们认为，某些时候她的吵闹并不能算过分。是的，就算那是应当的，但却是要不得的。吵闹究竟对她有所帮助？还是把事情弄得更糟呢？

"我想我实在是疯了。"托尔斯泰夫人觉悟时，已经晚了。

林肯一生最大的悲剧也是他的婚姻。请注意，不是被刺，的确是他的婚姻。

当布斯向他放枪时，他并未感觉到自己已受伤……但他几乎每天都生活在痛苦的深渊里。

他的律师伙伴合顿形容说，林肯在二十三年内都处在"婚姻不幸所造成的痛苦"中。

"婚姻不幸"还是很缓和的说法，几乎一个世纪的四分之一期间内，林肯都是在他夫人的聒噪与吵闹中过日子。

她永远抱怨、批评她的丈夫。她认为林肯的一切，没有一件是对的——他驼背，走路的样子很难看，呆板得就像印第安人。她说他脚步没有弹性，动作不斯文，甚至还模仿林肯的那副模样，喋喋不休地要改变他走路的姿势。

她不爱看他两只大耳朵和头成直角，甚至指责她丈夫的鼻子不够挺直，又说他的下嘴唇突出，手脚太大脑袋又生得太小，她骂他是个痨病鬼。

总之，林肯和他的妻子在各方面都持反对立场，在教养、环境、性情、志趣，还包括智慧和外貌上，他们永远是彼此激怒、敌视的。

已故上议员毕弗瑞芝是撰写林肯传记的一位权威，他这样写道："林肯夫人那尖锐刺耳的声音，就是隔一条街都可以听见。附近邻居常常听到她不断地咆哮怒喊，她的愤怒常常是以这种方法表现，而要形容她那副愤怒的神情，真是很不容易呢！"

所有的吵闹、责骂和喋喋不休，改变林肯了吗？——在某方面来说，是的。那使林肯改变了对她的态度，使他懊悔自己不幸的婚姻，同时让他尽量躲避见到她。

春田城内有11位律师不能都在一处谋生。因此他们常常骑着马，跟着大法官戴维斯到其他法庭问案——他们分配到第八司法区中的各镇法庭找工作。

其他律师无不希望周末返回春田和家人欢聚，共享天伦。可是，林肯却不肯回春田。他怕回家，并且在春季3个月及秋季的3个月里，始终在他乡停留，不愿意走近春田城。

他年年如此。住宿在镇上小旅店的生活并不是很舒服的事，即使如此，他也宁愿独自待在那里，而不想回家去听他妻子不断的唠叨和野蛮的发威。

我们都看到了林肯夫人、依琴妮皇后与托尔斯泰夫人喋喋不休的结局。她们所换得的，只是她们的以悲剧收场的人生。她们把珍爱的一切和她们的爱情捣毁无遗。

韩伯格在纽约家事法庭工作了十一年，曾批阅过成千上万的离婚案件。这方面他个人的见解是：男子离家的主要原因之一，就是他们的太太总是喋喋不休，又吵又闹。

波士顿邮报曾报道说："许多做太太的，一次又一次继续不断地掘凿，以完成她们的婚姻坟墓。"

所以说，要想维持家庭生活的美满快乐，你要遵行的这一条规则就是：千万不要喋喋不休！

◉ 摒弃吝啬的不良习惯

著名哲学家罗素先生曾指出："对财产先入为主的观念,比其他事更能阻止人们过自由而高尚的生活。"其意思就是说一定要摒弃吝啬的不良习惯。

过于贪婪的另一种表现是与人交往只索取不奉献。生活中一类人被称作"自私自利的朋友"。这种朋友以我为中心,朋友为我所利用,用人时朝前,不用人时退后。别人是他友谊的附庸,他是居高临下的感情施舍。这样的朋友在19世纪英国著名作家奥斯卡·威德的文学作品中有过描写:

从前,有个忠实的小伙子叫汉斯,他一个人住在一间小屋子里,他非常勤劳,拥有一座在村庄里最美丽的花园。小汉斯有很多的朋友,但其中有一个跟他最要好的朋友,叫大休,是个磨坊主。磨坊主是个很富有的人,他总是自称是小汉斯最忠厚的朋友,因此他每次到小汉斯的花园来时,都以最好的朋友的身份拎走一大篮子各种美丽的鲜花,在水果成熟的季节还拿走许多水果。

磨坊主经常说:"真正的朋友就该分享一切。"但他可是从来没有给过小汉斯什么回赠。

冬天的时候,小汉斯的花园枯萎了。"忠实的"磨坊主朋友却从来没去看望过孤独、寒冷、饥饿的小汉斯。

磨坊主在家里发表他关于友谊的高论:"冬天去看小汉斯是不恰当的,人们经受困难的时候心情烦躁,这时候必须让他们拥有一份宁静,去打扰他们是不好的。而春天来的时候就不一样了,小汉斯花园里的花都开放了,我去他那采回一大篮子鲜花,这会让他多么高兴啊。"

磨坊主天真无邪的儿子问他:"爸爸,为什么不让小汉斯到咱们家来呢？我会把我的好吃的、好玩的都分给他一半。"

谁想到磨坊主却被儿子的话气坏了,他怒斥这个白白上了学、仍然什么都不懂的孩子。他说:"如果小汉斯来到我们家,看到了我们烧得暖烘烘的火炉,我们丰盛的晚饭,以及我们甜美的红葡萄酒,他就会心生妒意,而嫉妒则是友谊的大敌。"

这是一篇童话故事,是讲给孩子们的,然而现实生活中这种虚假友谊也不少见,心眼实的人许久都被蒙蔽着。但是他们终究会有识破真相的一天,这种"朋友"最终一定会被人唾弃的！

吝啬者,金钱、财富都不缺,然而其灵魂、其精神却是在日趋贫穷。

吝啬果真能给吝啬者带来愉快吗?不能。其实吝啬者的生活是最不安宁的,他们整天忙着的是挣钱,最担心的是丢钱,唯恐盗贼将他的金钱全部偷走,惟恐一场大火将其财产全部吞噬掉,唯恐自己的亲人将它全部挥霍掉,因而整天提心吊胆,坐立不安,永远不会是愉快的。

吝啬者果真能给人带来幸福吗?不能。因为"小气",因为狭窄,所以在这类人身上很少体现亲情二字,所以其内心世界是极其孤独的。尤其是当他们有难的时候(比如在病中),他们才会感到缺少感情支持的悲怆,才会感到因为吝啬而失去的东西实在太多了,才会充分感觉到金钱的真正无能。

●易怒的习惯一定要节制

怒的习惯一定要节制,因为于人于己都是有害无益。

我们都知道,愤怒在某些情况下是一种自然的反应,但并不是在每一种情况中都要如此反应。我们所处的社会是靠彼此的合作和帮助维持的。我们必须经常控制某些直觉的情感。重要的是,我们要承认别人与自己都有情绪存在——但是我们不能拿它当借口,每次有什么感觉,就毫无考虑地发泄出来。

如果你是一个易于愤怒却不善控制的人,建议你不妨设立一本愤怒日记,记下你每天的发怒情况,并在每周作一个小结,这会使你认识到:什么事情经常引起你的愤怒,了解处理愤怒的合适方法,从而使你逐渐学会正确地疏导自己的愤怒。

日记应由五个部分组成:简要地说明一下使你生气的事件;在从1(轻度激怒,没有明显反应)到10(狂怒)的量表中评估一下你的生气程度;直接引起你生气的事件、言语或行为(导火线),比如某人说话的语调,或一段特殊的谈话等;引起你生气的潜在原因,比如,你为另一件事感到烦躁不安,你极疲倦等;在这种情况下,疏导愤怒的合适方法(至少1种)。

坚持下去,相信你会受益于你的愤怒日记。

最后,还要提醒那些内心愤怒却不公开表达的人,单纯地压制愤怒不仅会引起生理障碍,如高血压、溃疡病、周期性偏头痛等,还会转化成神经官能症、抑郁症等心理疾病,并且会削弱人的自尊心。在与他人发生争执时,对自己应该如何行动犹豫不决的人,渐渐地会认为自己是一个懦夫。因此,请你学会适当地表达你的愤怒,在表达愤怒时要记住下面的原则。

(1)你的言论是指行为的,而不是指某个人。换句话说,你可以批评他人的工作,但不要指责他人的才智。

(2)不要赘述过去的事,指责仅仅指向眼前的情境。

(3)永远不要涉及他人的家庭、种族、宗教、社会地位、外貌或说话方式。

(4)不要限制别人发火。当你向别人怒吼时,对方也有回敬的权力。

(5)如果你在其他人面前不公正地对一个人发了火,那么,你必须当着其他人的面向他道歉。

(6)让别人明确地知道你为什么生气。

(7)不要将事情做绝,要给自己留有余地。如果可能的话,给对方留一条后路。假如对方主动纠正了过失或道了歉,你就不要继续发火了。

◉粗心大意的习惯不可轻视

在日常生活中,许多人办事轻率,不精益求精,只求差不多。尽管从表面看来,他们也很努力、很敬业,但结果总无法令人满意。一位伟人曾经说过:"轻率和疏忽所造成的祸患不相上下。"许多人之所以失败,往往就因为他们马虎大意。

下面是一个真实的故事。

某报社曾有个年轻的通讯员,在报道某企业当年的成就时,因为一时的马虎把"千"字错写成了"万"字,结果新闻在报纸上登出后,当地的税务部门立刻找到这家企业的老板,严厉批评他们说:"你们公司隐瞒实际收入,企图偷税漏税,现在必须补交税款!"老板听了之后感到十分奇怪,因为公司确实是按实际收入交税的,没有任何隐瞒收入的违法行为,于是就与税务部门争辩,税务部门人员说:"你们还拒不承认,更应该加重处罚,你们说没有隐瞒收入,但是报纸上已把你们的收入登出来了,与你们上报的出入太大,你们还不承认?"老板没办法,只得找来报纸,并协助税务部门重新核查账目,结果才发现是那个通讯员的马虎所致!

通讯员的马虎粗心,给这家公司惹来了麻烦,幸好没有造成损失,解释清楚就可以了。然而很多时候由马虎粗心所造成的损失是无法补救的。所以，如果你有马虎的习惯，就要尽快纠正过来，否则说不定什么时候，它就会让你吃大亏。

还有这样一件事。

乌鲁木齐市粮食局的一家挂面厂曾花巨资从日本一家厂商引进一条挂面生产线，作为附带合同，随后又花18万元从日本购进1000卷重10吨的塑料包装袋。而塑料包装袋的袋面图案由挂面厂请人设计。当样品设计好后，经挂面厂与新疆维吾尔自治区经贸机械进出口公司的人员审查，交付日方印刷。几个月后当这批塑料袋漂洋过海运抵乌鲁木齐时，细心的人们发现有点不对劲，仔细一看，当时全傻了眼，原来每个塑料袋的袋面图案上的"乌"字全都多了一点，变成了"鸟"字，乌鲁木齐变成了"鸟鲁木齐"！后来经过多方调查，发现原来是挂面厂的设计人员一时马虎，把设计样本打印错了，而进出口公司的人员检查时也一时大意没有发现。也就是这一点之差使价值18万元的塑料袋变成了一堆废品，给公司带来了严重的损失，相关人都受到了严厉的处分；试想，如果设计人员细心一点，谨慎一点，进出口公司的审查人员再认真一点，多检查一次，又怎么会让这18万元付之东流呢？

马虎所带来的危害还有更严重的：

泥瓦工和木匠可能靠半生不熟的技术建造房屋，砖块和木料拼凑成的建筑有些在尚未售出之前，就已经在暴风雨中坍塌了。比如，在宾夕法尼亚州的一个小镇上，曾经因为筑堤工程质量要求不严格，石基建设和设计不符，结果导致许多居民死于非命——堤岸溃决，全镇都被淹没。医科学生因为没有花时间和精力好好为未来做准备，做起手术来捉襟见肘，拿病人的生命当儿戏。一些律师只顾死记法律条文，不注意在实践中培养自己的能力，真正处理起案件来也难以应付自如，白白花费当事人的金钱

建筑时小小的误差，可以使整幢建筑物倒塌；不经意抛在地上的烟蒂，可以使整幢房屋甚至整个村庄化为灰烬。因为事故致人残废——木装的脚、无臂的衣袖、无父无母的家庭都是人们粗心、鲁莽与种种恶习造成的结果。世界上每年因为"不小心"所造成的生命的丧失、身体的伤害和财产的损失，有谁能统计得清楚呢？由于疏忽、敷衍、偷懒、轻率而造成的可怕惨剧在人类历史上无时无刻不在发生。

懒懒散散、漠不关心、马马虎虎的做事习惯似乎已经变成常态，这些人在学生时代就养成了心不在焉、懒懒散散的坏习惯。他们习惯于使用一些小伎俩，

譬如用抄袭、作弊等手段来欺骗老师,蒙混过关。而当他们踏入社会后,就不可能出色地完成任务。外出办事总是迟到,人们就会拒绝与他合作;与人约会总是延误,别人会大失所望;办事时缺乏条理和周密性,思维一片紊乱,别人就会丧失对他的信任。更重要的是,一旦染上这种恶习,一个人就会变得不诚实,遭到他人的轻视——不仅轻视他的工作,而且会轻视他的为人。

一旦这种人成为领导,其恶习也必定会传染给下属——看到上司是一个心不在焉的人,员工们就往往会竞相效仿,放松对自己的要求。这样一来,每个人的缺陷和弱点就会渗透到公司,影响整个事业的发展。如果他是作家,文章必定漏洞百出;如果他是一个管理者,部门工作必定一塌糊涂。

美国芝加哥因工作疏忽大意造成的损失,每天至少有100万美元。该城市的一位商人曾发表言论说,他必须派遣大量的稽查员,去各分公司检查,才可能制止各种马虎行为。虽说在许多员工眼里有些事情简直是微不足道,但积少成多,积小成大,一些不值一提的小事很可能就会影响他们在老板心目中的形象,影响他们的晋升。

无论做什么事,如果都能达到至善至美的结果,这样不仅能提高工作效率和工作质量,也能树立起一种高尚的人格。

有这样一句谚语:我们可以躲开一头大象,却躲不开一只苍蝇。

当然,许多小事也确实易于被人疏忽,这就需要我们平时的努力。只有当我们在意识中对它们有充分的警戒心,就能够注意并克服掉马虎粗心的恶习。时刻对马虎轻率保持高度的警惕心,并养成细心严谨的工作态度,时间长了就会形成细心严谨的工作作风进而形成良好的习惯,培养优秀素质,而"习惯常常决定一个人的成败"。有的员工可能会说:"我生性就是粗枝大叶,大大咧咧,马虎粗心是天性所致,我也不想这样,可是我很难做到细心谨慎,怎么办呀?"其实完全不必担心,世上没有十全十美的人,即使是那些功成名就的伟人,他们一开始也是有这样那样的缺点的,有了缺点不可怕,只要改掉就行,而且他们也都是这样做的,最终成就了自己的一番事业。

所以,有时候不要认为你自己不能改掉这种恶习,如果你总是这样想,它就成了你坚持错误的借口。如果你不想也不去改掉这个恶习,你就当然无法成功,因为马虎轻率是成功的致命杀手,它不但会让你失去未来的成功,甚至毁掉你已经取得的成就,而这个过程,马虎轻率只要瞬间的过程,而你以前的成就却是辛辛苦苦奋斗了多少年的结果!因为马虎粗心,你就不可能在工作中做到精益求精,尽善尽美。尽管从客观来说你工作确实很努力,很敬业,但是你的工作成果却总是不能让人满意,总是与目标之间有一点点差距,而这个差距只要你再付出一点点精力和努力就能达到,而你却没有做到。长此以往,你的上司就会对你失望,对你不信任不放心,甚至怀有戒备之心。想想你在公司还有发展的前途吗? 还有出头之日吗? 更严重的是,你能否保住这个工作都是一个未知数。

不管粗心是天性所致也好,是后天养成的恶习也罢,只要你是追求成功,拥有远大理想的人,只要你一下定决心,相信自己,就一定能够克服它。

◉斤斤计较得不偿失

为利益而利益,为计较而计较,就会使人变得心胸狭隘、自私自利。它不仅对人生和事业造成损失,也会扼杀你的创造力和责任心。

在人生的旅途中,许多年轻人被短期的利益蒙蔽了双眼,看不清未来发展的道路。等到意识到问题的严重性,再奋起直追时,已经浪费和错过了最好的时机,无法赶上了。

在此,本书作者想给年轻人提个建议:"在你开始工作时,不要太多地考虑薪水问题! 要注重工作本身给你带来的价值——发展你的技能,完善你的人格品质……"

在美国,曾有一位成就斐然的年轻人,他是一家大酒店的老板。一开始我丝毫没有看出他有什么特殊才能,直到他讲述了自己被提拔的传奇经历之后我才明白了事情的原委。

"几年前,我还是一家路边简陋旅店的临时员工,根本就没有什么发展的前途可言。"他回忆道:"一个寒冷的冬天,已经很晚了,我正准备关门。进来一对上了年纪的夫妇。他们正为找不到住处发愁。不巧的是,我们店里也客满了。看到他们又困又乏的样子,我很不忍心将他们拒之门外。于是就将自己的铺位让给他们,自己在大厅睡地铺。第二天一早,他们坚持按价支付给我个人房费,我拒绝了。本来也就没有什么嘛!"

"那对夫妇临走对我说:'你有足够的能力当一家大酒店的老板。'"年轻人脸上露出憨厚的笑容。

"开始我觉得这不过是一句客气话,然而没想到一年后,我收到了一封纽约来信,正是出自那对夫妇之手,还有一张前往纽约的机票。他们在信中告诉我,他们专门为我建了一座大酒店,邀请我经营管理。"

年轻人没有计较一夜的房费,而正是这一举手之劳,他获得了一个梦寐以求的机会。

斤斤计较一开始只是为了争取个人的小利益,但久而久之,当它变成一种习惯时,为利益而利益,为计较而计较,就会使人变得心胸狭隘、自私自利。它不仅对老板和公司造成损失,也会扼杀你的创造力和责任心。

《圣经》上说:"助人就是助己。"不要计较得太多,多做一点对你并没有害处,也许会花掉你一些时间和精力,但是可以吸引更多的注意的事,使你从竞争者中脱颖而出,你的老板、上司和顾客会关注你、信赖你、需要你,从而给你更多的机会。今天种下助人的种子,总有一天会结出甜美的果实,最终受益的还是你自己。

付出多少,得到多少,这是一个基本社会规律。也许你的投入无法立刻得到回报,不要气馁,一如既往地付出,回报可能会在不经意间,以出人意料的方式出现。

在职业生涯中,任何一位普通人都会想:"公司和老板为我做了些什么?"而那些富有远见的人则会想:"我能为老板做些什么?"大多数人都认为尽自己的能力完成分配的任务,对得起自己的薪水就可以了。但是,我却认为这还远远不够,要想取得成功,必须付出更多,才能获得更多。

也许你会觉得自己已经在工作中投入了很多,却没有马上得到回报,而心有不甘。你会想既然不能升职,还不如忙里偷闲,反正也不会被开除、扣工资。这样一来,以后你就可能会拖延怠工,以免提前完成工作,会揽上其他的事务。久而久之,你的进取心将被磨灭。另外,如果你计较自己的付出没有在短期内得到回报,继而会产生抵触情绪,还会影响你在公司里的人际交往。

一开始也许你从事的是秘书、会计和出纳之类非常琐碎的事务性工作。但成功者除了需做好本职工作以外,还要做一些不同寻常的事情来培养自己的能力,引起人们的关注。

如果一个人在工作时能全力以赴,不计较眼前的一点利益,不偷懒混日子,即使现在他的薪水十分微薄,未来也一定会有所收获。注重现实利益本身并没有错,问题在于现在的人过分短视,而忽略了个人能力的培养,他们在现实利益和未来价值之间没有找到一个平衡点。

一个人如果钻到钱眼里去;如果总是算计着自己到底能拿多少工资;如果

总是将自己困在装着工资的红包里,他又怎么能看到工资背后获得的成长机会呢?他又怎么能意识到从工作中获得的技能和经验对自己的未来将会产生多么大的影响呢?

◉ 与人相处不可太偏激

在生活中,我们常听人说某某不可相处,仔细观察就会发现,这一类人主要是做人太偏激,疾恶如仇,容不得半点沙子。这种人到哪都没有好人缘。

由此可见,与人相处不可太偏激。处理问题头脑要冷静、客观、全面地想问题,切忌忽左忽右,极端片面。有的人天性偏激,就要通过后天的训练去克服,这时方法的运用就很重要。

我们可以尝试一下运用宽心法克服狭隘的痛苦。努力工作,发奋学习,加强思想修养,热爱并创造新的生活,思想境界提高了,心境也就放宽了。运用遗忘法克服仇恨的痛苦。对过去的历史不必再去追溯,企图从回忆中捕捉虚幻的甜蜜,往往会增加烦恼。运用排除法克服失意的痛苦。主动置身于欢乐的环境中,参加一些集体活动或出外旅游,这样可以振奋精神,开阔胸襟。运用寄托法克服失恋的痛苦。根据自己的兴趣,选择一种追求目标。比如可以争取在本职工作中有所创造革新,也可以在业余活动中争取成绩。

另外,还要克服社交中的攀比情绪,对人不要抱有对立情绪,时时处处提防别人,使自己与别人的关系经常处于紧张状态。

完成工作后不要滔滔不绝地自我吹嘘。你的功过大家自有评价,最好保持谦虚谨慎的态度。与朋友相处,要有自己的独到见解,但不要固执己见,听不进他人的意见。

做人要有责任心,与人交往要负责任,对别人委托的事和自己与别人共同参与的工作,都要主动负起责任,绝不要敷衍了事。

对人不要报复心太强。人与人之间难免会有些矛盾和冲突,如果受点委屈就耿耿于怀,便很难与人有正常的交往。越是有才能越要谦虚。切忌不可狂妄自大,自命不凡,谦逊而有才干的人是最受人爱戴的,那种有才能但自负的人,准会在人际交往中栽跟头。

吹吹拍拍惹人嫌。尊重领导是正当的,但刻意追求,不择手段地竭尽吹捧奉承就另当别论。随着岁月的流逝,人的社会分工会不断发生变化,绝不要因自己职位的提升就嫌弃过去的朋友。

待人要平等,不要把人分成三六九等、尊卑贱。这种庸俗的待人方式令人生厌,大凡有头脑的人,都不会与势利小人做朋友。

在荣誉和奖励面前要谦让,在困难和责任面前要勇于承担。这样的人走到哪里都会受到大家的尊重和爱戴。记住别人对你的帮助,适当的时候给予回报。谁都愿意和你交朋友。

以德报怨,人人敬之。处理怨恨的最高尚、最明智的方法就是不计前嫌,以德报怨,化怨情为友情。当你发现自己伤害了别人的时候,要及时道歉,求得别人的谅解。不能因为别人对你的伤害产生怨气就忍受不了,想方设法为自己的行为辩解甚至不承认自己有错。

◉不要在背后道人长短

曾经,有一个女人很喜欢东家长、西家短地道别人是非。

多嘴本来是女人的天性,但是她却太过火了,以至于连平常饶舌的三姑六婆们也都无法忍受,终于有一天大家一起到拉比那里去控诉她的行为。

拉比仔细倾听每一个女人的控诉之后,便要这些女人们先回去。然后拉比派人去找那个多嘴的女人来。

"你为什么无中生有,对邻居太太们品头论足?"

多嘴的女人笑着回答说:"我并没有杜撰什么故事啊!也许我有一点夸张事实的习惯,不过我说的不是很接近事实吗?我只是把事实稍微修饰一下,使它更有声有色而已。但是或许我真的太多嘴了,连我丈夫都这么说呢!"

"你已经承认你的话太多了,好吧!让我们来想一想,有没有什么好的治疗方法?"

拉比想了一会儿之后,走出房间,然后拿回一个大袋子,他对女人说:

"你把这个袋子拿去,到了广场之后,你就打开袋子,一面把袋子里的东西摆在路边,一面走回家。但是,回到家之后,你便要掉过头来,把东西收齐以后,再回到广场上去。"

女人接过这个袋子,觉得很轻,她很纳闷,非常想知道里面装的是什么东西？于是加快脚步走到广场去，到了广场之后，她迫不及待地打开一看，里面装的竟然是一大堆羽毛。

那是一个万里无云的晴朗秋日，微风轻吹，令人觉得非常舒服。女人照着拉比的吩咐，一面走，一面把羽毛摆在路边，当她走进家门时，袋子刚好空了。然后她又提着袋子，一边捡，一边回广场。

可是，凉爽的秋风却吹散了羽毛，以致所剩寥寥无几。女人只好回到拉比那里，她向拉比说，一切都照拉比的吩咐去做了，但是，却只能收回几根羽毛。

"我想也是的。"拉比说，"所有的马路新闻，都像是大袋子里的羽毛一样——一旦从嘴里溜出去，就永无收回的希望。"

于是，拉比的机智矫正了这个女人的坏习惯。

长舌远比三只手更令人头痛，假话传久了就会变成恶言。谣言足以隔离亲近的朋友。因此，不要用嘴巴去发现看不见的东西。

同时，拉比还告诫人们说："遇到鬼的时候，你一定会拔腿就跑；同样的，遇到马路消息时，你也要快速地逃。"

当所有人都不再在背后道人长短时，一切纠纷的火焰就会熄灭。因此，人们很讨厌多嘴多舌的长舌妇，对谣言更是深恶痛绝。

●牢记五个不良的交谈习惯

在生活的周围，有的人似乎天生就令人讨厌，而他们却从来不会自我觉察。究其原因是因为他们从来就没有养成良好的交谈习惯，更没有形成正确的交际观念，以下五个小习惯正是这种没有交际修养的表现。

1. 说话枯燥无味

这种人通常是个脾气很坏的人，他常常有些自私，可他自己并没有察觉。他常以为人家对他所讲的事物也像他自己那样感兴趣。他之所以冒犯人家，并不在于讲话太多，而是因为说话太枯燥无味。在他所说的话中，没有一点波澜和惊奇。他说的话，常常也是他自说白话。他的习惯非常单调，因此他不开口则已，一开口便使人感到厌倦。

在一个令人厌倦的谈话中，我们常听到这样一些句子："让我来告诉你们我自己的设想吧！"，"六个月前我们在船上的时候"，"我记得当时的情况是这样的",等等。这些七拉八扯的话,能不叫人厌倦吗?

2. 经常打断别人谈话

插嘴插舌的人是一种不让你把话说完的人。你说话正说到一半,他就插进来说,有时竟能把你的结论也说了去,而他为你说.完的结论,并不是你本来的观点,你当然是非常讨厌的。然而他并不自觉,还是得意洋洋地炫耀他自己的光彩。

插嘴插舌者最令人讨厌的,便是从不预先告诉你他要插话了。他也不说"我知道你这故事的结果",或"让我替你把它讲完吧",或"你想说的是这样的",他只是突然地自半山腰里杀出来,使你不得不偃旗息鼓而退了。

人们相信,总有一天,那些令人厌倦的言谈"滔滔不绝"者和那些"插嘴插舌"者,会在人们面前自讨没趣,羞愧而退的。

3. 说话心神不定

心不在焉者在开始谈话时似乎有严密的逻辑,可是他的心神是浮荡不定的。如果你告诉他一个你觉得很有趣味的故事时,他却把他的注意力分散到别的地方,好像灵魂早已不知飞到哪里去了似的。这时你一定觉得他没有礼貌而感到扫兴。

然而这也许是你的过错。或许你讲的事物使他很难提起兴趣,在这种情况下,你自己也许成为一个令人讨厌的人。可即使如此,他也不会被人原谅,因为他完全可以避免的。

"心不在焉"的人,常常这样说:"对不起,你刚才说什么?",或"我刚才没注意听",以及"我想我已想到别的事情上了"

4. 傲慢自大的。

傲慢自大的人,他只看到人家的短处,从不称道他人的长处。他常常扫人家的兴致,打断人家的话头,当我们在称赞一个为社会作出贡献的人时,他便说那人只不过是在为自己的利益工作而已。他是个冷笑专家,在他的脑子里,别人的一切都是恶劣不堪的。

轻视他人者常常喜欢攻击别人,假如你钓到一条五公斤的鱼,他便会喊起来说,有人曾在这里钓到过十公斤的鱼呢!他常抱有一种嫉妒的心理,而且他并不能将这种心理深埋在心中。有时你可以从下面的一些话里听出他是一个轻视他人的人:"是的,可是在他背后的动机是什么呢?",以及"那毫无价值,你等着再听听这一件事吧!"

5. 说话啰里啰唆

虽然他的话并没有伤害你,也不会引起你嫉恨的,可是他那滔滔不绝的言谈,确会使你感到代人受过般地难过。

说话啰里啰唆的人大多为女人,而她们的心情倒确实是良好的。她因为热心而兴奋,所以啰里啰唆地想把一件非常琐碎而无趣的事情说得有趣而重要。这种人是生活在一个狭窄的空间里,因为她没见过大世面,所以便特别把琐碎的东西看得有价值了;因为她没有见过大世面,所以见过世面的人倾听这种乏味的言谈,真是哑巴吃了黄连了。

“让我告诉你我们前天晚餐时所准备的菜肴吧!”“我想我要替苏珊买一件新衣裳了。”这些都是一个啰里啰唆的女人想要说的话。

在现实生活中,如果你不幸养成了以上五种不良的习惯,不妨对照改进。

◉不要搬弄是非,要远离是非

人的舌头既是最好的东西,也是最坏的东西。有智慧的人宁可因寡言被人谴责,而不会多言惹人讨厌。

爱迪生说:“一个谎言,一定要用另外一个谎言加以弥补,否则它会漏洞百出。”这等于说:“一个人扯了一个谎,一定会被迫要再编造更多的谎言去支持它。”

林肯说:“你可以在所有的时间中欺骗某些人,你也可以在某些时间中期骗所有的人,但你却不能在所有的时间中欺骗所有的人。”

其实,有人群的地方就有是非;有相信“是非”的,就有搬弄是非人的用武之地。所以,是非终日有,不听自然无。

有这样一个故事:爷孙俩买了一头驴,爷爷让孙子骑着走时,有人议论孙子不懂孝敬;孙子让爷爷骑着走时,有人指戳爷爷不疼孙子;爷孙俩干脆都不骑了,又有人笑话他俩放着驴不骑是傻瓜;结果爷孙俩只好绑起驴抬着走了。如果我们不想“抬驴”,那么我们就不要去听那些个“是非”而受其累。信“是非”的坏处是:原本蛮要好的一对反目成仇;原来并没有什么关系的人恶语相向。

惠子在魏都大梁(现河南开封)做梁惠王的宰相时,庄子准备去看望他。有人为了破坏他们之间的友谊,就在惠子面前无中生有地搬弄是非说:“庄子要来魏都,名义上是来看望你,实际上他是来向君王显露自己的才干,心中是想代替你做魏国宰相啊!"

惠子听后完全相信了这番话,暗想:庄子才华横溢,若有意出将入相,那当代还有谁能比得过他? 但是,你庄子和我是好朋友啊! 你怎么对我产生这取而代之的念头呢? 他心中恐慌害怕,也暗暗恨起庄子来! 心道:你不仁,我不义! 于是他下令在都城大梁搜捕庄子。可一连搜索了三天三夜,也不见庄子的踪影。

庄子早就进了大梁都城,但他智谋高深,那些士卒,如何能搜捕他? 但他见惠子这么容易受小人愚弄,很气愤! 虽原本准备入相府见惠子的热情早已冷淡,但这时如若不见,岂不正让小人证实了自己有取代惠子相位的心思。

这一天庄子大摇大摆走入相府的门楼,卫士忙入内禀告,惠子硬着头皮迎出来,将庄子引入书房。庄子不无戏弄地对他说:"南方有一种鸟名叫剜雏,从南海出发飞到北海,不是梧桐树它不停下来休息,不是竹子的果实它不吃,不是甜美的泉水它不饮用。"

那惠子已经感觉到自己误会了庄子,脸露愧色。但庄子可不顾惠子的面皮,他知道这些看重官位的人,都有嫉贤妒能的臭毛病。所以他继续用挖苦、讽刺的语调痛斥道:"有一只猫头鹰找到了一只腐烂的老鼠,剜雏刚好飞过,猫头鹰以为剜雏要抢它这只死老鼠,护食的心态顿起,仰起头恐吓地喊了一声'嚇'! 现在你是否也因为你的梁国而要吓唬我呢?"

那惠子既愧自己妄听小人之言,又恨自己以功名利禄来度君子之腹,深悔自己利欲熏心竟到了不顾纯正友情的程度。于是忙向庄子谢罪,请求原谅。

而不听"是非"的好处就是耳根清净、心情舒畅。搬弄是非的人一旦开始发难,是很难叫他们闭上嘴的。不过问题往往出在会去听信她们的人,听信等于是在鼓励他们继续这样的行为。真正误入歧途的是奖励搬弄是非的人,专心倾听他们所讲的坏话,为他们鼓励喝彩,甚至还依此采取行动。

光是转述故事就已经够糟了,还有更恶劣的。擅长嚼舌根的人知道如何加油添醋,把事情说得比实际更严重,同时把自己描绘成无辜的受害者,认为传达如此重要的信息给愿意听的人是正确的做法。就这样,搬弄是非的人有了毁灭性的破坏力;也就是这样,嚼舌根者破坏了人际关系,让别人互相敌对。

其实,绝大多数人都渴望与别人真诚相处,希望工作、生活在一个互相理解,十分融洽的集体中。但生活中总免不了有一些爱搬弄是非的人,到处捕风捉影,道听途说;今天在张三面前说李四,明天在李四面前说张三。结果,搞得一个单位人心涣散,四分五裂。

那么,我们应该怎样远离是非呢?以下几点供大家参考。

1. 不向同事吐苦水

有许多爱说话、性子直的人,喜欢向同事倾吐苦水。虽然这样的交谈富有人情味,能使你们之间变得友善,但是研究调查指出,只有不到1%的人能够严守秘密。所以,当你的个人危机和失恋、婚外情等发生时,你最好不要到处诉苦,不要把同事的"友善"和"友谊"混为一谈,以免成为办公室的注目焦点,也容易给老板造成问题员工的印象。

2. 不听闲话

繁忙的工作之余,同事之间也许会闲谈几句。有的人传播马路新闻,有的人借机搬弄是非,女士们则热衷于谈论服装、首饰……此时此刻,你不妨谈论名人轶事,把话题的"引导权"握在自己手中。以名人轶事作为闲谈话题,一是可显得你志趣高雅,不落俗套;二是可显示出你的博览群书,见多识广。久之,必然会使你在众人心目中的地位不断高移。

3. 放弃鸡毛蒜皮的小事

有积极心态的人不把时间精力花在小事情上,因为小事使他们偏离主要目标和重要事项。如果一个人对一件无足轻重的小事情做出反应——小题大做的反应——这种偏离就产生了。要记住,一个人为多大的事情而发怒,他的心胸就有多大。

4. 能少说就少说

智慧是由闻思修而得,而悔恨是由说话而生。

目光浅窄及愚昧无知的人,往往只喜欢针对人而不谈事,最后造成飞短流长。

有道德者,寡于言;有信义者,言而必实;有智谋者,善巧于言。

因此,说话也要同挑选食物一样,也要小心选择。尤其是注意不要谈论自己。越多讲述自己的事情,尤其是和别人发生争执时,就越会想尽一切办法为自己申辩,指责对方的错误,这就开始说谎了。而一旦开始说谎,是非也就不远了。

5. 不散播耳语

耳语,就是在别人背后说的话,只要人多的地方,就会有闲言碎语。有时,你可能不小心成为"放话"的人;有时,你也可以是别人"攻击"的对象。这些耳语,比如领导喜欢谁,谁最吃得开,谁又有绯闻等等,就像噪音一样,影响人的工作情绪。聪明的你要懂得该说的就勇敢地说,不该说就绝对不要乱说。

6. 做聪明的听众

在一项关于友情的调查中，调查的结果让调查者都感到十分的意外。调查结果显示，拥有最多的朋友的是那些善于倾听的听众，而不是能言善辩、引人注目的演说家。其实，这也没有什么不可思议的。我们每个人，其实都渴望表达自己。聪明的聆听者能够让说话者有充分的表达欲望和表达机会，自然就更容易获得别人的好感。

即使你真的按照上面的原则做了，却仍然有搬弄是非者把"是非"搬弄到你的头上，又该如何呢？最有效的方法，就是坦荡地面对。人生在世，从娘肚里一出来，就被别人议论：这孩子乖不乖，丑不丑；长大成人，人际交往日益扩大，被别人议论的机会也越来越多。全然不被别人议论的人几乎没有。搬弄是非者调论别人，就其内容来说，有真的，也有假的；有善意的，也有恶意的；有吹捧的，也有贬低的。但不管哪种议论，都应该以坦荡的胸怀，泰然处之。当听到吹捧自己或说自己好的议论时，不要忘乎所以，自以为不得了；当听到贬低自己或说自己不好的议论的，则应该冷静分析，区别对待：对议论中某些合理的东西，要"消化吸收"，引以为戒；对议论中不符合事实的东西，也不必怒形于色，耿耿于怀，不必为那些议论弄得自己惶惶不可终日以致失去心理平衡，影响情绪，影响正常的学习和工作。

一句话：走自己的路，让别人议论去吧。

◉不要贬损他人来抬高自己

李先生自我感觉良好，然而在单位人缘不好。因此他经常抱怨世态炎凉，责怪同事寡情。是真的世态炎凉同事寡情吗？非也！原来是李先生自命不凡，每逢单位开会，年终考评，他都喋喋不休地贬损他人，以显示自己"崇高的理想"、"卓越的才能"、"非凡的业绩"。因此，同事们都觉得李先生太过分，太不像话了。于是大家都不买他的账，他陷入了孤家寡人的境地。显然，李先生人缘不好，其原因在于贬低他人，抬高自己。纵观现实社会，像李先生这种人为数不少。

1. 贬损他人、抬高自己的种种表现

塑造事实贬损他人。有些人为了抬高自己、贬损他人竟达到了捏造事实的地步。尽管他所说的事实的指责，受害人有口难辩，无可奈何。例如唐某与李某同去某地出差。采购一种紧缺物资，他们到某地时，当地已无货供应，必须再等一个月才有货，于是唐某与李某空手而归。可是在向领导汇报时，李某竟对领导说："年轻人就是贪睡，那天早晨如果小唐早点起来，我们可能就能买到货了。"唐某说："本来就没有货了啊，这与起早起迟有什么联系呢？"领导连忙批评唐某说："老李说得对啊！你应该接受，以后改正啊！"唐某听了领导的批评只有无可奈何地叹气，还有什么可辩解的呢？不过从此以后，唐某对李某敬而远之了。领导再派他与李某出差，他都借故推辞。

夸大事实贬损他人。有些人为了达到贬损他人的目的，将针眼大的事情说得比箩筐还大。某科研单位赵某应朋友之邀，给朋友帮了两次忙，解决了一些技术上的问题。不巧让本单位的黄某知道了。于是在一次会议上，黄某说："赵某受了金钱的诱惑，不好好做本职工作，竟去从事第二职业，这种做法是缺乏事业心和敬业精神的表现。"赵某仅仅帮了朋友两次忙，黄某竟夸大成"从事第二职业"，并给戴上"受了金钱诱惑"的大帽子。由此看来，黄某的境界多高啊！敢于批评坏人坏事，并且具有强烈的事业心和敬业精神。黄某的"思想"在贬损同事中得到"升华"。通过自己与他人的对比贬损他人，抬高自己。一次某省高教局成人教育处组织政治经济学统考。哲学老师田某从高教局同学处获得了这一信息，于是回校对任政治经济学课的许某说："你们政治经济学统考，你知道这个消息吗？"许某说："我现在还没有接到这一通知。"在年终考评会上，田某说："许某教政治经济学对统考一点也不关心，统考消息还是我告诉他的，我比他还着急，许某太没责任感了。"这样一比，他似乎成了一个责任感极强的人了；而别人倒是一点责任感都没有了。

含沙射影贬低他人，抬高自己。舒某与兰某同在一个科研所工作，舒某勤于笔耕，一年之中竟发表了 20 篇论文，而兰某仅发表了一篇论文。兰某心中很不服气，因而在年终考评会上自我批评说："我今年文章只写了一篇，但质量是很高的，决不像那些写得多的粗制滥造的文章。"显然兰某这是在含沙射影地贬低舒某。

2. 贬损他人、抬高自己的危害

为什么有些人会不择手段地贬损他人、抬高自己呢？其原因显然是出自于一种虚荣的心理和不服气的心理。有些人为了充分地显示自己的高明和非凡的价值，因此往往喜欢找参照物，自以为通过贬损他人，自己的高明和非凡的价值就充分地表现出来了。另外，有些人对于别人强过自己，心理极不平衡，于是通过贬损别人,说明别人并不强于自己,从而在心理上得到一种阿Q式的平衡。然而不管贬损他人、抬高自己,出于何种心理,都是一种缺乏道德的行为。这种行为的危害概括起来有如下几点:

(1)导致个人主义恶性膨胀和自我消沉。

(2)影响团结,破坏和谐的人际关系。

(3)制造矛盾。

(4)引发民事官司。

3.怎样对待贬损他人、抬高自己的人

贬损他人、抬高自己的人确实十分令人讨厌。一个单位如果有几个这样的人,大家肯定难以愉快地工作和学习。因此对待这种人决不可姑息,应该设法纠正他们这种缺乏道德的行为,创造一个愉快的工作和学习环境。

当面澄清事实,使其认识自己行为的错误性。对于捏造事实贬损他人的人,受害人应该敢于澄清事实。澄清事实不需要争辩。在心平气和的心境下将事实原原本本地陈述于众,并且列举证据证明事实真相,使捏造事实者在证据面前无法交代,从而唤醒他们的良知,在铁证面前幡然悔悟。例如某校赖老师在一次教研会议上夸耀自己如何下班后辅导同学学习,而批评纪老师连学生寝室都未去过。纪老师说:"对于赖老师的批评,我有必要澄清以下,班主任对下班后辅导同学的老师都作了记载,我本学期共下班辅导12次,也许赖老师没做过调查吧? 那么请赖老师去看看班主任黄老师的记载吧。"在事实面前,赖老师非常难堪。

直率地提出批评,指出错误的实质。对于一贯贬损他人、抬高自己的人在年终考评中大家都应直率地对其提出批评,并分析其行为的实质,使其改变不良行为。某县委办公室干事张某一向喜欢贬低他人,抬高自己。在年终考评中,办公室有五个干事向张某提出了意见,并指出张某这种行为给办公室带来不良影响。张某面对大家直率的批评,不得不认识了自己的错误。

对一贯捏造事实贬损他人者诉诸法律。因为一贯捏造事实贬损他人侵犯了他人的人身权利,对他人的身心造成了损害,因此受害人应该诉诸法律,让其受到法律的惩罚,从而收敛这种不良行为。

总之,贬损他人、抬高自己是一种缺乏道德、缺乏修养的行为,具有较大的危害性。有这种行为的人非但不能把自己抬高,而且迟早会被摔个粉碎。

◉丢弃以己为先的习惯

学广告设计的张应娜,毕业后进入一家 3A 广告公司工作,她非常满意自己的工作。但渐渐地,张应娜的老板和同事对她却越来越不满意了。她的同事抱怨说,张应娜做事太奇怪,只顾自己,不管别人。公司在冰箱里给大家准备了加班时的夜宵,每份食品都是固定搭配,虽然没有人规定,但大家都自觉地整份食用,但张应娜却不管这些,她总是把各份食品里自己喜欢的挑出来吃。同事曾经指责过她一次,但她却说:"我管什么规则不规则,我只能先照顾好自己再说。"还有,有时候几个人都要用一份公共材料,张应娜却不管别人急不急,自己先抢过来再说……

后来,又发生了一件事,让老板也开始讨厌起她来。有一次,她为了搞设计,从网上找了很多资料,但她为了图方便就直接从网上引用,没有做标记,也没有下载。等到开会时,老板向她要那些资料,她就让文员按照一条条再去网上找。老板大吃一惊,责问她说:"你当时为什么不直接下载下来?"张应娜振振有词地回答说:"那多麻烦! 我也赶时间呀! 再说咱们公司不是有文员吗? 慢慢找吧,反正这就是她们的工作!"老板当时被她气得简直说不出话来,他有那么多员工,但还从来没见过这样只顾着自己的。张应娜的这个习惯一直没改,后来又出了几次这样的事,尽管她的设计做得不错,但最终老板还是让她走人了。

其实,像张应娜这样的人,走到哪里都不会有人接纳她。因为她习惯只顾着自己,以己为先,为了一己之利,为了个人的方便,就不顾别人,以这样的方法来待人处世,在任何地方都是行不通的。

一个中国女孩去美国加州州立大学留学,在那里,她很快交上了一个朋友丽莎:有一天,中国女孩在大学里散步正巧碰上丽莎站在广告栏前发呆,她走上去一问才知道,原来学生会交给她一项任务,在校园里醒目的位置张贴几十张"文化节"海报。学校的标志性的公共场所都有广告栏,所以丽莎很快就贴得七七八八。当她再回到学生会,准备贴最后一批海报时,她发现广告栏已经贴满了。怎么办?

中国女孩不禁脱口而出:"广告栏里有几条东西早过时了,贴上去没什么问题。"丽莎回答:"我不确定。"女孩心想,这姑娘真笨,连上星期的活动都记不住。再说,有些学生卖车租房交友信息,到处的广告栏贴得都有,将其覆盖一二又有何妨? 跟她一建议,回答更绝:"他们会投诉的。"

这下中国女孩不管了,就找了份报纸坐到旁边去看。只见丽莎上到 Union 的露天中厅里在四周的木柱子上比划着。个别学生会在那上边贴或钉东西,但很不雅观,柱子也被弄得不干净。她暗想,你不也得这么干吗? 是不是这样就没人投诉? 丽莎比划了一会儿就走开了。她到底想怎么办? 好奇的中国女孩决定看下去。

丽莎回来了,拿了很多新东西。她先用彩色的塑料布将一根根木柱包起来,用透明胶封好口,然后再在塑料布一面贴上海报,她干得一丝不苟。不一会儿,10 根柱子都弄好了,一派鲜活生动又整整齐齐,既利用了空间又保持了清洁,看起来很有艺术效果,将来取下来也非常方便。

这个中国女孩被丽莎的"作品"震动了。她既没有用"学生会"的名义"覆盖"掉个别学生的"私有空间",也没有随随便便去占用公共空间,她不是只想着自己怎么方便,而是在解决自己的问题时也在为别人着想。

而在中国,很多人却缺少这种素养,他们习惯事事以己为先,不顾别人,结果引发了很多社会问题。

在某栋居民楼里,汪姓人家和赵姓人家是邻居,汪家是老住户,赵家是两个月前刚搬来的。虽然仅仅做了两个月的邻居,但两家却至少吵了 10 次,都是为了一些鸡毛蒜皮的小事,赵家说汪家把自行车和破木柜都堆在狭窄的楼道里,妨碍了他们的进出;汪家就说赵家从来不打扫走廊,自私自利。其实两家都有问题,他们都习惯于把自己的利益、自己的方便置于社会公德之上,以前与汪家为邻的是一对老年夫妻,两个老人宽厚,吃点亏也不计较,因此两家相处得还算好,但现在换了同样脾性的赵家,两家就难免发生矛盾了。

过了不久,一场大的冲突终于爆发了:赵家的媳妇出门时手里拿了个香蕉吃,但不小心却掉在了门口的地上,她懒得捡起来丢进垃圾筒,就一脚踢到走廊里去了,结果汪家的儿子踢球回来,一不小心踩到了香蕉皮上,额角撞到了自家的柜子上,顿时血流如注,送到医院缝了五针。汪家大骂赵家缺德,乱丢垃圾,赵家说活该,谁让他们在走廊里堆东西⋯⋯越吵越凶,最后两家大打出手,锅、铲、扫帚满天飞,结果,六个人因此受伤,汪家的老太太还被气得犯了心脏病,两家为此又打了一场官司。

这场悲剧的罪魁祸首,就是两家人都有只顾着自己,以己为先的习惯。如果他们都能有点公德心,多为别人着想一下,也就不会出现后来的情况了。

生活中,我们千万不能养成只顾着自己,以己为先的习惯。只有处处为别人着想,我们的生活才会更加的和谐与美好!

第六章　从习惯的误区中走出来

　　每个人身上都会有一些坏习惯，这个并不可怕，毕竟知道后把它改正就好了。可怕的是那些自己不知道的坏习惯，而且一直把坏习惯当成好习惯，导致自己一直深陷于习惯的误区中。因此，我们应增强分辨能力，让自己早日走出习惯的误区。

◉根除习惯的痼疾

　　可以肯定地说，生活中的每一个人都有着许多好的习惯，同时也有着一些坏习惯。在我们处事交际过程中，应该保留这些好的习惯，而戒除那些坏习惯。

　　在我们的性格中有许多惰性的东西，这并不奇怪，因为我们的民族文化中消极的思想就不少。从老子的清静无为到佛教的四大皆空，从道教的返璞归真到民间的梦幻风俗，中国人从感情上到思想上，从想象中到行动上有着太多的雷区。习惯成为一种时髦的东西，一种处世原则，一种思想哲学。"难得糊涂"是一种习惯，"明哲保身"也是一种习惯，"各人自扫门前雪"是一种习惯，"无为而治"是一种习惯……习惯是一种浸入骨髓的中国人的性格，更是一种情商痼疾。

　　因为害怕失败，我们没有对成功投入更多的情感；因为害怕破灭，我们没有对幻想寄托更大热情。总之，正是这种从众的习惯心理，使得安于现状、安于习惯的心理得以传承。同时，习惯心理一旦有了"群众基础"，往往就把消极的思想和习惯同道德与文化及所谓的经验积淀熔铸在一起，成为社会的超稳定力量。

　　《孟子》这部书里讲过这样一个故事：晋国的大臣赵简子有一次让他手下一位很有名气的驾驭能手王良给他自己最宠信的家童驾车去打猎。王良完全按照过去的规矩去赶车，结果整整一天这位家童连一只禽兽也没打到。于是这位家童回来就向赵简子报告说："谁说王良是最优秀的驭手呢？照今天的情况看，他实在是一个顶蹩脚的车夫。"后来有人把这话偷偷地告诉了王良，王良便去找这位家童，说是希望再为他驾一次车。这位家童开始不肯，经王良再三请求，最后才勉强答应。谁想结果这一次与上次大不相同，仅仅一个早晨就打到了好多猎物,家童很高兴,赶紧跑去又向赵简子汇报,说是:"这回我明白了,王良确实是天下最好的车把式。"

后来赵简子又让王良替这个家童赶车,王良却拒绝了,他对赵简子说:"我替他按规矩驾驶车辆,这个人却射不到猎物,我不按规矩办,他却能打到禽兽,这说明他是个破坏规矩的小人,我不习惯给这样的人赶车,请允许我辞去这个差事。"其实王良是一个好驭手,他既能按规矩赶车,也能不按规矩赶车,可他已经长时间习惯了老的赶车方式,心里只想墨守成规,一辈子按老框框办事,所以对破坏习惯的人心里充满了反感,自己不创新却到头反说别人破坏规矩。我们知道驭手的主要职责就是给猎手创造条件,让他打到猎物,如果只能按规矩办,而不管猎手收获如何,那还叫什么本事呢?况且地形与道路千变万化,车子必须随机应变,根据当时的具体条件去驾驶,又怎么能光凭习惯赶车呢?一个赶车的都这么守护自己的习惯,这个世界怎么可能向前发展呢?

然而,这个故事所说明的情况又确实带有深刻的现实意义和普遍意义。现在许多下岗工人不愿去民营单位工作,说是不习惯,不愿意,宁愿回家吃救济,这些人不都是和王良一样,不但自己不懂变通,也不想变通,到头来还埋怨别人标新立异,不守规矩。

因袭旧习惯的中国人可能不知道习惯势力对中国社会会产生怎样的消极影响。一项理论,一个道理,一种看法,一旦长期宣传,就会使人们从小耳濡目染,深入心底,结果就会形成习惯。而且,一旦形成习惯之后,就是很难更改、很难变通,以后就会时时刻刻影响我们对事物的看法,对问题的分析,以及对是非的明辨。这样,人就会变得更麻木,而作为管理者就会变得更容易,但另一方面,习惯的观念可能会使社会停止前进,甚至倒退。

例如:男尊女卑的观念在中国漫长的封建社会里流行了两千多年,显然早已深入人心,形成习惯。所以,即使到了新中国成立近六十年,时间行进到21世纪初的今天,惧内也就是"气(妻)管炎(严)"仍被一般男子汉看成是不太体面的缺点,唯其如此,"妻管严"这句话才成了流传甚广的笑谈。其实,表面看来是笑谈,实际上却反映了人们至少还是认为男人怕女人终归不够体面,否则为什么没人拿"夫管严"来互相取笑呢?既然男女平等,就不应该把哪一方"怕"哪一方作为弱点来嘲笑,况且这个"怕"还非寻常意义上的怕呢?因此,"妻管严"这一句玩笑话,表面看来是抬举了妇女,贬抑了男子,而骨子里却是表现了一种从根本上看不起妇女,未能把男女放在平等地位来对待的不良习惯。

人类的习惯固然有文明的、科学的、健康的一面,例如对尊长的敬重,对晚辈的慈爱,对朋友的恪守信用,对工作的尽职尽责。但是,如果滥用和曲解了这种良好的习惯,也会适得其反。

不仅如此,习惯有时候能够达到黑白颠倒的程度。例如:明朝有位文学家刘元卿写过一本书叫《贤奕编》,其中有这样一则故事。说是:南岐这个地方,处在陕西、四川两省交界的大山中,那里的水质很差,所以居民都有大脖子病,久而久之,他们倒以为这是正常现象了。偶尔有个外地人到了那里,脖子上没有大包,当地人反倒觉得奇怪,都围拢来嘲笑说:"你瞧这个人多难看哟,脖子那么细,完全不像咱们!"如果外地人告诉他们说:"你们的脖子是生了病,长了瘿,要赶快治疗。"他们就会生气地说:"我们这里的人都是这样,你别胡说八道!"这可真是有些认死理到黑白颠倒了。

又例如:尊敬长辈,服从上级这也是好习惯,古代儒家经典兴起一种好习惯,君主赐给熟食,一定要摆正坐席先尝一尝。君主要是赐给生肉,那就得煮熟了供奉祖先。君主赐给活物,一定要尽心尽力地养起来。侍奉或陪着君主吃饭,在君主举行饭前祭礼的时候,要先尝一尝饭菜。试想,总照这样办,谁又受得了呢?但作为习惯的一部分,如果一直流传下来,那么今天的文明世界就会出现咄咄怪事了。习惯对一个人来说可能说不出好坏,但如果习惯成了一个国家一个社会阻碍时代前进的借口和砝码,那么,这样的习惯是应该扔出去喂狗了。

●打破陈旧的观念

在一家效益不错的公司里,总经理叮嘱全体员工:"谁也不要走进8楼那个没挂门牌的房间。"但他没解释为什么,员工都牢牢记住了总经理的叮嘱。

一个月后,公司又招聘了一批员工,总经理对新员工又交代了一次上面的叮嘱。

"为什么?"这时有个年轻人小声嘀咕了一句。

"不为什么。"总经理满脸严肃地答道。

回到岗位上,年轻人还在不解地思考着总经理的叮嘱,其他人便劝他干好自己的工作,别瞎操心,听总经理的,没错。但年轻人却偏要走进那个房间看看。

他轻轻地叩门,没有反应,再轻轻一推,虚掩的门开了,只见里面放着一个纸牌,上面用红笔写着:把纸牌送给总经理。

这时,闻知年轻人闯入那个房间的人开始为他担忧,劝他赶紧把纸牌放回去,大家替他保密。但年轻人却直奔15楼的总经理办公室。

当他将那个纸牌交到总经理手中时,总经理宣布了一项惊人的结果,"从现在起,你被任命为销售部经理。"

"就因为我把这个纸牌拿来了?"

"没错,我已经等了快半年了,相信你能胜任这份工作。"总经理充满自信地说。

果然年轻人把销售部的工作搞得红红火火。

勇于走进某些禁区,你会采摘到丰硕的果实,打破条条框框的束缚,敢为天下先的精神正是开拓者的风貌。

勇敢的个性,在工作上必会有所表现、突破,无论在哪个部门都是别人急于网罗的对象。

如果某人老是呆在同一个地方,容易守旧,丧失创造力,也会成为包袱对象。如果你是只想让你的人生平平淡淡,你可以维持现状,但你想出人头地,就要奋力去争取每个升迁机会。

旧观念就是你的牢笼,你要想自由,你就要自己去打破它。

一个小孩在看完马戏团精彩的表演后,随着父亲到帐篷外拿干草喂养表演完的动物。

这时,小孩注意到一旁的大象群,问父亲:"爸,大象那么有力气,为什么它们的脚上只系着一条小小的铁链,难道它无法挣开那条铁链逃脱吗?"

父亲笑了笑,耐心为孩子解释:"没错,大象是挣不开那条细细的铁链。在大象还小的时候,驯兽师就是用同样的铁链来系小象,那时候的小象,力气还不够大,小象起初也想挣开铁链的束缚,可是试过几次之后,知道自己的力气不足以挣开铁链,也就放弃了挣脱的念头,等小象长成大象后,它就甘心受那条铁链的限制,而不再想逃脱了。"

正当父亲解说之际,马戏团里失火了,大火随着草料、帐篷等物,燃烧得十分迅速,蔓延到了动物的休息区。

动物们受火势所逼,十分焦躁不安,而大象更是频频跺脚,仍是挣不开脚上的铁链。

炙热的火势终于逼近大象,只见一只大象即将被火烧到,它灼痛之余,猛然一抬脚,竟轻易将脚上的铁链挣断,迅速奔逃至安全的地带。

其他的大象,有一两只见同伴挣断铁链逃脱,立刻也模仿它的动作,用力挣断铁链。但有的大象却不肯去尝试,只顾不断地焦急转圈跺脚,于是遭大火席卷,无一幸存。

在大象成长过程中,人类聪明地利用一条铁链限制了它,虽然那样的铁链根本系不住有力的大象,但从小象时就形成的习惯,大象也就习以为常了。

◉大胆突破传统习惯

培养新习惯要背离常规、背离传统的思维,因此,首先要做好思想上的准备——敢于超越常规,超越传统,不被任何条条框框所束缚,不被任何经验习惯所制约。只有这样,才有创新的气魄与胆略,才能产生宽广的思绪与触觉。

三国时期的诸葛亮是有名的政治家、军事家。诸葛亮年轻时与庞统、徐庶等10人一起师事水镜先生。水镜先生要求极为严格,每三年举行一次考试,不合格者即令退学。

三年很快过去了,水镜先生给弟子们的考题是:"从早晨起至午时三刻止,谁能得到我的允许走出水镜山庄,考试就算合格。"这考题离奇怪异,叫人无从作答。出题之后,先生稳坐高台,不管弟子提出何种理由,他总是说"不"。弟子们个个抓耳挠腮,苦思冥想。几个急性子计无所出,只能或大叫"庄外失火",或惊呼"洪水进庄",但均未能诳过水镜先生。徐庶暗中写了封假信,哭着对水镜先生说:"刚刚接到家信,始知母亲病重,弟子心急如焚,想即刻飞回母亲身旁,这考试以后再补上吧!"水镜先生闻后一笑,同意给假,但得待午时三刻后才动身。徐庶凄苦一笑,双手一摊,没辙了。庞统比较滑头,嬉笑着说:"让先生允许我离庄,实在拿不出办法,但如果弟子在庄外,则一定有办法让先生允许我进庄。"水镜先生一听,板起脸:"这点小聪明也想诳我,一旁站着去吧!"

众人都忙着考试,唯诸葛亮伏在桌上睡大觉,待师兄弟们将他推醒,午时三刻就要到了。师兄弟们带着几分幸灾乐祸的神情望着他,那眼神似乎在说:看来,你也没啥能耐。只见诸葛亮揉揉双眼,一脸怒气,突然一个箭步冲上前去,一把抓住水镜先生的衣襟,高声呵斥道:"哪见你这样的先生,净用无理的歪题整弟子,我不学了,还我三年学费!"

众人见诸葛亮要蛮发横,慌了手脚;水镜先生遭受羞辱,也气得发抖。先生急命徐庶、庞统："把这小畜生给我逐出去！"诸葛亮拗着不走，非要退回三年学费不可，徐、庞二人费尽气力，才把诸葛亮拖出庄去。

一出水镜山庄，诸葛亮哈哈大笑起来，随即折身飞回水镜先生跟前跪下，谢罪道："适才为了考试，无奈中冒犯先生，万望恕罪！"水镜先生听罢，转怒为喜。就这样，诸葛亮通过考试了。

与此同时，徐庶、庞统借光出了庄门，考试也算合格了。诸葛亮获得成功，其他师兄弟一无所成，最根本的区别在于如何对待教育制度，如何对待师生关系——思想解放了没有，反传统、反常规的习惯能力具备了没有。

细考诸弟子的答案，都有一个明显缺陷——冲着考题内容而来，目标指向都很明确——我要出庄（传统考试习惯束缚了他们）。这一切自然都在水镜先生意料之中，当然也就无法得逞。显然，诸葛亮比师兄弟们聪明得多。他突破传统习惯，避开考试主题，误导水镜先生，最终在他人不知不觉中达到了目的。

他先以假睡（破坏考场制度）表示对这场考试的无奈与不屑，借以麻醉先生与师兄弟，使人误以为他因缺乏自信心而全然不以考试为意，放松了必要的警惕；接着以极为反常的不敬举动表示对先生的强烈不满和决裂态度（离开考试内容，转移目标），给先生与师兄弟们以极大的震动，将他们的习惯线路引开，自己则巧妙地转移了方向；最后用绝情的语言从否定先生的考试方式入手，全盘否定先生的教学方法，进而断然否定师生关系继续存在的疗能——至此，水镜先生的脑海里不再存留丝毫"考试"的痕迹（完全冲破了考试范围），而误认为是弟子翻了脸（冲破师道尊严传统）。诸葛亮将这场"考试"表演为弟子抗议先生的闹剧，远离了考试主题，大大超出了一般人的意识习惯，从根本上误导了师友的思维。更绝的是，诸葛亮以追索三年学费相要挟，使这场假戏愈演愈真，不容置疑。

◉扔掉盲目跟风的"通病"

跟风、随大流是人类的"通病"，是思维懒汉的"专利"。扔掉"通病"，丢掉"专利"，哪怕是独木桥，也要坚定地走下去。

在一个酷热的夏季，一家水果店前排着长队，人们相互约束：不许加塞，不许超量抢购。之所以生意如此红火，是因为这里卖的是适时对路的新鲜货。但街对面的服装店却冷冷清清的,因为店里积压了大量的防寒服。因此,老板又羡慕水果店,又为自己着急。于是,想出一个办法:他找来几个熟人,认真地向他们介绍商品的特点与优点,并说明价格的合理性,引导他们购买,一时造就一副热销景象。老板不失时机地在店门口醒目处贴上一张广告:"非经许可,每人只能买一件。"售货员不知就里,用怀疑的目光看着老板。

几分钟后,一位顾客看到这里商品俏销,也进店了。他看了防寒服,随即买下一件,又怯生生地问:"只能买一件吗?""很抱歉,为了照顾面广一些,每人只能买一件。"老板悠悠地答。看到这位顾客磨磨蹭蹭不肯离开的样子,小老板额外照顾了两件。过往客人纷纷进来了,这个一件那个两件,争着抢着,好不热闹。有的与售货员套近乎,抱走一大包;有的批评老板的规定,要求多买几件;有的维持秩序,让大家排好队。对面水果店也来电话:脱不开身,请留下两件。就这样,滞销品成了抢手货。

可见,人的思维就有这种习惯和弱点,总认为多数人这样做了就一定有道理,自己何必多加考虑,随大流就是了。在上面的例子中,小老板正是利用了人们的这种"从众"的心理来促进销售的。虽然,有时从众的习惯明显存在严重缺陷,可人们仍不愿批评它,依然盲目跟随,从而导致无谓的悲哀和失败。

◉不仅要用眼睛看,更要用心看

两个天使到人间旅行,一天晚上,他们去一个富有的家庭借宿。

这家主人见他俩穿着平常,一副风尘仆仆的样子,立刻拉长了脸,态度十分冷淡,放着舒适的客人卧室却不让他们进,而是在冰冷的地下室找了一个角落,丢给他们一些破棉絮当被子。

年轻的天使气鼓鼓地跟着年老的天使走进地下室,心想:瞧着吧,我们一定要好好惩罚一下这个势利的主人!

可是年老的天使却好像什么事也没有发生,乐呵呵地把棉絮铺到地上。睡觉前,他忽然发现墙上破了一个洞,就起身把它修补好了。

年轻的天使嘲讽地说:"您可真是有善心呀,人家这样对待我们,你还帮他们补墙洞。"

老天使微微一笑,答道:"有些事并不像它看上去那样的。"

　　第二晚,两人又到了一个非常贫穷的农家借宿。这家主人与前一家截然相反,夫妇俩对他们非常热情,把仅有的一点点食物拿出来款待客人,然后又把床铺让了出来,自己却睡到冰凉的地上。

　　第二天一早,两个天使从睡梦中醒来,发现农夫和他的妻子在伤心地哭泣,原来他们唯一的生活来源——一头奶牛昨天夜里病死了。年轻的天使觉得很难过,希望年老的天使会给这家人一些补偿,可是年老的天使只是轻描淡写地安慰了他们几句,就告辞上路了。

　　年轻的天使于是非常愤怒,走出不远,他一把拉住年老的天使,质问他为什么要这样——第一个家庭为富不仁,老天使还帮助他们修补墙洞;第二个家庭尽管如此贫穷,仍然热情款待客人,而老天使却没有帮助他们阻止奶牛的死亡,凭他的能力,完全可以做到这一点。

　　"孩子,有些事并不像它看上去那样的。"老天使语重心长地答道,"在地下室过夜时,我从墙洞看到里面有个秘密的夹层,堆满了金块。因为那家主人利欲熏心,不愿赈济穷人,所以我把墙洞填上了,不让他发现这些财富。而昨天晚上,死亡之神来召唤农夫善良的妻子,是我用奶牛代替了她啊。"

　　年轻的天使这才恍然大悟,红着脸半天说不出话来。

　　所以,很多时候,我们不仅要用眼睛看,更要用心去看。事情往往就是这样,如果你轻信别人的话,只会按着别人的话去做,而事实说不定恰好相反。

　　袁了凡是明朝人,他年幼时丧父,母亲叫他放弃读书求取功名而改习医术,这样可以济世救人。袁了凡听从了母亲的话。有一天,他在慈云寺里碰到一位仙风道骨的老人。老人慈祥地对他说:"你是做官的'命',明年就可以科举及第,为什么不读书了?"

　　于是袁了凡把母亲叫他放弃功名,改习医术的事告诉这位老人,他同时请教老人为什么会这样说。老人回答:"我姓孔,得到了邵先生所精通的皇极数真传。我见你是有缘人,想把这皇极数传授给你。"

　　于是袁了凡把孔先生请到家中,他的母亲了解原委之后便对袁了凡说:"我们要好好地招待他,既然这位老者精通术数就请他为你推算一下,看看是否灵验。"

　　这位孔先生算了一些事情,结果都十分灵验。因此,袁了凡便相信孔先生所说自己应该是有功名的,于是又去读书,拜郁海谷先生为师。

　　后来,袁了凡又请孔先生替他推算具体的前程。老先生说:"你做童生的时候,县考得第14名,府考得第71名,提学考应当得第9名。"

果然,一年之后,袁了凡三次考试中所得的名次跟孔先生所推算的一模一样。

孔先生又替袁了凡推算终身的吉凶。

"你应当做贡生,等到出了贡后,应被选为四川一知县,上任三年半后便告退。你会活到53岁,可惜没有子嗣。"

不久,袁了凡真如孔先生所说成了贡生,在南都进学一年。这时,他觉得一切已经在"命"里注定,何必再努力,所以整天静坐不动,不说话也不思考,凡是文字一律不看。一年之后,他要到国子监去读书,临行前,先到栖霞山拜会云谷禅师。

云谷禅师问道:"一个人不能成为圣人是因为胡思乱想的念头太多。我看你静坐了三日,却没有起过一个乱念头,这是什么原因?"

袁了凡回答:"孔先生替我算过命了,我的命数已经定了,荣辱生命都有定数,不能改变,想也没有用,自然没有乱念头。"

云谷禅师笑道:"我还以为你是个了不起的人,原来不过是个凡夫。平常人不能没有胡思乱想的心,因此被阴阳束缚住,也即是被所谓的命数束缚,相信命道。然而极善的人可以变苦成乐,贫贱短命变成富贵长寿。反过来,极恶的人可以变福成祸,富贵长寿变成贫贱短命。你先前的二十年都被孔先生算定没有把'数'转动过分毫,所以你是凡夫。"

袁了凡问:"照你这样说,这个'命'不是一定的吗?"

云谷禅师说:"'命'不是一定的,而是由自己把握的,常做善事'命'可以变好,无福也会有福;做了恶事'命'就会不好,有福也会变无福。"

袁了凡进一步问:"孟子说过,道德仁义全在自己心中,我可以努力做到;但是功名富贵不是在我心里而是旁人的,我怎么可以求呢?"

云谷禅师说:"你把孟子的话解释错了。一切福贵都离不开心里。只要你能感动别人,没有做不到的事情。如果你能向自己心里头去求,那不单心里头的道德仁义可以求得到,就是身外的功名富贵也可以得到,而且是不去求便自然得到。"

云谷禅师再引经据典阐述他的观点,使袁了凡心里开始相信"命"是可以改变的。只要由内心做起,把自己不良的习惯改掉,增加福德,自然可以改"命"。

袁了凡又问:"按你自己的想法,你是不是应该功名加身,也有子嗣呢?"

云谷禅师想了一会,回答说:"我不应该有功名,也不会有子嗣。因为有功名的人都是有福相的,我相薄福也薄,又没有行善积德。另外我不能忍耐和担当重大的事情;旁人有不对时,我也无法包容;而且我性情急躁、气量浅狭,有时又显得自大,喜高谈阔论,想做就去做。像这些种种的行为,都是福薄之相,怎么能够取得功名呢?

"此外,我有洁癖,容易动怒,只懂爱惜自己的名节,说话太多。伤了气,身体就不强健。还有,我喜欢喝酒,又常彻夜不眠,也不懂保元气。我有这种种的毛病,所以不应该有子嗣的。"

云谷禅师便教他用功改过的方法。记下每一天的功与过,让他知道每天的所作所为有什么可以改进的。

最后,云谷禅师说:"下决心要改过积善。"一年之后礼部科考,孔先生算他考第三,结果他考第一。这时袁了凡更笃信云谷禅师的话了,更加努力地改过和行善积德,努力地改正坏习惯。当袁了凡将自己的不良习惯逐渐改过后,袁了凡不仅在53岁时没有死,孔先生算定他"命"中无子嗣,结果他也得到一个儿子。

●走自己的路,不迷信权威

在常人的习惯中,专家就是权威,专家说的话都是正确的,可是,一个人要想在人生和事业上取得突破,还得勇于怀疑。

"当别人向你建议不能做这个,或者不能做那个时,你不要管他们。"

"如果你相信自己的梦想会实现,你就会取得成功。"

这是一个"从零到1500万美元的女人"说的话,她就是玛丽亚·艾伦娜·伊瓦涅斯。她的成功经历告诉我们,别人的话未必都正确,即使是所谓的专家也不例外。

在哥伦比亚,当玛丽亚·艾伦娜·伊瓦涅斯只是个十几岁的孩子的时候,她的父亲就让她参加了一个电脑的学习班。虽然那时在拉丁美洲电脑的标价是10万美元,非常昂贵,但是电脑还是越来越普及了。玛丽亚·艾伦娜马上就投入到这种革命性的技术中来。1973年,她到美国上大学,学习电脑科学。

毕业后,玛丽亚·艾伦娜产生了一个念头。在当时,美国个人电脑的价格在8000美元左右,而拉丁美洲的个人电脑价格却要昂贵得多。她想,为什么不在拉美销售个人电脑,来开发这个非常有前景的市场呢?1980年,她将自己的想法和许多主要的电脑公司交流过,并请求给她一个机会,在自己的国家销售他们的电脑。

"他们告诉我不要提这事,"玛丽亚·艾伦娜回忆说。"电脑销售执行经理们说,拉丁美洲正处于经济危机之中,许多国家都十分贫穷,那儿的人们没有钱来买电脑。因此他们认为拉丁美洲的市场太小了,根本不值得他们去开发。"

但玛丽亚·艾伦娜却不这么认为。当别人只看到各种局限性时,她却看到了各种市场机会,他说:"我想,即使这个市场只有1000万美元的承受能力,对我来说已经足够了,我能从中挣到钱。而且由于它很小,所以就不会有什么人为它去竞争。"

当时她只有23岁,是个女人,没有任何销售和市场经验,这些是被她见过的经理们称为对她的三个不利因素。但是她却清楚地知道两件事:一是在美国电脑比较便宜,其二就是拉丁美洲需要便宜的个人电脑。为达到目的,玛丽亚·艾伦娜不得不答应所有订货必须预先付款。就这样,Altos电脑公司在没有承担任何风险的情况下,给了她9个月的境外代理商资格。

她接下来要做的就是与旅行社联系。玛丽亚·艾伦娜的要求非常简单:"为我在迈阿密飞往阿根廷的班机上定个座位,在每个我不必支付额外停靠费用的主要城市停靠。"这就是玛丽亚·艾伦娜设计的市场推广计划。她又说:"无知有时是值得庆幸的,或许能带来意想不到的结果,我真的不知道自己会碰到些什么。"

由于没有任何的销售推广经验,玛丽亚·艾伦娜所有行动的向导就是坚信自己的目标和信念。她在哥伦比亚下了飞机,住进了一家宾馆,拿起了当地的电话号码本,开始给当地的电脑零售商们打电话。"当时我想,广告做得越大的公司,它们的规模和业务量一定也非常大。所以我打电话时首选那些做广告最大的公司。"第二天玛丽亚·艾伦娜被约会塞得满满的,她飞奔着赶往一个个约会。

在20世纪80年代,女工程师非常少,而且拉丁美洲的许多商人还很不习惯与女人做交易——尤其与一个看上去只有18岁、娇小而年轻的金发女郎。但她用自己年轻人特有的热情和自己的教育背景以及对电脑的丰富知识,将可能产生的不利因素转化成了优势。玛丽亚·艾伦娜这样描述了她后来的客户当时对她的反应:"他们对一个女人谈论他们不知道的,当时最新的技术和事物非常着迷。他们的反应令人非常满意,因为我有很棒的产品,而且我提供的价格很有优势,将使他们可以和一些大的经销商竞争了。"

在三个星期的行程中，玛丽亚·艾伦娜旋风般地穿行于厄瓜多尔、智利、秘鲁和阿根廷。在每个国家，她都用同样的办法来推销她手上的产品。"我原本计划销售1万美元的产品要一年后才能返回美国，出乎意料的是，我仅仅用三个星期的时间就接到了价值10万美元的订单和预先付款的现金支票。"这对于在大学计算机实验室教课每小时挣6美元的人来说，这简直是个天文数字。

渐渐地，玛丽亚·艾伦娜的销售额超过了百万美元，甚至是数百万美元。在其后的5年里，玛丽亚·艾伦娜的销售额达到了令人震惊的1500万美元。1987年，在《公司》杂志登载的500家发展最快的公司的排行榜上，玛丽亚·艾伦娜的"国际微系统公司"排在了第55位。1988年，玛丽亚·艾伦娜卖掉了公司，继续开展这方面的业务，：三年后销售额达到7000万美元。

后来，玛丽亚·艾伦娜又组建了一个新公司开始向非洲销售电脑，市场专家们又一次告诉她说非洲太穷了，根本就不适合个人电脑销售，尤其是在那样一个男人占统治地位的社会里，一个外国女性在非洲销售电脑就更不可能了。那时的玛丽亚·艾伦娜早已经习惯这些消极的反应了，她认为这些专家们的目光非常短浅。她相信自己对未来趋势的预见。1991年，她仅仅带了一份产品目录和一张地图就乘飞机到了肯尼亚首都内罗毕，开始了她的销售活动。她住进宾馆后，就又拿起电话号码本开始联系当地的经销商。两个星期后，她带着价值15万美元的订单飞了回来。

玛丽亚·艾伦娜先是从自己的汽车房，然后又从一间小货仓里开始海运她的产品。虽然规模非常小，但是越来越多的订单却纷纷而至。在4个月的时间里，她用海运方式销售了价值70万美元的产品。第二年玛丽亚·艾伦娜公司的销售额增加到了240万美元，第三年翻了一番，第四年又翻了一番。由于在20世纪90年代前几年中，玛丽亚·艾伦娜的"国际高科技销售公司"的平均销售额为1300万美元，所以它又登上了《公司》杂志当年的500家发展最快的公司的排行榜。而玛丽亚？艾伦娜本人也成了本杂志历史上唯一一个白手起家，并使两个不同的公司分别登上著名排行榜的人。

由此可以看出玛丽亚·艾伦娜成功的原因：有好的产品可以进行销售，是玛丽亚·艾伦娜成功的关键。但更重要的是，她的成功是建立在她对自己的信心和矢志不移的实践之上，而没有轻易相信专家的话，被传统的习惯所左右。

●别老说自己不如人

不久前,我应邀前往一家大公司参加年会,并在会上发表演说。会中有一位老人哈利先生当场宣布退休,公司董事长乔治先生首先站起来作一次例行讲话,说一些哈利先生对我们公司多么有价值、有贡献,以及现在他要退休,我们对他多么怀念的话。

庆祝大会结束后,哈利先生好像被人遗忘了一样,他用手背轻轻地触了我一下,对我说:"你是否能给我 30 分钟的时间,我有话要对你说,顺便发泄一下我心中的郁气。"

我无法拒绝这样的请求,于是带着他来到自己下榻的旅馆套房,点了一些饮料和三明治。

"在公司待了那么多年,可谓是劳苦功高,今天晚上光荣退休,真是一个值得纪念的日子。"我打开话题,然而哈利先生却说道:"今天我并不快乐,我真是不知道该怎么说才好,这是我一生中最悲伤的夜晚。"

"为什么?"我问道。我想要使他认为我很吃惊,其实我心中并不吃惊。

"今晚我只是坐在那里面对我惨痛的一生而已。我感到自己一事无成,彻底失败了。"

"你准备做些什么?"我问道,"你现在才 65 岁而已。"

"还能做什么,我将要搬到老人村里去了,住在那里直到老死为止,我有一笔不少的退休金以及社会保险金,这些钱足够我养老了。"他很痛苦地说,"我希望这样的日子很快就来临。"

我们陷入了沉默,然后他从口袋中取出今晚才拿到的退休纪念表,说道:"我想把这件礼物丢掉,我不希望留下这些痛苦的记忆。"

渐渐地,哈利先生已经放松下来,他继续说道:

"今天晚上,当乔治先生站起来致辞时,你可能无法想象我当时多么悲伤。乔治先生和我一起进入公司,但是他很上进,节节攀升,我却不然。我在公司领到的薪水最高不过 7250 美元,而乔治先生却是我的 10 倍,还不包括种种红利以及其他福利在内。每当我想起这件事,我总是认为乔治先生并没有比我聪明多少,他只是不怕吃苦,经得起磨炼,能完全投入工作,而我没有做到这一点。"

"公司内外有很多机会,我都可能获得晋升的,例如我在公司待了五年后,有一次公司要我到南方去掌管分公司,但是我自己因为感到无能为力而拒绝了,每次当这种绝好的机会到来时,我总是找一些借口来推托。现在,我退休了,一切都已经过去了,我什么也没有得到,真是往事不堪回首啊。"

在哈利的一生中,他一直游移不定,没有任何实际目标可言。他惧怕真正地面对生活,害怕挺身而出,承担责任,总是找借口来推搪工作,结果到工作生涯结束时也毫无成就感可言。

哈利先生像无数人一样,把自己判入终身的心理奴隶的牢笼之中。这种奴隶并不限于某一种类型的工作:在办公室中,在商店里,在农场上,以及每一个地方,我们都发现有这种奴隶存在。

这些现代的奴隶都是他们自己选择的,而不是被其他人强迫去当奴隶的。他们之所以会选择当奴隶,是因为他们不知道如何获得解脱,获得自由。

因为自闭、畏惧、爱找借口,他们一般不喜欢和别人合作。这个特点决定了他们工作效率低下,很难有所成就。

如果你在工作中挑肥拣瘦,为了一点小事就可以和同事闹翻,为了一点蝇头小利就断绝和客户的往来,那你无疑是个不具备合作精神的人。因为不具备合作精神,你不思和解,反而以更大的恶意对人,这又会使你陷入更大的窘境。

迎难而上,硬着头皮去做,再困难的事也会变得容易。而那些你不喜欢的事,也会成为你最大的兴趣。别给自己找借口,也别说自己不如人,人生的未知数要靠自己去解。

◉事事追求完美没有必要

过分追求完美的习惯不一定是好的。毕竟追求完美是一种偏激,更严格地来说,是一种不健康的心理在作祟。当然,完美本身不是过错,也许你不能把每一件事情做到完美,但是,你必须清楚,你不能在完美面前认输,因为你的每一次追求都是一种接近完美的过程。

1.学会和不完美的自己相处

我们可以追求自我完美,但不是丧失自我。

可能你一直很受宠爱,在夸赞声中长大,突然发现自己原来并不像期待的那么好,你能接受不完美的自己吗?

可能你一直像父母那样严格要求自己,内心总是在排斥真实的自己,嫌自己不完美,在出现错误时,你能原谅自己吗?

可能在你遇到平生最大的打击时,你无法相信事实,你怀疑自己的能力,你害怕面对现实,你还能发现自己的潜力和优点吗?

很多人因为种种挫折和痛苦,内心极度矛盾,一方面追求自身完美,另一方面又讨厌自己,常常找不到真实的自己。也有很多人在失望的时候,没有及时调整心情,形成习惯性自卑,一遇到问题就紧张害怕,退缩不前。

追求完美,首先要学会和不完美的自己相处。不要求自己事事做好,不害怕失败的自己,这样你才能发现、摸清自己的"底细",才能感受到自己的力量,才能真正地选择合适的方式完善自我。

2. 关注现在,立即行动

你是否经常出现如下症状:

一生气就不想说话,没有感觉或不能做事;

因心情不好而整天闷闷不乐;

不能主动结识你所喜欢的人;

辱骂自己所爱的人;

整天在家里冥思苦想;

不能从事自己喜爱的工作;

无法入睡。

你知道吗,这是你没有找到合适的方式来表现自己。你苛求自己和他人来面对不如意的生活,其实这是一种惰性,也是一种逃避。这种方式不会使事情变得更好,反而会使你迷失方向。

追求完美需要你关注现在,立即行动。不要因为追求完美而裹足不前,不要再强迫自己"干好",因为"干"本身才是关键所在。要注意提醒自己,你可以对自己的情绪和生活质量负责,也只有你自己,才能知道什么样的方式能帮助你实现自己的梦想。

3. 活出你自己

生活中,你是不是很在意别人对你的感受和评判? 比如,学习努力是为了博得老师和家长的喜欢;工作辛苦是为了避免来自上级和他人的不佳评价;在生活中更是精心地维系着一种和谐真诚的家庭关系……尽管这种追求注定要承受失望和挫败,但是你依然乐此不疲。从现在开始走自己的路,活出你自己吧。

和许多抽象词汇一样，"完美"只是一个理想中的极点，在现实生活中，没有完美的人和情。完美可以成为我们努力的方向，也可以用作激励自我的动力。追求完美应该是"尽全力做好每件事"，也就是说，重要的是过程中的付出，而不是结果上的验收，更重要的不在于别人的赞同与肯定。

不能容忍美丽的事物有所缺憾，是多数人在现实中持有的一种心态。但他们从未想过，正是这种似乎无关紧要的生活态度，给他们的生活带来了巨大的压力。如果进一步分析，有些渴望完美的人是出于一种自我保护的需要。根据格式塔心理学，安全感是人的最基本需要之一。

假如一个人缺乏自信，生活上屡遭挫折，那么他的安全感就受到了伤害，这种伤害需要通过其他途径来加以补偿。无须仔细观察就可以发现，生活中每干一件事就想把它做得完完美美的人，并不是一个强者。恰恰相反，这些追求完美者企望毫无瑕疵的结局，只是想把自己保护起来，免受他人的指责和讥讽。

心理学研究证明，试图达到完美境界的人与他们可能获得成功的机会，恰恰成反比。追求完美给人带来莫大的焦虑、沮丧和压抑。事情刚开始，他们就在担心着失败，生怕干得不够漂亮而辗转不安，这就妨碍了他们全力以赴去取得成功。而一旦遭到失败，他们就会异常灰心，想尽快逃避失败的境遇。他们没有从失败中获取任何教训，而只是想方设法让自己避免尴尬的场面。

很显然，背负着如此沉重的精神包袱，不用说事业上的成功，就是在自尊心、家庭问题、人际关系等方面，也不可能取得满意的效果。他们抱着一种不正确和不合逻辑的态度对待生活和工作，他们永远无法让自己感到满足，每天都是焦灼不安的。只求完美，害怕失败，只能使我们处于瘫痪的境地。

如何从追求尽善尽美的诱惑中摆脱出来呢？专家的建议是：

第一，对自己的潜能有个正确的估计。既不要把自己的能力估计得太高，更不必过于自卑。不要拿自己的短处与人竞争，要在自己长处上培养起自尊、自豪和工作的兴趣。

第二，重新认识"失败"和"瑕疵"。一次乃至多次的失败并不能说明一个人价值的大小。仔细想一下，如果从不经历失败，我们能真正认识生活的真谛吗？

第三，为自己确定一个短期的目标。寻找一件自己完全有能力做好的事，然后去把它做好。这样你的心情就会轻松自然，行事也会较有信心，感到自己更有创造力和更有成效。实际上，你不追求出类拔萃，而只是希望表现良好时，你会出乎意料地取得最佳的成绩。目标切合实际的好处不仅于此,它还为你提供了一个新的起点,能使你循序渐进地去摘取事业上的桂冠。同时你的生活也会因此而充实起来,变得富有色彩,充满了人情味,而并不像你原来所想的那样黯淡了。

◉小节也不可不拘

俗话说"成大事者不拘小节",事实果真如此吗? 其实,坏习惯不论大小,都应坚决摒弃,以免小节不拘伤大节。

当同桌的几个人围坐在餐桌旁准备就餐时,你自己一个人手拿筷子敲打碗盏或者茶杯;主人尚未示意开始,自己一个人就已经狼吞虎咽;不等喜欢的菜肴转到自己跟前,就伸长胳膊跨过很远的距离甚至屁股离座挑食菜肴;喝汤时"咕噜咕噜"、吃菜时"叽叽叽叽"作响;用餐尚未结束,自己的饱嗝已经连连打出,等等这些习惯都可看出一个人不拘小节。那么,怎样的吃相才算雅呢?

在入座之后,一面做好就餐的准备,一面可以和同桌的人随意进行交谈,以创造一个和谐融洽的用餐气氛。不要旁若无人,兀然独坐,也不要眼睛紧盯着餐桌上的冷菜之类,显出一副迫不及待的样子,或者下意识地摆弄餐具。开始用餐时应注意只有当主人示意开始时,客人方可开始;用餐的动作要文雅,夹菜时不要碰到邻座的客人,也不要把盘里的拨到桌上,更不能打翻盘碗。使用筷子也在长期的生活实践中形成了一些礼仪上的忌讳:

一忌敲筷,即在等待就餐时,不能一手拿一根筷子随意敲打;

二忌掷筷,即在发放筷子时要轻,相距较远时可以请人递过去,不能随手掷在桌上;

三忌叉筷,也就是筷子不能一横一竖交叉摆放或一根是大头,一根是小头;

四忌插筷,即不论在何种情况下,都不能把筷子插在菜上或饭碗里;

五忌挥筷,在夹菜时不能把筷子在盘里翻来搅去,也不能让两个人的筷子在碗中发生交叉;

六忌舞筷,也就是在说话时不能把筷子作道具在空中乱舞或者用筷子指点别人。

另外,在日常生活中还要注意以下小节:

1.不要当众搔痒

大家都知道搔痒的举止不雅。搔痒的原因通常多是由于皮肤发痒而引起的。其中有些属于病理的原因,例如体质过敏,皮肤好发疱、疹,有时奇痒难忍;有些属于生理的原因,如老年人因皮脂分泌减少,皮肤干燥,也容易产生搔痒。在出现这类情况时,当事者要按所处的场所来灵活掌握。如处在极严肃的场合,就应稍加忍耐;如实在忍无可忍,则只有离席到较隐蔽的地方去搔一下,然后赶紧回来。因为不管你怎样注意,搔痒的动作总是猥琐的,总以避人为好。尤其有些人爱搔痒纯粹是出于习惯且无意识,只要人稍一坐停就不断用手在身上东抓西挠,这更是不好的习惯,应尽量克服。

2.要防止发自体内的各种声响

生活经验告诉我们,任何人,对发自别人体内的声响都不太欢迎,甚至很讨厌。诸如咳嗽、喷嚏、哈欠、打嗝、响腹、放屁等等。当然,这些声响有的只在人们犯病或身体不适时才有,例如打喷嚏,常常是在一个人患感冒的时候才发生。当出现这种情况时正确的做法可用手帕掩住口鼻以减轻声响,并在打过喷嚏后向坐在近处的人说声"对不起"以表示歉意。但是,有的却也是由于习惯所造成,主要是因本人不重视、不关心别人的心理所致。比如,有些人在大庭广众之下,不断哈欠或者连连放屁,竟然也不脸红。像这样就是很不好的习惯了,应当注意改正才是。

3.不要将烟蒂到处乱丢

许多人都反对抽烟,究其原因,与不少抽烟者缺乏卫生习惯不无关系。有些吸烟者往往不注意吸烟对别人所造成的不便,他们不了解,不吸烟者除了害怕烟味会引起呛咳外,还讨厌随风吹散的烟灰,它不但使人感到不舒服,有时带有余烬的烟蒂还容易引起事故。这些都使不吸烟者有一种自发地抵制吸烟的情绪,所以,如果吸烟者随意处置吸剩的烟头,将它们丢在地上用脚踩灭,或随手在墙上甚至窗台上捻灭等,都是很令人讨厌的。对此,也必须自觉加以纠正。

4.吐痰务必入盂

随地吐痰,也是一种令人侧目的坏习惯。有些人由于积疾较深,随意将痰到处乱吐。甚至在水泥和木头地板上也如此,这确实是种令人作呕的不文明行为。因为,随地吐痰之惹人厌恶,不仅由于痰是脏物,吐在地上会直接弄脏地面,而且还会污染环境,传播疾病,损害人的健康。所以,文明的做法应当是将痰吐入痰盂;如果周围没有痰盂,就应到厕所里去吐痰,吐后立即用水冲洗干净。

在日常的社会生活中,行为举止的习惯并不仅仅如上面所说的各种规范的约束,表现出明显的被动性特点。同时,它的其中一部分内容也已经被用作表示礼貌、增进感情、扩大交流的非常有效的手段,某些举止已经被赋予了特定的意义。正确掌握和使用这些举止或动作也可以显示出一个人的教养水平。

下面,择其要者作一简单介绍。

握手。多数用于见面致意或问候,也是对久别重逢的亲友相见或辞别时的礼节。习惯上握手还是一种表示感谢或相互鼓励的表示。比方说赠送礼品或颁发奖品后,都可以用握手来表示祝贺、感激或鼓励之意。

点头。这是与别人打招呼时使用的礼貌举止。通常多用于迎送的场合,尤其是在迎送者有许多人时,用点头就可以向许多人同时致意,表示对见面的喜悦或对离别的惆怅。在其他场合有时也用到点头。

举手。这也是与别人打招呼的礼貌举止。通常用于和对方远距离相遇或仓促擦身而过的时候。它的用意在于表示自己认出了对方,但因条件限制而无法站停施礼或对方交谈。用这种随机的礼貌举止可以消除对方的误会,并感到与正常招呼差不多的满意。

起立。这是位卑者向位尊者表示敬意的礼貌举止。现常用于集会时对报告人到场或重要来宾莅临时的致敬。平时,坐着的男士看到站立着的女子,或坐着的年轻者看到刚进屋的年长者,或者在送他们离去时,也可以用短暂的起立来表示自己的敬意。

欠身(弯腰)。欠身或者弯腰,都是向别人表示自谦的礼貌举止,也就相当于在向对方致敬。它与鞠躬的差别,只有程度上的不同而已,即鞠躬要低头,而欠身或弯腰仅仅是身体稍向前倾,但不一定低头,两眼可直视对方。

鼓掌。这是表示赞许或向别人祝贺的礼貌举止。通常用于在聆听别人的长篇讲话和讲演,看完、听完别人的表演、演奏或献计之后,用以表示自己的赞赏、钦佩或祝愿。鼓掌一般当然出声,但也可以不出声而仅仅做出鼓掌的样子,不过应当让对方直接看到。

抱拳。这是身份相仿者之间相致敬意的礼貌举止。它是由我国古人在相互见面或告辞时,互作长揖的礼仪动作演变而来的。由于它简便易行,所以目前不少人仍喜使用。

合十(即两手合拢置在胸前)。这是兼含敬意和谢意两重意义的礼貌举止。最初仅通行于出家人即佛门弟子之间,以后逐渐流传到俗家人之间。因为这种礼貌举止很文雅,为雅俗共赏,所以不少人也乐于使用。

拥抱。这是表示亲密感情的礼貌举止。通常仅用于外事及送往迎来的特殊场合。有时,有前嫌的双方在误会消除时也常常用拥抱来表达一些难以用语言来说明的复杂感情。但这种表达方式我国在异性之间都比较慎重,轻易不大使用。

表示礼貌的举止习惯当然不止这一些,这里提及的是其中比较常见的若干种。从根本上说,这些礼仪举止没有哪一种是我们任何一个人所不能做到的,只要在日常生活中多注意一些,这些举止中所包含的各种思想感情已经明明白白地传送了出去,不仅说明了你是一个有礼貌的人,更可以使你在人际交往中如鱼得水,顺畅自如。

◉打扮并非女士的专利

或许很多人都认为,注重打扮或保持吸引力是女人家的事。因此,我们常常被警告不得戴着发卷或脸上涂满面霜上床。我们也常常被告诫身上不得有体臭,或双手不能有洗锅水的怪味等等,并且要注意不得过胖或邋遢。有许多妇女费尽心机要保持年轻苗条,我想主要的原因大概是害怕一旦失去了青春气息,便也会同时失去丈夫。

但是,男士们又如何呢?他们每天早上八点钟出门,直到晚上才回家吃饭。也许,他们上班的时候是西装笔挺,但在家里的德性却像尚未整理过的床铺一样,不忍目睹。周末是难得的轻松时刻,他们通常穿着旧 T 恤,跷着二郎腿,目中无人地只顾看报纸。或者,他们会穿着破拖鞋到处走来走去,不洗脸,不刮胡子,并且还自我陶醉地认为自己是多么潇洒,太太能跟他结婚真是运气。

这种邋遢的男子大概从没想到,太太们也是希望自己的另一半清洁整齐。当然,无论你是穿着粗布工作衣,或体面的晚礼服,太太都一样爱你。但是,她更喜欢你能洗脸刮胡子,至少在她眼前晃来晃去的时候,能对得起她的眼睛。

一名真正的男子当然不靠外貌,但外表却是他人见到你时对你的印象。以下是些简要的注意事项,可以让你更能得到女性的好感,包括太太在内。

其一,时时剪头发,使你看起来整齐清爽。

其二,在大白天的时候,千万别忘了刮胡子。除非你打算和其他的男性到森林打猎或钓鱼。

其三，永远保持看起来、闻起来、而且的的确确是干净整洁。别以为香皂只是给女性专用的。

其四，长裤的褶痕要鲜明笔挺。男士们开始颓靡的第一个征兆，便是长裤的褶痕消失不见。

其五，皮鞋要擦亮，袜子要拉平，并时时保持愉快的面容。

其实不管男人还是女人，给人的第一印象最重要的不是漂不漂亮，而是干净整洁与否，不修边幅既对人不尊重又破坏自己的形象。

秦君和乔君是同一天来到这家著名广告公司应聘美编的，单从两个人的作品上看，技术水平不相上下。不过秦君在思路方面略胜一筹，因为她在深圳做过三年这个行当，刚刚回到北方来，经验相对于才出校门的乔君自然要丰富一些。两个人一起被通知参加试用，而且结果很明确，只能留下一个。

秦君上班时间从来都是一身T恤短裤的打扮，光脚踩一双凉拖，也不顾电脑室的换鞋规定，屋里屋外就这一双鞋，还振振有词地说："深圳那儿上班的人都这样，再说我这不是穿着拖鞋吗。"不管是在工作台前画图，还是在电脑前操作，只要活干得顺手，一高兴起来准把鞋踢飞。刚开始，同事们还把她的鞋藏起来，和她开玩笑，后来发现她根本不在乎，光着脚也到处乱跑。相反，乔君是第一次工作，多少有点拘谨，穿着也像她的为人一样——文静、雅致之外，带着些许灵气，她从来不通过怪发型、亮眼妆来标榜自己是搞艺术的，只是在小饰物上展示出不同于一般女孩的审美观点来，说话温温柔柔的，很可爱。

有一天中午，电脑室的空气中忽然飘出腥臭味道，弄得一班人互相用猜疑目光观察对方的脚，想弄清到底谁是"发源地"。后来，大家发现窗台下面有嗦嗦的响声，原来那里放着一个黑色塑料袋，有胆子大的打开来一看，居然是一大袋海鲜。众人的目光不约而同地集中在秦君身上，没想到这小妮子坦坦荡荡地说："小题大做，原来你们是在找这个。嗨，这可怪不得我，这里的海鲜只能算是海臭，一点都不新鲜，简直比深圳的差远了。"这时乔君端过来一盆水："秦君姐，把海鲜放在水里吧，我帮你拿到走廊去，下班后你再装走。"秦君一边红着脸，一边把袋子拎走了。

结果呢，试用期才进行了两个月，秦君背包走人，尽管她的方案比乔君做得要好，但是老板不想因为留下这样一个太不修边幅的人，而得罪一大批其他雇员。

"你的才气和个性都不能成为你搅扰别人心情的原因，也许你更适合一个人在家里成立工作室，但要在大公司里与人相处，处世得体和合作精神是十分重要的。"临走的时候，老板这样对秦君说。

●熟人之间也不能随便过头

现实生活中,许多人交友处世常常习惯认为:熟人之间彼此了解,亲密信赖,如兄如弟,财物不分,有福共享,讲究客套太拘束也太外道了。其实,他们没有意识到,熟人关系的存续是以相互尊重为前提的,容不得半点强求、干涉和控制。

熟人之间再熟悉,再亲密,也不能随便过头,不讲客套,这样,默契和平衡将被打破,友好关系将不复存在。和谐深沉的交往,需要充沛的感情为纽带,这种感情不是矫揉造作的,而是真诚的自然流露。中国素称礼仪之邦,用礼仪来维护和表达感情是人之常情。当然,我们说熟人之间讲究客套,并不是说在一切情况下都要僵守不必要的繁琐的礼仪,而是强调好友之间相互尊重,不能跨越对方的禁区。每个人都希望拥有自己的一片小天地,熟人之间过于随便,就容易侵入这片禁区,从而因这种不经意的习惯引起隔阂和冲突。

譬如,不问对方是否空闲、愿意与否,任意支配或占用对方已有安排的宝贵时间,一坐下来就"屁股沉",全然没有意识到对方的难处与不便;一味追问对方深藏心底的不愿启齿的秘密,一味探听对方秘而不宣的私事;忘记了"人亲财不亲"的古训,忽视熟人是感情一体而不是经济一体的事实,花钱不忌你我,用物不分彼此,凡此等等,都是不尊重熟人,侵犯、干涉他人的坏习惯。偶然疏忽,可以理解,可以宽容,可以忍受。长此以往,必生间隙,导致熟人的疏远或厌恶,友谊的淡化和恶化。因此,熟人之间也应讲究客套,恪守交友之道。

对熟人放肆无礼,最容易伤害熟人,其表现有如下种种,不能不小心约束:

其一,彼此不分,违背契约,使熟人对你产生防范心理。

熟人之间最不注意的是对熟人物品处理不慎,常以为"熟人间何分彼此",对熟人之物,不经许可便擅自拿用,不加爱惜,有时迟还或不还,一次两次碍于情面,不好意思指责,久而久之会使熟人认为你过于放肆,产生防范心理。实际上,熟人之间除了友情,还有一种微妙的契约关系。以实物而言,你和熟人之物都可随时借用,这是超出一般人关系之处,然而你与熟人对彼此之物首先有一个观念:"这是熟人之物,更当加倍珍惜。""亲兄弟,明算账。"注重礼尚往来的规矩,要把珍重熟人之物看作如珍重友情一样重要。

　　其二,过度表现,言谈不慎,使熟人的自尊心受到挫伤。

　　也许你与熟人之间无话不谈,十分投机。也许你的才学、相貌、家庭、前途等等令人羡慕,高出你熟人一头,这使你不分场合,尤其与熟人在一起时,会大露锋芒,表现自己,言谈之中会流露出一种优越感,这样会使熟人感到你在居高临下对他说话,在有意炫耀抬高自己,他的自尊心受到挫伤,不由产生敬而远之的意念。所以,在与熟人交往时,要控制情绪,保持理智平衡,态度谦逊,虚怀若谷,把自己放在与人平等的地位,注意时时想到对方的存在。

　　其三,不识时务,反应迟缓,使熟人对你感到讨厌。

　　当你上熟人家拜访时,若遇上熟人正在读书学习,或正在接待客人,或正和恋人相会,或熟人准备外出等,你也许自恃挚友,不顾时间场合,不看熟人脸色,一坐半天,夸夸其谈,喧宾夺主,不管人家早已如坐针毡,极不耐烦了。这样,熟人一定会认为你太没有教养,不识时务,不近人情,以后就想方设法躲避你,害怕你再打扰他的私生活。所以,碰到这种情况,你一定要反应迅速,稍稍寒暄几句就知趣地告辞,珍惜熟人的时间和尊重熟人的私生活如同珍重友情一样可贵。

　　其四,乘人不备,强行索求,使熟人认为你太无理、霸道。

　　当你有事需求人时,熟人当然是第一人选,可你事先不作通知,临时登门提出所求,或不顾熟人是否情愿,强行拉他与你同去参加某项活动,这都会使熟人感到左右为难。他如果已有活动安排不便改变就更难堪。对你所求,若答应则打乱自己的计划,若拒绝又在情面上过意不去。或许他表面乐意而为,但心中就有几分不快,认为你太霸道、不讲道理。所以,你对熟人有求时,必须事先告知,采取商量口吻讲话,尽量在熟人无事或情愿的前提下提出所求,己所不欲,勿施于人。

　　其五,随便反悔,不守约定,使熟人对你感到不可信赖。

　　你也许不那么看重熟人间的某些约定,对于熟人们的活动总是姗姗来迟,对于熟人之求当时爽快应承,过后又中途变卦。也许你真有事情耽误了一次约好的聚会或没完成熟人相托之事,也许你事后轻描淡写解释一二,认为熟人间应当相互谅解宽容,区区小事何足挂齿。殊不知熟人会因你失约而心急火燎,扫兴而去。虽然他们当面不会指责,但必定会认为你在玩弄熟人的友情,是在逢场作戏,是反复无常、不可信赖之辈。所以,对熟人之约或之托,一定要慎重对待,遵时守约,要一诺千金,切不可言而失信。

　　其六,过于散漫,不拘小节,使熟人对你产生轻蔑、反感。

　　熟人之间，谈吐行动理应直率、大方、亲切、不矫揉造作，方显出自然本色。但过于散漫，不重自制，不拘小节，则使人感到你粗鲁庸俗。也许你和一般人相处会以理性自约，但与熟人相聚就忘乎所以。或指手画脚，或信口雌黄、海阔天空，或在熟人言语时肆意打断，讥讽嘲弄，或顾盼东西，心不在焉，也许这是你自然流露，但熟人会觉得你有失体面，没有风度和修养，自然对你产生一种厌恶轻蔑之感，改变了对你的原来印象。所以，在熟人面前应自然而不失自重，热烈而不失态，做到有分寸、有节制。

　　其七，过于拮据，斤斤计较，使熟人认为你是悭吝之人。

　　你可能在择友交友时，认为熟人以友情胜于一切，何必计较经济得失，金钱不能使友情牢固。这种思想使你与熟人相处时显得过于拮据，事事不出分文；或患得患失，唯恐吃亏。对熟人所馈慨然而受，自己却一毛不拔，这会使熟人感到你视金如命，是个悭吝之人。所以熟人之交，过于拮据显得悭吝小气，而慷慨大方则显得豪爽大度，它会使友情牢固。

　　其八，用语尖刻，乱寻开心，使熟人突然感到你可恶可恨。

　　有时你在大庭广众面前，为炫耀自己能言善辩，或为哗众取宠逗人一乐，或为表示与熟人之"亲密"，乱用尖刻词语，尽情挖苦嘲笑讽刺熟人或旁人，大出其洋相以搏人大笑，获取一时之快意，竟不知会大伤和气，使熟人感到人格受辱，认为你变得如此可恨可恶，后悔误交了你。也许你还不以为然，会说熟人之间开个玩笑何必当真，殊不知你已先损伤了熟人之情。所以，熟人相处，尤其在众人面前，应和蔼相待，互敬、互慕、互尊，切勿乱开玩笑、用恶语伤人。

第七章 行动起来，心动更要行动

　　生活不会因为你想做什么而给你报酬，而是因为你做了些什么才给你报酬。对于任何一个人来说，只有行动才是滋润其成功的食物和甘泉。可见，行动的作用非同一般，积极行动的习惯是每一个成功者不可或缺的。

●行动是成功的关键

　　在生活中和工作中，好的目标就好像手中的一枚"指南针"，他指引着人们成功的方向，但如果没有实际的行动，就永远无法到达成功的彼岸。

　　美国海岸警卫队有一名厨师。他从确立了自己的目标开始，就时刻记得行动才是第一位的。

　　这名厨师在空余时间里，代同事们写情书，写了一段时间以后，他觉得自己突然爱上了写作。他给自己订立了一个目标：用两到三年的时间写一本长篇小说。为了实现这一目标，他立刻行动起来。每天晚上，大家都出去娱乐时，他却躲在屋子里不停地写啊写。

　　这样整整写了八年以后，他终于第一次在杂志上发表了自己的作品，可这只是一个小小的豆腐块而已，稿酬也只不过是 100 美元。可他没有灰心，相反他却从中看到了自己的潜能。

　　从美国海岸警卫队退役以后，他仍然写个不停。虽然稿费没有多少，欠款却越来越多了。有时候，他甚至没有买一个面包的钱。尽管如此，他仍然锲而不舍地写着。朋友们见他实在太贫穷了，就给他介绍了一份到政府部门工作的差事。可他却拒绝了，他说："我要做一个作家，我必须不停地写作。"

　　又经过了几年的努力，他终于写出了预想的那本书。为了这本书，他花费了整整十二年的时间，忍受了常人难以承受的艰难困苦。因为不停地写作，他的手指已经变形，他的视力也下降了许多。

　　然而，他成功了！小说出版后立刻引起了巨大轰动，仅在美国就发行了 160 万册精装本和 370 万册平装本。

这部小说还被改编成电视连续剧,观众超过了 1.3 亿人,创电视收视率历史最高纪录。

这位作家的名字叫哈里,他获得了普利策奖,收入一下子超过 500 万美元。他的成名之作就是我们今天经常读到的《根》。

"取得成功的唯一途径就是'立刻行动',努力工作,并且对自己的目标深信不疑。"哈里说。

好的思想固然重要,但行动往往更为重要。演讲大师齐格勒提醒我们,世界上牵引力最大的火车头停在铁轨上,为了防滑,只需在它 8 个驱动轮前面塞一块 1 英寸见方的木块,这个庞然大物就无法动弹。然而,一旦这个巨型火车头开始启动,小小的木块就再也挡不住它了:当它的时速达到 100 里时,一堵 5 英尺厚的钢筋混凝土墙也能轻而易举地被它撞穿。从一块小木块令其无法动弹,到能撞穿一堵钢筋水泥墙,火车头的威力变得如此巨大,原因不是别的,只因为它开动起来了。

其实,人的威力也会变得巨大无比,许多令人难以想象的障碍也能被你轻易突破,但前提是:你必须行动起来。不然,只知道空想,就如同停在铁轨上的火车头,连一块小小的木块也无法推开。

如果我们只是竖立好的目标,而没有实际的行动,那么我们永远也无法成功,因为行动才是成功的关键。

◉事情只有做了才会有结果

世界上有两种人,一是实干家,一是空想家。空想家们善于夸夸其谈、想象丰富、渴望强烈,甚至于设想去做大事情。而实干家则是去做!空想家往往不管怎样努力,都无法让自己去完成那些自己应该完成或是可以完成的事情。但实干家虽然没有空想家那样富丽堂皇的说辞,而总能获得成功。

战国时期,秦国派王齕攻下上党,意欲进攻长平。

赵孝成王听到消息,命令廉颇及部下 20 多万大军守住长平。廉颇叫兵士们修筑堡垒,深挖壕沟,跟远来的秦军对峙,准备作长期抵抗的打算。

王齕几次三番向赵军挑战,廉颇说什么也不跟他们交战。秦昭襄王请范雎出主意。范雎说:"要打败赵国,必须先叫赵国把廉颇调回去。"

过了几天,赵孝成王听到左右纷纷议论,说:"秦国就是怕让年轻力强的赵括带兵。廉颇不中用,眼看就快投降啦!"

赵王听信了左右的议论,立刻把赵括找来,问他能不能打退秦军。赵括说:"要是秦国派白起来,我还得考虑如何对付。如今来的是王齕,打败他不在话下。"

赵王听了很高兴,就拜赵括为大将,去接替廉颇。

蔺相如对赵王说:"赵括只懂得读父亲的兵书,不会临阵应变,不能派他做大将。"可是赵王根本听不进去蔺相如的劝告。

赵括的母亲也请求赵王别派他儿子去。赵母说:"他父亲临终的时候再三嘱咐我说,'赵括这孩子视战争如儿戏,谈起兵法来,就眼空四海,目中无人。将来大王不用他还好,如果用他为大将的话,只怕赵军会断送在他手里。'所以我请求大王千万别让他当大将。"

可是,赵王一意孤行。仍然让赵括带领 20 万大军去接替廉颇。

那边范雎得到赵括替换廉颇的消息,知道自己的反间计成功,就秘密派白起为上将军,去指挥秦军。白起一到长平,布置好埋伏,故意打了几场败仗。赵括不知是计,拼命追赶。白起把赵军引到预先埋伏好的地区,派出精兵 25000 人,切断赵军的后路;另派 5000 骑兵,直冲赵军大营,把 40 万赵军切成两段。

赵括的军队,内无粮草,外无救兵,兵士们都叫苦连天,无心作战。赵括带兵想冲出重围,秦军万箭齐发,把赵括射死了。40 万赵军,就在纸上谈兵的主帅赵括手里全军覆没了。

赵括是个空谈家,自以为读过兵书,于兵法之道十分谙熟,但终归没有亲身经历过战争,书本在他头脑中构筑的虚无缥缈的军事楼阁,在真切的刀光剑影下坍塌得没留下一点痕迹,赵括也因纸上谈兵,而被视为空想家贻笑千古。

明知道不可为的事情,就不要去空想;可以实现的事情,想了就要去做,只想不做,一大堆目标也只不过是目标。你可以界定你的人生目标,认真制订各个时期的目标,但如果你不行动,还是会一事无成。如果你想去国外旅游,于是你制订了一个旅行计划,花了几个月时间阅读能找到的各种材料,订了飞机票,并制定了详细的日程表,标出了要去观光的每一个地点,连每个小时去哪里都定好了。这真是一次完美的计划,可是最后的时刻你却因为怕高,不敢上飞机,而取消了这次旅行。这不是很可笑吗?

伟大的计划往往因为不去实践而变成废纸一堆。所以,无论什么事情,如果你确定要做了,就应该马上行动起来,只有做了才会有结果。做,也许会成功,也许会失败,但不做,你就永远不会成功。

●实干是一种精神

实干不但是一种作风，更是一种精神。它能让一个人全身心地投入到自己的工作中去，即便是能力一般的人，也能取得很好的成绩，即使那些令人厌烦的人，也会令人改变对他的看法。不仅如此，它能够让一个年轻人从芸芸众生中脱颖而出，尽快实现自己的愿望。

对于一个公司或者企业来说，勤勤恳恳，全神贯注，充满热情的员工总能得到老板的青睐，因为他们知道，这样的下属在尽力帮助自己，每一个老板自然而然地也会认为这样的员工更有价值。非但如此，这些员工的积极心态还常常能带动同事，感染上司。当然他们也能得到不断的提升，每一次提升对他们都是莫大的鼓励，给予他们更大的动力去完成自己的工作。相反，领导者对那些态度冷漠、做事情粗心大意、动作迟缓的员工有一种本能的排斥心理。在他们的影响下，同事以及领导都会觉得压抑、对工作失去信心，很容易堕入一种随遇而安的心态。因此，他会自觉地与有良好心态的员工在一起，关心他们的生活，对那些不专心工作，开脱责任，不注重实绩的员工，要么降职低薪，要么干脆开除。

其实，对工作的态度不外乎两种：要么一心一意，要么三心二意，前者对工作充满热情，后者则持一种不冷不热的态度，为什么会有这么大的差别呢？

这是因为很多人认为人都是在命运之神的掌握之中，所以只要等待，要么好运降临，要么一生倒霉。这是一个可怕的念头，这不仅会消磨人的斗志，而且是对人的天赋、智慧、品格的最大损害。

看看你身边那些取得优异成就的人，他们那个不是鼓起勇气、拿出力量、积极采取行动完成自己的工作的。他们常常会对自己说："我要完成它！"

不知道大家有没有听说过世界上有名的罗德岛围墙。

这堵围墙已经存在了一个多世纪，这堵墙是由大理石砌成的，之所以有名，不仅仅在于它的坚固，更多的是在于它的美观，一块块的大理石变成的精美塑像，直到现在仍然令人惊叹。这堵墙是一位家住罗德岛的人砌造而成的，挑选的每一块石头他都会翻来覆去地审视，研究每一块石头的特点，思考如何把它放在最佳位置。砌好以后，再从不同的角度细细打量，就像一个伟大的雕刻家那样仔细认真。他后半生的全部精力几乎都倾注到了这每一块石头上。

石墙完成之后，每年慕名来农庄参观的人络绎不绝，他也很乐意为每个人解说其中每块石头的特点以及自己是如何把它们的个性充分展现出来的。

罗德岛围墙主人的专注精神不得不令人敬佩。

你的儿子可以继承你的万贯家财，但是那些隐含在财富之中的技巧、洞察力和深思熟虑，你能传授给他么？而这些恰恰是你该留给他的。在你创造财富的过程中，你为了挣得巨额财富，保住自己高高在上的地位，培养出了坚强的毅力和苦干的精神，这都是从实际生活中一步一步锻炼和塑造出来的。不仅如此，财富中还饱含你自己的意志、阅历以及顽强进取的力量。再有，在你创业过程中，你每取得一点成就时的兴奋、自身获得成长的快乐和获取知识的骄傲以及通过苦心训练才得来的严谨作风、思维方法、诚实守信、决断能力、优雅风度等等，这些宝贵的无形资产通过财富的遗传是不可能流传给他的。对于你来说，财富就是阅历、快乐、成长、纪律和意志。而对于你的继承人来说，财富则意味着诱惑，可能会让他放弃进取心，变得骄奢、好吃懒做，这一切对于他来说都是一个沉重的包袱。

是的，你可以为你的孩子做任何事，却忘了告诉他勤奋工作的重要意义，这不仅是你教子的失败，对于他来说，只会沦为生活的弱者，这不能不说是人生的不幸。

正如某成功者所说："不管你喜不喜欢，你都得有事做，强迫自己做并尽最大努力做好，可以培养自控能力、勤奋、意志力等各种美德。在懒惰的人那里，是没有这些优点可言的。"

总之，要提升自己的人格、发展自己的个性，最重要的是立即采取行动，做个实干家，踏踏实实去完成你要完成的事情。

◉ 每天多做一点点

在美国汽车业里有一个推销员，连续好几年都是公司排名第一的推销高手，他每天工作到晚上回家的时候，走到房间里，就看到他的书桌前面贴了一句话："今天你还需要再卖 1 台车才能回家睡觉。"于是，他又跑出去卖了 1 台车。

成功者总是愿意在别人还没起床时他先起床；别人还在休息时他先行动；别人走了 1 公里路，他要走 2 公里路；别人读 1 本书，他就读 2 本书；别人工作 8 小时，他就工作 10 小时；别人拜访 10 个顾客，他就拜访 15 个顾客；别人学过一遍,他就要比你多学一遍。

当他超越了别人之后,下一个就是要超越自己。今天拜访了 15 个顾客,明天就要多一个;今天读了 1 小时书,明天他还要多读 1 小时;今天走了 2 里路,明天就要比今天再多走一点点;在他每天想休息的时候,他就告诉自己再多做一点点。

每天为自己创造出额外的 1 小时——早起床 1 小时。这种创造时间的方法异常简单,同时相当有效。如果每天早起 1 小时,一年就可以创造出额外的 10 个星期!

如果你是一个雇员,不论你的工资有多少,都只是在为他人创造财富。即使你的工作创造了巨大的利润,也只能分得其中的一小部分。如果你使用这 10 个星期,为自己工作,则能得到大部分收益。

第一次早起可能会不习惯,不过,随着次数的增多,早起会越来越容易,你的身体会逐渐适应新的节律。

成功不是靠一步登天,而是靠一步一个脚印走出来的,是经过长年累月的行动与付出累积起来的。虽然,任何人都会有所行动,但成功者却是每天都多做一点点,多付出一点点,所以他比别人更早成功。

然而一般人每天不肯多做一点、多付出一点,他总是在想:明天可不可以多睡一点点? 多吃一点点? 多休息一点点? 多玩一点点? 少付出一点点? 早下班一点点? 钱多赚一点点? 这样怎么可能成功呢?

每天多睡一点点、少做一点点是失败者共有的习惯;每天多做一点点,多付出一点点是成功者共有的特质。成功与失败到底差在哪里? 就差在这一点点。

想要成功的你,愿不愿意多做这一点点呢?

每天早上起床,你可以问自己:今天我要比昨天多做哪一件事情? 我愿意在事业上比昨天多努力做哪一件事情?

●勤奋创造,顽强进取

勤奋不仅是一种人生态度,也是一种成功的人生。实实在在付出心血,才会换来真正的享受。

一生之计在于勤,而一个成功人生的关键,更在于及时努力,在有限的时间里努力做点什么。

有一个古老的寓言说到一个寒号鸟的故事。

在古老的原始森林，阳光明媚，鸟儿欢快地歌唱，辛勤地劳动，其中有一只寒号鸟，有着一身漂亮的羽毛和嘹亮的歌喉，于是它到处游荡卖弄自己的羽毛和嗓子。看到别人辛勤地劳动，它反而嘲笑不已，好心的鸟儿提醒它说："寒号鸟，快垒个窝吧！不然冬天来了怎么过呢？"

寒号鸟轻蔑地说："冬天还早呢，着什么急呢！趁着今天大好时光，快快乐乐地玩玩吧。

就这样，日复一日，冬天眨眼就到来了。鸟儿们晚上都在自己暖和的窝里安详地休息，而寒号鸟却在夜间的寒风里，冻得瑟瑟发抖，用美丽的歌喉悔恨过去，哀叫未来："哆罗罗，哆罗罗，寒风冻死我，明天就垒窝。"

第二天，太阳出来了，万物苏醒了。沐浴在阳光中，寒号鸟好不惬意，完全忘记了昨天晚上的痛苦，又快乐地歌唱起来。

好心的鸟儿又劝它："快垒窝吧！不然晚上又要发抖了。"

寒号鸟嘲笑地说："不会享受的家伙。"

晚上又来临了，寒号鸟又重复着昨天晚上一样的故事。就这样重复了几个晚上，大雪突然降临，鸟儿们奇怪寒号鸟怎么不发出叫声了呢？太阳一出来，大家连忙去一看，才发现寒号鸟早已被冻死了。

寒号鸟的故事虽是一则寓言，但它的确讲明了在人的一生中，今天是多么重要，是你最有权利发挥或挥霍的。只是寄希望于明天而不重行动的人，是一事无成的人。到了明天，后天也就成了明天。今天你把事情推到明天，明天你就把事情推到后天，一而再，再而三，事情永远没个完。只有那些懂得如何利用"今天"的人，才会在"今天"创造成功事业的奠基石上，孕育明天的希望。

或者，如民间另外两句话说的："三更灯火五更鸡，正是男儿立志时。"这说的情景其实与祖逖、刘琨的闻鸡起舞是一样的。及时努力，会使现在变得充实，这样，人生将来也充满希望。所以，勤奋不仅是现在生存的必要，更是未来发展的必要。

一时勤快不难做到，但要一生任劳任怨却不容易。"鞠躬尽瘁，死而后已"，是这种勤奋精神的最高境界。

勤奋使平凡变得伟大，使庸人变成豪杰。成功者的人生，无一不是勤奋创造、顽强进取的过程。

在现代社会中无论是科学巨匠、文艺大师还是工商巨子、政治领袖，其成长、成功,莫不是由于勤奋。勤奋创造、不断努力表现为:在知识上,受过良好的教育,或正规学校出身,或自学起家,有扎实的专业知识,这是一;第二,从平凡的工作做起,有生活与工作的能力,有生活观念,也有强烈的事业心;第三,从平凡做起,能当普通的一兵,也有当元帅的远大志向,并久经磨难,意志顽强;第四,勇敢,有胆识,能揽常人不敢揽下的工作,能走常人不敢走的路,这一点可以从现代各国领导人的经历中看出。

说勤奋,是说人生每日都应当作点什么,不断地有所行动。而进取精神则是讲为人在世,应当不断地发展自己,不断地丰富自己。在眼界上,努力求取新的知识,思考新的问题;在事业上,努力争取年年有所变化。用现在的说法是:不断否定自己,不断超越自己,不断给自己树立新的目标。

俄国的科学家巴甫洛夫讲过一则寓言:

一位巴格达商人,在路上行走时听到一个神秘的声音附在他耳边说:"请你弯下腰去,捡起路边的小石子,明天早上你就会获得快乐。"这个巴格达商人将信将疑,但他还是遵照这个神秘的声音的意愿,捡了几颗石子放进自己的口袋里。

第二天早上醒来时,这位巴格达商人打开自己的口袋,拿出第一料石子,石子马上变成了一颗晶莹剔透的蓝宝石,他惊呆了,接下来的事更使他目瞪口呆,他掏出其余的石子,出现在眼前的是一堆光芒四射的红宝石、蓝宝石、绿宝石……这位商人高兴得合不拢嘴,但是马上又懊悔不已,为什么当时自己不多捡几粒石子呢?

讲完这则寓言,巴甫洛夫就告诫学生说:"你们现在就是巴格达商人,而石子就是知识,知识的价值你们将来就会明白,将来你们所学的知识就是你们的无价财富,你们也一定会懊悔当初学得太少了。"

所以,进取精神对于人生事业的价值,在于创造未来;也因为有了未来,过去与现在的成功才能得到真正的保护!

◉有想法更要有行动

我们在做某一件事情时,往往会遭到很多人的反对,甚至有人在后面泼冷水、说风凉话,这时候很多人就会因此放慢了自己前进的脚步,进而怀疑自己行动的价值，最后是什么也做不成。而有的人在不在乎他人的想法，只凭借自己充分的自信和不服输的意志，取得了成功。

很久以前，澳大利亚有一位年轻人，他家世代以养羊为生。到了他这代，经过努力，羊群数量逐年递增，已经发展到 10 万只的规模。为此，年轻人感到十分自豪，但又有些困惑，因为，尽管他一再努力，羊群的数量却只维持在 10 万只上下，不再增长，他非常不解。

有一天，他的爷爷来到他放牧的农场。见爷爷来了，年轻人便用手指着漫山遍野的羊群，很有成就地告诉爷爷自己的功劳。

哪知爷爷一脸不屑地说："我也一样。"

年轻人大为不解，正要细问缘故，爷爷却一声不响地走了。年轻人不明白爷爷所说的那句话到底是什么意思。

夜色降临，四散的羊群逐渐安静下来。淡淡的月光下，他望着一望无际的羊群若有所思。因为最近一段时间，每当夜幕降临时，年轻人总能听见羊群发出的哀号。第二天，至少有 50 只羊被咬死、肚子被撕开，死于非命，被咬死的羊羔数量更是无以计数。他想这一定是狼干的坏事，但狼的胃口似乎没这么好。

一天，一位动物学家经过牧场，年轻人求教于这位专家，才知道事情真相。原来，在澳大利亚境内有一种野狗，是澳洲的头号食肉兽，估计整个澳洲约有 100 万只，正是这种动物的存在，才使他的羊群数量不再递增。年轻人忽然想起爷爷说过的"我也一样"的话，原来，早在爷爷放牧的时代，就存在这种情况，只不过，谁也没有办法解决而已。

既然问题已经找到，能不能彻底解决呢？善于思考的他又开始了富有想象力的思维，年轻人决心在全澳大利亚建一道防护墙。

但年轻人的想法遭到了家人的极力反对，几千公里的围墙，不但耗资巨大，而且极难维护。但他还是决定把自己的想法付诸行动。

刚开始，年轻人一个人在自家的牧场周围用铁丝网筑起了一道防护墙，后来，他就沿着自家牧场往四周扩展，防护墙一点点延伸着。他的这种做法感染了周围的其他人，于是，越来越多的人加入了筑墙的行列，以至于政府也开始关心和资助由他发起的这项筑墙运动。

一年以后，一道从南澳洲大海湾向东延伸，经新南威尔士，穿过昆士兰东部，抵达太平洋沿岸的高 1.8 米、下部由小眼铁丝网、上部由菱形铁丝网、顶部由带刺铁丝构成的世界上最长的防护墙建成了。由于它的建成，澳大利亚的羊群数量猛增，它像一条河在澳洲大陆上蜿蜒着，穿过沙丘、石头山、茂密的灌木丛和荒芜的平原,保护着越来越多的羊群。

许多年过后,这道防护墙已经成为澳洲人为之自豪的一处旅游景点,前来旅游的人们善意地称它为爱心围墙。

好的想法是成功的一半。一样的环境,一样的问题,就因为年轻人想法与祖辈不一样,并且付诸了切实的行动,因此问题才得以解决。

在生活和工作中,只要有了正确的想法,就要以坚定的信念付诸切实的行动,这样才能取得最后的成功。

◉把梦想付诸行动

有许多人满怀雄心壮志,却总是因为受到各方面的阻力,最后不得不放弃;而有的人却能坚持不懈地寻找正确的途径,从而达到自己最终的目标。

比尔·盖茨中学毕业的时候,父母亲对他说:"哈佛大学是美国高等学府中历史最悠久的大学之一,是一个充满魅力的地方,是成功、权力、影响、伟大等等的象征和集中体现。你必须读一所大学,而哈佛是最好的,它对你的一生都会有好处。"

盖茨听从了父母亲的劝告,进了美国最著名的哈佛大学。当时他报的专业是法律专业,但他其实并不想继承父业去当一名律师。

盖茨在哈佛既读本科又读研究生课程,但他真正的兴趣依然在电脑上。这时,他在心里萌生了一个念头——退学。他曾同朋友分析当今的形势时说:"电脑很快就会像电视机一样进入千家万户,而这些不计其数的电脑都会需要软件,如果我们现在开始做,无疑会成为领先的起跑者,最后的胜利肯定是属于我的,我一定要创办自己的软件公司。"

这时候的盖茨已经有了自己的想法,并有了明确的计划和打算。终于,他在大学二年级的时候,向父母亲说了他一直想说的话:"我要退学!"

他的父母亲听了非常吃惊,但他们无法说服盖茨改变主意。于是,他们请了一位受人尊敬的商业界领袖去说服盖茨。

盖茨在同这位商业巨头会面的过程中,滔滔不绝地向他讲述自己的梦想、希望和正在着手做的一切。他审时度势的分析,让这位商业巨头不知不觉地被感染了,仿佛又回到了自己当年白手起家的创业时代。他忘记了自己的使命,反而鼓励盖茨:"你已经看到了一个新纪元的开始,而且正在开创一个伟大的时刻。好好干吧,小伙子。"

父母亲无奈,只得同意了盖茨的要求。从此,盖茨一心一意地投身于自己的电脑软件领域中,他真的在梦想成真的成功之路上,开创了世界瞩目的业绩。

盖茨审时度势地分析了当时的形势,权衡利弊,勇于放弃读完哈佛大学的机会,而搞自己有兴趣的软件。如果他听取了父母的意见,读完大学再来创业,他现在又如何能声誉满全球,成为世界上声名显赫的"软件大王"呢?

实现梦想的关键是能否果断地采取行动,行动才是最强大的力量。梦想是不能等待的,尤其不能以实现另外一个条件为前提。很多人正是因为陷入了要做这个就必须先做那个的定式思维,最后一辈子在原地转圈,生活再也没有走出过精彩来。

◉用积极的行动替代想象

人们通常存在一些心理失常现象。有人极力贬低、诋毁自己;有人对同伴原因不明地狐疑敌视;有人经不起些微挫折,而这些又都是由于自己的惰性耽误了一些重要计划或行动的结果。于是,他们就把自己视为"先天不足"、能力低下的弱者,为此而"痛感"自卑,错误地认为,自己今朝此世再也无法更改"命运"的安排,进而导致"误解——惰性——自卑——更严重的惰性"的恶性循环。只有真正去做,才能证明自己的能力。行动使你抛弃习以为常的想法。虽然你畏惧与生人谈话,但强迫自己经常与他们交谈,那么你的种种担心,诸如他们可能恨你、伤害你或给你带来灾祸等,都将难以存在。

同样,强迫自己有规律地学习或写完一篇文章也是证明你完全有能力做到这些。任何自信如:"我知道我能做到,完成学习任务或写篇文章并不会掉脑袋。"在得到具体实践之前都难以称作真正的信念。你只有真正去做了,才能用事实证明自己的能力;而当你只是说"我知道我能时,"你仅仅证明你认为自己具有能力。

因此,在自我根除这种习惯或至少显著地消除这种习惯倾向的过程中,努力去做显得非常重要,甚至缺它不可。再如你想找个新工作.可拖延着不去面试。你给自己布置的作业可以只订一个每周至少进行若干次(如5次)面试的目标,然后保证达到这个数目。你若能完成这个作业,就会不仅不再继续拖延,而且打消对面试的错误看法。

比如,你也许相信:你进行面试的能力差;不能忍受自己在这方面的无能;即使得到新工作也可能做不好;做不好就得感到羞耻;不能忍受安排和进行面试的麻烦。然而,你只要强迫自己每周试 5 次就会不知不觉地自动驳倒这些假想并会彻底改变它们。

不仅如此,你在进行面试的同时还可以自我布置思想作业,有意识地对自己的习惯进行挑战。要反驳那些荒谬的看法,你可以问自己这样一些问题:"何以证明我的面试就一定会砸锅? 即使对此缺乏经验,我就成为无能的人吗? 找到新工作后我肯定干不好吗? 干不好就可耻吗? 就算面试很麻烦,我为何不能克服这些困难呢?"

若能自己规定这两类作业,克服不愿行动的惰性和用来支持这种惰性的习惯,你就很容易地投入行动并放弃以往的荒谬想法。而当你战胜自己的惰性,并积极行动起来,那么成功便会在不远处向你招手。

◉脚踏实地地朝着目标行进

托马斯是一个普通的邮差,他负责为小区的住户收送邮件。当他听说小区内有一位职业演说家,叫桑布恩先生,这位桑先生一年有 160 至 200 天在外出差,于是他向桑先生索要一份全年行程表。桑先生很奇怪,问:"您有什么用?"他回答说:"以便您不在家时,我暂时代为保管您的信件,等您回来再送过来。"

这让桑布恩很吃惊! 因为他从未碰到过这样的邮差。桑先生回答道:"没必要这么麻烦,把信放进邮箱就好了,我回来再取也是一样的。"

托马斯解释说:"窃贼经常会窥探住户的邮箱,如果发现是满的,就表明主人不在家,那住户就可能要身受其害了。"托马斯想了想,接着说"这样吧,只要邮箱的盖子还能盖上,我就把信放到里面。塞不进邮箱的邮件,则搁在房门和屏栅门之间。如果那里也放满了,我把其他的信留着,等您回来。"

托马斯的建议无可挑剔,桑先生欣然同意了。

两周后,桑先生出差回来,发现门口的擦鞋垫跑到门廊的角落里,下面还遮着个什么东西。

事情原来是这样的——

在桑先生出差期间,美国联合递送公司把他的包裹投到别人家了。

托马斯看到桑先生的包裹送错了地方,就把它拣起来,送回桑先生的住处藏好,还在上面留了张纸条,解释事情的来龙去脉,并费心地用擦鞋垫把它遮住,以避人耳目。

如今,不同的邮政公司之间竞争市场份额,比的就是服务,而因为有一批托马斯式的职业化员工,他们所提供的人性化服务,创造了无形价值,使美国联合递送公司在众多竞争对手中脱颖而出!

作为邮差,托马斯拥有什么资源呢? 一套蓝色工作服,一只布口袋,但他却创造了价值。用想象力代替金钱,用创造性代替资本,在不增加支出的同时,为客户创造更大价值的能力。不管我们所工作的机构有多庞大,也不管现状有多么糟糕,我们在这个机构中,永远能有所作为。

也许,上司会对我们的表现设置障碍,或对之视而不见,或不能充分赏识和鼓励;也许,上司愿意对我们进行培训,改善我们的业绩。但不管环境怎样,卓越的工作表现,是我们自己抉择的结果。

想一想:我们在工作中是减轻了他人的负担,还是给他们添加了累赘;是带来了喜悦还是增添了麻烦? 我们是帮助自己的组织与其目标更近一步,还是与它背道而驰? 托马斯是职业化的典范,他真正做到了"以此为生,精于此道"。也许,当我们工作失去激情的时候,看看托马斯的故事,就有一点感觉了吧。

生活中、职场上,许多有抱负的人都忽略了积少才可以成多的道理,一心只想一鸣惊人,而不去做埋头耕耘的工作。等到忽然有一天,他看见比他开始晚的,比他天资差的,都已经有了可观的收获,他才惊觉自己这片园地上还是一无所有。这他才明白,不是上天没有给他理想或志愿,而是他一心只等待丰收,可是忘了播种。

我有一位朋友,时常在闲暇时来找我谈天。他学的是法律,却热衷戏剧,常想有机会跃登银幕,成为大明星。可是,我却从没有看见他去尝试那可以进入影剧界的机会。

于是我问他:"为什么不去试试看呢?"

他说:"我不愿去和那些初出茅庐的小孩子们竞争。我已经快30岁了,即使考进去之后,也不过是做个小小的配角,有什么意思? 我要等什么时候有大公司找某一部影片的主角和我的性格戏路合适的,我一去,就会录用,那才可以一鸣惊人。"

可是,像这样幸运的人能有几个?于是,他只好任岁月蹉跎,年华老大,而他的愿望仍止于是个愿望。只因他不肯从头做起,所以永远接触不到他理想的天堂。

单是对自己那无法实现的愿望焦急慨叹是没有用的。要想达到目的,必须从头开始。

所谓"登高必自卑,行远必自迩";正如爬山,你只好低着头,认真耐性地去攀登。到你付出相当的辛劳努力之后,登高下望,你才可以看见你已经克服了多少困难,走过来多少险路。这样一次次的小成功,慢慢才会累积成大的更接近理想目标的成功。

古人说:"惟有埋头,乃能出头。"种子如不经过在坚硬的泥土中挣扎奋斗的过程,它将止于是一粒干瘪的种子,而永远不能发芽滋长成一株大树。

埋头是一种态度,以谦恭认真的态度去面对脚下的路。但是,现在的你是前进还是原地踏步?是走捷径还是按部就班?关键也许并不在这里,我想问,你的脚走了没有?

你的脚走了没有?我们的脚每天都在走路啊。没错!生理上我们的脚是每天承载着我们的身体奔忙于城市里。这里说的脚是你的行动,你开始向你的目标行动了吗?

总之,我们每一个人都应该清楚:最终的目标绝不是转眼之间就可以达到的,在未付出辛劳艰苦和屈就的代价之前,空望着那遥远的目标着急是没有用的。而唯有从基本做起,按部就班地朝着目标进行才会慢慢地接近它、达到它。

◉竭尽全力去做每一件事

迈克·兰顿出生在一个不正常的家庭里:父亲是个犹太人,十分排斥天主教徒;母亲却偏偏是个天主教徒,却又十分排斥犹太人。

在迈克小的时候,母亲经常闹着要自杀,当遇到不顺心的事时,便抓起挂衣架追着他毒打。就因为生活在这样的环境中,所以他自幼就有些畏缩且身体瘦弱。然而日后他在那部叫座的影片——《草原上的小屋》中却扮演了那个殷格索家庭的一家之主,坚毅而充满自信的性格给大家留下了深刻的印象。迈克的人生为什么会有这样的改变呢?

在他读高中一年级时的一天,体育老师带这一班学生到操场去教他们如何掷标枪,而这一次的经验就此改变了他后来的人生。在此之前,不管他做什么事都是畏畏缩缩的,对自己一点自信都没有,可是那天奇迹出现了,他奋力一掷,只见标枪越过了其他同学的纪录,多出了足足有 30 英尺。就在那一刻,迈克知道了自己的前途大有可为。

在其日后接受《生活》杂志的采访时,他回想道:

"就在那一天,我才突然发现,原来我也有能比其他人做得更好的地方,当时便请求体育老师借给我那支标枪,在那年整个夏天里,我就在运动场上掷个不停。"

迈克发现了使他振奋的未来,他全力以赴,结果拥有了惊人的成绩。

那年暑假结束返校后,他的体格已有了很大的改变,而在随后的一年中他特别注意加强重量训练,使自己的体能逐步提升。

在高三时参加的一次比赛中,他掷出了全美中学生最好的标枪记录,因而也让他赢得了南加大的体育奖学金。

后来,他因锻炼过度而严重受伤,经检查证实得永久退出田径场,这使他因此也失去了体育奖学金。为了生计,他不得不到一家工厂去担任卸货工人,他的梦似乎就此完了,永远无法成为一位国际瞩目的田径明星。

不知道是不是幸运之神的眷恋,有一天他被好莱坞的星探发现,问他是否愿意在即将拍摄的一部影片——《鸿运当头》中担任配角。这部影片是美国电影史上所拍第一部彩色西部片,迈克应允加入演出后从此就没有回头,先是当演员,然后做导演,最后成为制片,他的人生事业就此一路展开。一个美梦的破灭往往是另一个未来的开始,迈克原先有在田径场上发展的目标,这个目标引导着他锻炼强健的体格,后来的打击又磨炼了他的性格,不料这两种训练却成了他另外一个事业所需的特长,使他有了更耀眼的人生。

有时候,机会是乔扮成失望而出现在我们的眼前的。机遇之神出现时,从不佩戴财富、成功或者荣誉的标志。做每一件事,都要竭尽全力,否则,最好的机会都会无声无息地从我们身边溜走。

◉想到了就马上去做

斯通担任国际销售执行委员会的七个执行委员之一时,曾作为该会的代表走访了亚洲和太平洋地区。在一个星期二,斯通给澳大利亚东南部墨尔本市的一些商业工作人员作了一次鼓励性的谈话。到下星期四的晚上,斯通接到一个电话,是一家出售金属柜的公司的经理意斯特打来的。

意斯特很激动地说:"发生了一件令人吃惊的事!你会同我现在一样感到振奋的!"

"把这件事告诉我吧!发生了什么事?"

"一件惊人的事!你在上星期二的谈话中推荐了十本励志书,我买了《思考致富》,在当天晚上就读了几个小时。第二天早晨我又继续读它,于是我在一张纸上写道:

"'我确定的主要的目标是把今年的销售额翻一番。'令人吃惊的是,我竟在48 小时之内达到了这个目标。

"你是怎样达到这个目标的?"斯通问意斯特,"你怎样把你的收入翻一番的呢?"意斯特笑道:"你在谈话中讲到你的推销员亚兰在同一个街区兜售保险单失败而又成功的故事。我记得你说过:'有些人可能认为这是做不到的,但是亚兰做到了。'我相信你的话。我也作了准备。

"我记住了你给我们的自我发动警句:'想到就做!'我就去看我的卡片记录,分析了十笔死账。我准备提前兑现这些账,这在先前可能是一件相当棘手的事。我重复了'想到就做!''这句话达好几次,并用积极的心态去访问这十个客户。结果作了笔大买卖。发扬积极心态的力量所做出的事是很惊人的——真正的惊人!"

我们的目的与这个特殊的故事有关,你也读了关于亚兰的故事,但是你可能并没有把这个原则应用到你自己的经历中。意斯特做到了这一点,所以你也能做到:你能应用本书中所读到的每个故事中的原则,然而,现在我们要你学会"想到就做!"

◉动口不如动手

在生活中，有一些人总是喜欢对人发号施令，指手画脚，结果反而引来别人的反感。却不知，以实际行动去感染他人往往比用语言更有效果。

有一天，华盛顿身穿一件长至膝盖的大衣，独自一个人走出了营房。他所遇到的士兵，没有一个人认出他。在阵地前方，他看到一个下士领着手下的士兵正在修筑工事。

那位下士把自己的双手插在衣袋里，不停地对抬着巨大的石块的士兵们发号施令。尽管下士的喉咙都快要喊破了，士兵们经过多次努力，还是不能把那块石头放到位置上。士兵们的力气快要用完了，石块眼看着就要滚下来了。

这时，华盛顿疾步上前，用他强劲的臂膀顶住石块。

这一援助很及时，石块终于放到了位置上。士兵们转过身，拥抱华盛顿，并表示感谢。

"你为什么光喊加油，而自己的双手却插在衣袋里?"华盛顿问那个下士。

"你是在指责我吗？难道你没有看出我是这里的下士?"那个下士斜着双眼，背着双手，傲慢地回答说。

华盛顿听后，不慌不忙地解开自己的大衣纽扣，向那个傲气十足的下士露出自己的军服，说："按衣服看，我就是上将。不过，下次再抬重东西时，你别忘了叫上我。"

那个下士这时才知道自己面前的人是华盛顿，他羞愧地低下了头。

华盛顿和下士的差别就在于华盛顿能以身作则，能用实际行动去感染他人，而不是用命令、用权威去压迫他人。

行动的力量是无穷的，它远远要比你费尽心机与口舌给别人讲道理、说服或命令别人按照你的指令做事会取得更好的效果。别人之所以愿意为你服务，是被你的魅力所折服，他们执行你的命令，完全是出于他们的自愿，这比任何策略都管用。

◉说一尺不如行一寸

一个人,有自己的理想是件好事,但理想再美好,不付之于行动,也永远只是一个虚幻的泡影。所以,一切理想都是靠行动来实现的。但是现实中却有很多人,在决定了一件事后却并不马上去做,而是思前想后,仔细考虑再考虑。就这样,一直在想法中,却从来没有付诸实际行动。

我们从小就读过这样一则古代寓言。

在四川的偏远地区有两个和尚,其中一个贫穷,一个富裕。

有一天,穷和尚对富和尚说:"我想到南海去,您看怎么样?"

富和尚说:

"你凭借什么去呢?"

穷和尚说:

"我一个水瓶、一个饭钵就足够了。"

富和尚说:

"我多年来就想租条船沿着长江而下,现在还没做到呢,你凭什么去?!"

第二年,穷和尚从南海归来,把去过南海的事告诉富和尚,富和尚深感惭愧。

穷和尚与富和尚的故事说明了一个简单的道理:说一尺不如行一寸。理想不是空想的,是以实干为基础的。像富和尚虽然有足够的钱去买船只去南海,但却始终没有行动;而穷和尚想到就做,仅仅凭一瓶一钵就达成自己的愿望。

◉做事要趁热打铁

趁热打铁的习惯常指:一个人能够大胆地抓住时机,充分展示自我,一举成名。

苏珊·海沃德长得漂亮、苗条、性感,她的青年时代,正是好莱坞的主要制片公司发展的全盛时期。她像其他雪亮的童星一样,怀着成为好莱坞电影明星的梦想,当上了合同演员。她进入好莱坞的最初几个月中,面对的不是摄像机而是照相机。她穿着泳装,日复一日地摆弄出千姿百态,为广告照作模特儿。她那充满魅力的微笑,随着报纸杂志的广告传遍五洲四海。读者们,也是电影的影迷们,对她已经具有一种倾倒和渴望的感情。

然而苏珊一直得不到当演员的机会,当她询问老板时,得到的回答总是:"耐心地等一等,总有一天会推荐你的。"

有一次,机会突然来了。1938 年,派拉蒙公司在洛杉矶举行全国性的影片销售会。苏珊接到旅馆舞厅的通知。舞厅里来了很多电影院的老板和来自各州的商人。影星们进入舞厅之前,派拉蒙公司对自己的影片已进行过大肆宣传。

影星们一个接一个与观众见面。苏珊出场时,会场上发出了一片欢呼。她此前还没意识到这是一次机会。她面对观众,像对老朋友们一样微笑着说:"我知道你们都认识我,你们中有谁见过我的照片?"台下立即有许许多多的人举起了手。

"有人看过我在电影里的形象吗?"没有人举手,只有笑声。

苏珊趁热打铁,发问到:"你们愿意看我在电影中的形象吗?"

会场上响起了雷鸣般的掌声,代替了回答。

苏珊这一计即兴拈来,大获全胜,于是她说:"那么,诸位愿意捎个话给制片公司吗?"

这是一次民意测验,那么多观众的代表想看苏珊在电影中的形象,制片公司的老板得到这一民意测验的结果,完全可以判断,如果请苏珊出演影片,此片一定走俏。于是苏珊不久之后便受聘出演,上了银幕,并且成了大明星。她在《我想生存》一片扮演的角色使她荣获了奥斯卡金奖。

难道你不承认苏珊·海沃德是趁热打铁,一举成名的高手吗?

一个人只有善于抓住机遇,才能在最佳时刻表现自己与人不同的习惯和能力,才可以赢定人生。

◉要实干,不要吹牛

据说,吹牛能使人长寿。因为沉浸在吹牛的状态中,心情非常舒适。阿 Q 就是这样"想什么就有什么"的,这样的长寿似乎应该。但是,"无志空活百岁",更何况,阿 Q 也只有在二十年后,才能有成为一条好汉的机会。可见,长寿并不能提升生活的品位，也不能证明吹牛的价值。特别是吹牛的时候，吹得鼓鼓的，憨态可掬，可是，吹牛的人往往没有控制力。他们的欲望非常膨胀，直至吹破牛皮的那一刻，才能有一丁点的悔悟。

吹牛的人照理说也有些目标，只是这些目标不是空中楼阁就是海市蜃楼，这倒并不意味着目标不能实现，只是什么都不做，无法创造任何生产力，因而铸成了很多遗憾。以前有一个点子大王，牛皮吹得是很大的，今天整活一家国有企业，明天创造亿元利润。间或在大学作客座教授，主讲可操作的经济理论，据说到很多大学的时候，场面都是相当火爆的。学生们早早就赶到教室占座，讲座一开始，就明显有一种吹牛的氛围在渲染。可是，学生们使劲地鼓掌，那个羡慕就不用提了。

过了不到一个月，就听到点子大王在宁夏"现形"的消息。《南方周末》还有准确的数据和细节来展示他曾经的"辉煌"。尽管他百般狡辩，可是，人们已经看破了牛皮，谁听他的？所以，一个人只有脚踏实地地实干，才能成就一番大事业。靠吹牛得到的荣誉，实在令人不敢恭维。因此，牛是吹不得的，尽管有很好的操作基础，志向的高远对于不操作或操作的不投入而言，形同无米之炊。

吹牛的人很令人鄙视，因为他们都是井底之蛙，看似高不可及的目光实际上很短浅。他们在夸夸其谈的时候，原本应该张扬的心灵被封闭在井底、荒野、沙漠，于是无休止地驻足不前。因此，聪明的人向来不吹牛，他们都知道实干的意义。只有实干才能出生产力，空谈没有价值。他们默默无闻地达到了吹牛者艳羡的境地。

本来，王小二和李小三是从小一起长大的，李小三成了市长，王小二也很激动，他对着别人说，市长小时候跟我一起玩泥沙的。尽管他没说错什么，但是，如果把他俩放在同一平台上，他似乎更应该考虑自己为什么没有人家强。

实干出精英。李小三在埋头苦干的时候，王小二正在那儿夸夸其谈；李小三在拼命苦读的时候，王小二还在夸夸其谈；李小三成为了市长，王小二就开始感慨。在市长面前，王小二丝毫也不脸红，并寻找下一轮的听众，享受让更多的井底之蛙仰视的滋味，尽管根本不具备资本。这样，就不难理解深圳的街头为什么立着一头牛，吃青草献鲜奶的牛是用来拓荒的，没事吹它干什么？

鼠目寸光的人把具有远大理想的人看成是疯子。可是，"疯子"们不在乎，他们拒绝恶意的中伤，而继续走好自己的路。因为有了实干的精神，胜利至少可能提前十年来临。其实，每个人手中都拿着望远镜，只是当你站在地平线上，人家已经登上了最适宜眺望远方的山顶。

◉行动起来抓住财富

懒惰的人总是抱怨上天不给他机会,其实是他们没有把握住机会;而勤劳的人在机会到来时总是立即行动起来,勤劳的人甚至不但主动寻找机会,而且还主动创造机会。对于勤劳的人来说,行动起来就可以抓住身边的财富。

对于勤劳者而言,碰到的每一件小事、遇到的每一个人,都是一个机会,都会让他们学到更多有用的知识,都会使他们的个人能力更加突出。

美国运输业巨头、著名企业家科尼里斯·范德比尔特在汽船行业看到不自己的机会。他认定自己要在汽船航海方面发展事业。他的这一决定让家人和朋友十分震惊,他竟然放弃了原本已经蒸蒸日上的事业,到当时最早的一艘汽船上去当船长,而年薪仅为 1000 美元。当时,富尔顿已经取得了用汽船在纽约水面上航行的专有权。但范德比尔特认为,这项法令不符合美国宪法的精神。他一再要求取消这个法令,并最终获得了成功。不久之后,他拥有了一艘自己的汽船。

在当时,政府要为往来于欧洲的邮件付出大笔补贴,然而,范德比尔特却提出他愿意免费送邮件并提供更好的服务。他的这一要求很快就被接受了。靠着这种方式,他很快建立起一个庞大的客运与货运体系。后来,他预见到:在美国这样一个地域辽阔、人口众多的国家,铁路运输将会大有可为。于是,他积极投身到铁路事业中去,为后来建立四通八达的范德比尔特铁路网奠定了坚实的基础。

约翰·洛克菲勒在石油行业预见了机会。他注意到,这个国家的人口如此众多,却只有极少数人在用电灯。这儿石油储藏非常丰富,然而由于石油冶炼加工方法十分原始,产量非常低,使用起来也不安全。

于是,他立马行动起来。他先是找到了一个合伙人,一个与他共同工作过的维修工塞缪尔·安德鲁。到了 1870 年,利用他的合伙人发明的新的冶炼加工方法,洛克菲勒冶炼出了他们的第一桶石油。由于石油质量好,生意很快火起来。后来,他们又增加了一个合伙人,名叫弗莱格勒。

但是过了不久,安德鲁表示,他对现状不满,希望结束合作关系。洛克菲勒问他:"你想要什么作为补偿呢?"安德鲁漫不经心地将要求写在一张纸上:"100

万美元"。不到24个小时，洛克菲勒就将这笔钱递到了安德鲁手中，然后说："你只要100万美元，而不是1000万，要价真的不高。"

在短短的二十年中，这个固定资产只有1000美元的不起眼的小冶炼厂，滚雪球般地迅速成长为一个托拉斯——"美孚石油公司"。总资产达到了9000万美元，股票价格也升至每股170美元，而公司的市场价值则高达1.5亿美元。

在机会到来的同时，应积极行动起来。机会不会偏爱哪一个人，谁先行动起来，成功将属于谁。

只有行动，才能把握命运，才能把自己的想法变为现实，只有行动起来才能抓住身边的财富。

◉用行动把握良机

现实是此岸，理想是彼岸，中间隔着湍急的河流，行动则是架在河流上的桥梁。在人生中，思前想后，犹豫不决固然可以免去一些做错事的可能，但可能会失去更多成功的机遇。

有一个6岁的小男孩，一天在外面玩耍时，发现了一个鸟巢被风从树上吹掉在地，从里面滚出了一个嗷嗷待哺的小麻雀。

小男孩决定把它带回家喂养。当他托着鸟巢走到家门口的时候，他突然想起妈妈不允许他在家里养小动物，于是，他轻轻地把小麻雀放在门口，急忙走进屋去请求妈妈。在他的哀求下，妈妈终于破例答应了，小男孩兴奋地跑到门口，不料小麻雀已经不见了，他看见一只黑猫正在意犹未尽地舔着嘴巴。小男孩为此伤心了很久。但从此他也记住了一个教训：只要是自己认定的事情，决不可优柔寡断。这个小男孩长大后成就了一番事业，他就是华裔电脑名人——王安博士。

艾尔伯特·哈巴德说："一个人易犯的大错，就是怕犯错。"犹豫不决是避免责任与犯错误的一种方法，它有一个谬误的前提：不做决定就不会犯错误。希望做到至善至美的人，特别惧怕犯错误。他从没犯错误，一切事情都做得很完善，如果他对不起这幅完善的图像，强劲的自我就会垮得粉碎，因此，他认为做决定是生死攸关的事情。

这种人的个性改造有两个办法：

（1）尽量不要做太多的决定，而且尽量拖延做决定的时间。

（2）找一个现成的东西来代替所要做的决定。采用这后一种办法的人会仓促地做决定，但他所做的决定大都不成熟，而且一定会半途而废。这种人总是认为自己是完美的，在任何情况下他都是不会犯错误的，因此不必费心去考虑事情的实际情况及结果，他不会为必须做出决定而发愁。要是他的决定出了错误，他只要让自己继续相信那是别人的错，问题并不出在自己身上就足够了。

显而易见，采用这两种方法的人都错了。采用第一个办法的人，时常会在冲动与考虑欠周的行动之中自寻麻烦；而采用第二种办法的人根本做不了事情，因为他一点也没有行动。总之，那种把犹豫不决当作处理问题的正确方法的看法，是根本行不通的。

错误谁都会犯。事情进展的过程，其本质就是一连串的行动、犯错误与修正错误的过程。导向鱼雷能够逐渐接近目标最终击中目标，是经过一连串的错误与不断修正错误达成的。你要是总站着不动，你就无法修正你的方向，不做事情，你也无法改变和修正。因此，你必须考虑事情的趋势和事实，预想各种行动方针的可能的结果，选择你认为最好的解决办法，并且大胆地去做，边前进边修正你的方向，不要害怕犯错误。这是克服犹豫不决的一个方法。

另一个克服犹豫不决的方法是认识自尊，并且认识自尊在犹豫不决中的实际保护作用。很多人害怕因为做错事而丧失自尊，所以总是犹豫不决。要利用自尊，不要使它成为绊脚石。为此，你必须先要明确这样一个事实：大人物与伟人都会犯错误而勇于承认错误，只有小人物才怕犯错误。

一个人不经过无数的大小错误，是无法伟大起来的。许多人在谈到他们的成功时，都认为，自己从错误中比从成功中得到更多的智慧，时常从不想做的事情中找到要做的事情，而那些从不犯错误的人都不可能有任何发现。

爱迪生的夫人曾经说过：爱迪生不断使用去除法解决问题。如果有人问他是否因为有太多的途径是行不通的而感到泄气，他一定回答说："不！我才不会泄气！每抛弃一种错误的方针，我也就向前跨进了一步。"

遇到问题，思考是必须的，但不要为思考耽误了行动，要知道再聪明的人，也要有积极的行动。一旦决定了，就马上去执行，才能把握住最好的时机。

第八章　推陈出新,创新改变未来

> 世间没有什么东西是静止不前的,世易时移,我们的思维习惯也要跟着改变才能赶上时代的潮流。俗话说:穷则变,变则通。当路走不通时,不要再一味顽固,而要变换思维习惯。也只有变换思维习惯,才能创新,才能让明天更加美好。

● 新思路源于打破常规

传统和常规虽然在以前可能是正确的,但形势变了,思维也需要跟着改变。成功者的特别之处,就在于他们善于打破传统,开创新思路,并使得结果完全改观。

你经常观察小孩子玩游戏吗? 如果你仔细观察就会发现,小孩子玩游戏的时候,总是喜欢变更规则、界线、角色和游戏方式。他们花在翻新游戏的时间,甚至比实际游戏的时间还多。大多数小孩不喜欢受人限制,不喜欢千篇一律,喜欢不停地创新、再创新。

专家们曾经提出过这样一个观点:竞争会造成限制。它的意思是说,传统上一般人习惯用"硬碰硬"的方式与人正面竞争,但是这种短兵相接的方式并不见得是最有效的制胜之道,反而会限制成功。因为当你正面去竞争的时候,等于你完全认同这个游戏,并愿意遵守某些固定的规则与观念,你的思想就会受制于某一个框框,反而阻碍你发挥自己的创造力。

绝大多数人宁愿相信,遵守既定规则是非常重要的概念,否则,如果人人都想打破规矩,岂不是天下大乱? 然而,管理专家强调,这只是一种鼓励突破思考的方法,让你更精确、更有效地达到目标。换句话说,"要打破的是规则,而不是法律"。

通常情况下,具有突破性思考特征的人,他们和旧式的行业规则格格不入,对每件事都产生质疑,不喜欢墨守成规,偏爱自由游荡。这也是为什么说"最具突破思考力的是小孩子"的最好理由。

罗伯特·克利杰,是美国斯坦福大学的教授,专门从事于运动心理学研究。

他在《改变游戏规则》一书中指出："在运动场上，很多运动选手创造的佳绩，都是因为打破了传统的比赛方法。"杰出的运动选手普遍具有这种"改变游戏规则"的特征。

根据罗伯特·克利杰的结论，突破思考是一种心态，可以鼓励人不断学习，不停地创造，所以，如果你想改变习惯，尝试新的挑战，那就突破规则，改变游戏方法吧！

所谓改变游戏规则，就是要掌握主控权。要改变规则不难，关键在于有没有求变的决心。一般人遇到没有把握的状况常常会犹豫，所以说人最大的敌人是自己。

很多人总是在遭遇很大危机的时候，才想到要改变，但到了这一步已经太晚了，应该未雨绸缪，在最好的时候，发展最快。最得意的时候，就要考虑改变。一般人最可怕的心态是，习惯于某一种固定的模式，认为："我过去做得很好啊！为什么要改变?"他们丝毫没有察觉，其实，失败往往就从现在开始。

有句话说，最大的风险是不敢冒险，最大的错误是不敢犯错。大多数的人之所以不敢冒险，也不敢犯错，因为他们只相信看得见的事。那些他们还没见到的事，他们习惯用经验去分析，而经验告诉他们的答案往往令他们不敢轻举妄动。

但对那些成功的人就不一样了。成功的人通常具有一种特征：喜欢做梦，而且不怕尝试错误。他们相信，心中的梦是支撑他们勇往直前的力量，而不怕犯错，才能累积成功的资本。因为有了梦想，所以他们对失败与风险比较能持乐观的看法。而且，这些成功的人，通常是成功了两次——他们在潜意识里相信自己已经成功，然后他们真的就成功了！

后天的环境就像一个牢笼，容易圈住人的思路。这是什么意思呢？我们知道很多的游戏规则是我们自己订的，结果，这些规则却套住了我们脑袋，使我们丧失了创造力。

因此，做任何事没有规则不行，但过于因循守旧、墨守成规也不行。适当之时，要勇于突破规则，大胆创新。有了新思路，才会有新出路。

◉推陈出新,开拓新思路

习惯有时好比一座高山,站得低的人,只能看到附近的一小块地方。只有那些爬得高的人,才能一览众山小。

张家、李家、王家同住一个村,地处大都市郊外 30 多公里处。三家都承包大片山坡地,都种上橘树。近年来,市场上水果丰富,品种繁多,人们的胃口也变得挑剔了——橘子在人们心目中逐渐成为低档货。因此,虽然橘子年年丰收,但价格就是上不去,结果丰收却不增收,使三家人很是苦恼。

这一年,又到了橘子收获季节。张家早早就组织劳动力上山采摘,希望能抢先一步,以新招人,争取一个较好的价格。可是,上市后,市场反映平平。因为提前采摘,果实成色差,色泽不鲜,吸引力不强。结果,扣除各种费用,张家所得寥寥可数。

李家吸取张家的教训,不走历年所走的道路。他们根据城市人习惯周末郊游这一新特点,想出了一个新的主意:在山下交通路口,树了一块路牌:“上树吃果鲜,比在家吃甜;让您吃个饱,只要 8 元钱。”结果,每到周末,李家的果园都热闹万分。因此,李家省工省力,又省去许多费用,收入颇丰。

王家即将面临一对双胞胎同时上大学的经济压力,可以指望的也只有这片果园。他们想,无论如何得卖一个好价钱。因此,果实迟迟没有采摘,直到快春节了,还是满树鲜果。他们想,时值新春佳节,家家求吉利,大桔(吉,橘原作“桔”,与“吉”谐音)大利,这里大有文章可做。于是,他们想出了一个良方:选择相邻的四株大橘树,将果实采光,将树冠整理平整,然后以绿油油的树冠为“纸”,以刚采摘下来的黄澄澄的橘子为“墨”,“写”成“新年大吉”四个大字,用细铁丝将新鲜的橘子按字形固定在橘树上。结果,绿叶金字,煞是好看。人在树下一站,显得风光满面。于是,他们拍下照片,并刊登广告:“桔树之上吃大桔,桔树之下照大桔,一家一户一百元,祝您新年大吉利。”结果,从大年初一开始,春风和春光每天都送来一拨又一拨的城里人,也送来了一叠又一叠的钞票。城里人又吃橘子又照“橘相”,乐了;王家人边待客人边数钞票,笑了。

通过这个例子,我们不难看出,王家迫于需要,走了与众不同的路,冲破了传统的习惯,才最终使办法比张家、李家高出一大截。

张家只有寻常的经济眼光,只知使用习惯的经济手段,因而橘园的收入没有达到预期的结果。

李家颇为聪明,他们由物及人,不仅为消费者提供了丰收的橘子,也为消费者提供了一种乐趣,提供了一种休闲方式,因而很受欢迎,所得回报自然也就比较丰厚。

王家的做法则更有特色:一是善于利用时间背景,借助春节这一特定时期,捕捉到了最佳商机;二是充分关注人们的心理追求,从满足消费者精神需要的角度,吸引了最广泛的注意力;三是轻型重神,在宣传上淡化橘子本身的物质功能,突出"桔"与"吉"的谐音关系,强化号召力。因此,三者中王家的收入最佳、效益最好也就很自然了。不过,读者应该注意到,王家的收入与他们的思维是有很大关系的,如果没有很高的企求,也许王家同样会依惯例采摘出售,不会做出更多的思考与构想。

可见,要想推陈出新,光靠传统的习惯搞经营是行不通的。还得不断开创新思路,培养新"习惯"。

●因循守旧的习惯要不得

在走向成功的漫长旅途中,因循守旧是你必须克服的第一个障碍。不要指望未来某个不确切的时候"情况将会好转",而将就着过日子。请相信我,那些转机将永远不会有。事物有一个可悲的趋势,那就是他们永远不会自我转变。靠一个精神上的"延期计划"过活,总是期待和希望,这是无益的,将永远不会把你带到某一目的地,你可以检测一下,看是否常常对自己说:

我希望一切都将朝最有利的方面转变;

我愿自己能在这件事或那件事上做些什么。

你承认正用这些想法在自己周围建立封锁线吗?你意识到"希望"和"祝愿"这两个词实际上使得你什么也不干吗?坐等不会给你带来什么,事实上,你的惰性可能引起了一种情感上的麻痹,使你不能做出一些重要的确定。

要对你自己说:"我已经明白",并且动手干起来。除非你去促成事物的转变,否则,未来的情况将是依然如故。

的确,要干,就需付出代价和担当风险,你的努力也可能会遭到失败;如果你避免干任何事情,你也可免遭风险和失败。但是,结果会怎样呢? 你避免可能的失败,同时也就避免了可能的成功。

要找出你身上因循守旧的原因,你可以经常这样推测性地审问自己:

(1)我过多地依赖那些朋友吗? 过于沉湎已厌倦的职业吗? 过于依靠那些对我厌烦的亲戚吗? 或者过于留恋那已不再令人满意的住房吗?

(2)我是否拒绝做任何对自己来说也许是一种挑战的事情吗? 例如控制饮食、戒烟,或者选修一门大学的课程。

(3)推迟做那些费力的不讨好的令人厌烦的事情吗? 如清扫房间,修车,修剪草坪,或者写信。

(4)计划着一些令人激动的事情,但从来不实行这些计划吗? 例如去休假,或者去观光旅游等。

(5)一旦面临的困难或任务将自己处于危险境地时,你是否会立即变得忧心忡忡吗?

有这么一些人,他们要做的事情是如此之多,以致分散了自己的精力,周而复始地忙这忙那,整天被一些细枝末节的小事拖累着,使自己离成功越来越远。如果你认为自己可能是属于这类人,那么,你可以问问自己一些下列的问题:

(1)总是忙得没有一点自己可支配的时间吗?

(2)因为有一些"重要的事情"要做而推托自己亲爱的人们的要求吗?

(3)因为家里或者办公室里有那么多活儿要干,以至于放弃了一个休假、一场电影或戏剧演出吗?

(4)由于首先必须照顾别人或者自己的职业而放弃了自己的幸福吗?

认真地考虑这些问题,你将很容易地确诊出自己因循守旧的根源所在。从根本上来说,因循守旧就是在事业中或人生交际、金融投资中害怕担当风险的一种心态。当你对那些熟悉的然而也是有害的信号做出反应时,你至少能够心安理得地(或者是不怎么舒服地)维持现状。因循守旧确实称得上是生活的防身甲和头盔。

克服因循守旧的坏习惯并不像你所想象的那样困难。你所必须做的一切便是,你现在就必须行动,而不是等到明天或者下个星期;关掉你正在看着的电视连续剧,立即着手写你的学术论文;放下你正在读的杂志,去打那些令人担惊受怕的电话;放下那一片送到嘴边的饼干,开始你的饮食控制;立刻参加某一个自去年就吸引着你的课程学习;现在你从钱包里取出 10 美元,开辟一个特别储蓄,以备你一直期待着的某次休假之用。

让我们举罗斯为例。

罗斯一直想成为一名心理学家。她在读高中时,便节省钱以备上大学时用。高中毕业不久,她的父亲得了重病,她的母亲由于要照顾她的弟弟妹妹,只能部分时间出去工作,而她父亲的伤残补助也是极有限的。看来,罗斯必须放弃上大学的梦想,她把自己的储蓄用来学习打字和速写技术,很快便找到了一个秘书职业。罗斯好玩似的产生了读夜大学的念头,但终于一个又一个的原因,她推迟了入学,就这样一学期又一学期地过去了,始终未能入学。"我真不明白,贝特丝,"她对自己最好的朋友吐露心事说,"我真的愿意学习某些大学课程,但我要想获得心理学硕士学位,路途是如此遥远。首先,我得在大学文科熬四年,然后在研究生院再熬两年多。贝特丝,因为我只能在晚上去上课,我要到80岁才能取得硕士学位"。

你看,罗斯犯了一个大错误,她眼前看到的是六年全日制学习,并可能把六年看成十二年甚至十五年,因为她只能在晚间学习。然而,如果罗斯把她的总目标分解成一些小的目标,她最终将可能实现自己的愿望。罗斯应当说:"贝特丝,我知道要取得学位需走很长的路,但这没关系。我将不管它大学文科四年的时间,而直接考虑在一个公共大学里学习两年,首先解决一些必要的基础知识问题。"

贝特丝应该回答说:"甚至这两年也可以忘掉它,而集中考虑在每一学期里你将要修的一二门课程。"把你的总目标分解成若干初级目标,然后又把这些初级目标分解成一些易于实现的小段落。这时,你可以为实现你的初级目标采取第一个行动了。一旦你形成了"实干"的习惯,你将会不断地有所建树,把一个成功建立在另一个成功之上,你将能比你所想象的要更快而又更容易地实现那遥远的,似乎是可望而不可即的,因而也是被不断延误了的愿望。

有时我们因循守旧,是因为我们让生活的潮流拽着走,我们的生活陡然地由一处不知道的地方到另一处不知道的地方恶性循环。随着我们的理想在期望和等待的尘埃里埋葬,我们对自己的命运失去了控制。然而,我们文过饰非地借口说是别人使我们不能做那些自己想做的事情,或者说是"我们无法控制的"环境使得我们如此之忙以至于不可能去改变自己的方向,以此来为自己的惰性辩护。

◉比别人多想一步

罗伊·普兰克是杜邦公司的化家专家。有一次,他做了一项实验,失败了。当时,实验结束,他打开试管,发现里面一无所有。他感到不解,于是称出试管的重量,却意外地发现重量增加了。"为什么呢?"

带着这个疑问他继续努力寻找答案,后来发现了奇妙的透明塑胶。

当我们碰到无法理解的事情时,要多问一个"为什么",然后仔细想一想,认真地琢磨琢磨,你也许会有奇妙的发现。

一位年轻的英国人到祖母的农场度假。他倚着一棵苹果树,任自己的思绪漫游。一个苹果掉到地上。

"果为什么会掉到地上?"他问自己,"是地面吸引苹果,还是苹果吸引地面?万物相互吸引? 其中是否存在某种定律?"

他就是牛顿。牛顿比常人多想一步,运用思考的力量找出答案——苹果和地面相吸引——进而发现了万有引力。

20 世纪 80 年代,日本一位 18 岁的少年继承父亲的制面事业。

他的父亲病重无法工作,少年独力维持家计,养活 6 个弟弟、3 个妹妹及多病的双亲。他不但制面,还要负责卖面。

20 岁时他爱上了一个女孩,女孩的父亲不愿意女儿嫁给制面的少年。于是,他改行从事珍珠买卖,并不断追求新的专业知识。

一位大学教授告诉他一项未经证实的理论:"珍珠的形成,是异物进入珍珠贝,例如砂粒,珍珠贝才会分泌珍珠的成分,将异物包裹起来,形成珍珠。"

少年听了大喜过望。他想:"如果我将异物植入珍珠贝体内,就会有人工饲养的珍珠产出了。"实验成功。他的人工养珠,使他成为日本知名的大企业家。

另外一个与珍珠有关的故事,是一个年轻的美国人约瑟夫·高登史东。他在爱荷华州的农村挨家挨户推销珠宝。

有一天,他得知日本生产美丽的人工养珠,品质良好,价格比天然珍珠低很多。

约瑟夫"看到"了大好的机会。虽然时值经济大恐慌,他和妻子艾莎还是变卖了所有的家当飞往东京。他们见到日本珍珠贩售协会的主席北村,提出在美国销售日本养珠的计划,要求北村提供首批价值 10 万美元的寄卖品。这是一个大数目,尤其在不景气时。但是,7 天后,北村答应了。

那批养珠销售一空,高登史东前途看好。几年之后,他们决定经由北村的协助,设立自己的养珠场。他再度"看到"别人视而不见的机会。

起初,植入异物的珍珠贝死亡率超过 50%。"如何降低这么大的耗损?"他们问自己。经过多次研究,他们先将珍珠贝的外壳刷洗干净,降低感染的几率。然后使用少量的麻醉剂,以消毒干净的手术刀切割,并植入一小颗圆珠;完成之后,再将珍珠贝放进笼内,放回海底。每隔 4 个月,收起笼子检查珍珠贝生长的情形。经过这些处理,90% 的珍珠贝都能存活,并且产出珍珠,使高登史东赚进巨额的财富。

成功者总是走在别人前面。有时,你比别人多想一点,比别人多走一些,就能看到别人没有看到的机会,成功别人梦想不到的事业。所以,千万别放过任何一个创新的机会。运用所学,勤于思考,付诸行动,你就会觉得到处都有无穷无尽的趣味和新领域在等你。

◉勇于改变传统的习惯

同一件事,如果依照同样的习惯思维去运作,肯定不会有新的改变。但若能嫁接思维,用不同的方法去开拓,自然会结出不同的硕果。

始于 1896 年的奥运会是四年一度的全球体育盛会。由于规模大、奢华、浪费,在 1984 年以前的历届奥运会,几乎所有主办国都严重亏损。1976 年,加拿大主办蒙特利尔奥运会,亏损达 10 亿美元。1980 年前苏联莫斯科奥运会总支出达 90 亿美元,其债务更是个大黑洞。直到 1984 年美国洛杉矶奥运会,商界奇才尤伯罗斯接手主办,才首次创下奥运史上巨额赢利的纪录。尤伯罗斯将经济理论引入体育事业,用经济手段操办体育比赛。他一抓节流,二抓开源,使奥运会开支少,收入多,从而大额获利。他的节流主要从两个侧面人手:一是宣传奥运光荣,虽然不发工资,却引来数万名义务服务员,仅此一项即节省工资数千万美元;二是全面使用现成的体育场馆,并以当地 3 所大学的宿舍作为奥运村,大大节省了建筑费用。

在开源上,尤伯罗斯更是奇招迭出。首先,出售奥运圣火接力权。圣火于希腊点燃后,在美国接力达 15000 公里,愿意举上火炬跑上一程者每公里得付赞助费 3000 美元。当然,赞助商还可以在相应的区段里做广告。仅此一项,收入即达 4500 万美元。其次,限定赞助厂商的数量,提高单位赞助数额——每家赞助不得少于 500 万美元,结果精选几十家,得款 1.17 亿美元。第三,竞卖独家电视转播权,从美国全国广播公司取得 2.25 亿美元的转播费。第四,打破奥运广播电台免费转播比赛的惯例,得款 7000 万美元。第五,奥运吉祥物山姆鹰的标志也作为商标出售,取得高额收入。最后的结果是,第 23 届奥运会总支出仅 5.1 亿美元,赢利却达 2.5 亿美元,为原计划的 10 倍。

这一奇迹被称为奥运经济学,被誉为惊世创意,具有划时代意义。为什么?因为它独特!历来被归入文化领域的体育事业,从来都是亏本的。可是,经济理论一经引入,奇迹顿即产生了。

在这个例子中,主办者尤伯罗斯以超人的独创性思维品质贯穿于整个奥运会的策划与实施过程。在他看来,体育也是商品,也可以用经济手段运作。这是尤伯罗斯成功的根本原因。在哪怕是父子之间按劳取酬也天经地义的美国,尤伯罗斯以奥运自身的无穷魅力相号召,吸引上万名志愿服务者,节省数千万美元,可谓将奥运无形资产转化为有形资产的一大创举。这在美国是极为不易的,可他办到了。更重要的是,别人办奥运,必先建比赛场馆,再建住宿楼宇。结果是使用没几天,却欠下一大笔债务,留下一大堆麻烦。尤伯罗斯一反常规,不大兴土木,而借用现成设施,也是一大创造。别人忙碌数年而仅仅为了不足 1 个月之用,1 个月风光之后,则要承受负债若干年的尴尬。相比之下,尤伯罗斯的做法可谓出色而独创。

在创收中,尤伯罗斯更不愧为商界奇才。凡与奥运有关的,不管是有形的还是无形的,在他手里都变为商品,都可以出售换钱。火炬接力与迎引,过去要雇请人员,广泛宣传,费用不少,可他改为民间火炬接力,并利用沿途观赏者众多这一有利条件,将它辟为广告载体,谁想当众扬名,那就掏钱。借民众之围观卖钱,真亏他想得出。再说奥运吉祥物,向来是奥运自我扩大影响的宣传品,得花钱,可到尤伯罗斯手里,它同时又是商标,而且是极高知名度的商标,当然,卖个好价钱也就不足为奇了。

别人不能省的钱他省了,别人不能卖的物他卖了。这就是改变传统习惯,不为习惯思维所左右的典范。

◉不要迷信所谓的权威

盲目的崇拜会导致盲目地跟从。一个人如果养成了这种盲目跟从的习惯，就会变得碌碌无为。

一名佛教徒遇到了难事，去寺庙里求观音。走进庙里，发现观音的像前也有一人在拜，那个人长得和观音一模一样。

"你是观音吗？"

"是。"那人答道。

"那你为何拜自己？"

"因为我也遇到了难事。"观音笑道："可我知道，求人不如求己。"

这是一则有关佛教的趣谈，它让人深思，让人回味。

想来凡人之所以为凡人，可能就是因为遇事喜欢求人。而观音之所以为观音，大约就是因为遇事只去求己吧。在现实生活中，如果人人都拥有遇事求己的那种习惯，也许人人都会成为自己的观音！

拿破仑年轻的时候，一次到郊外打猎，突然听见有人喊救命，他快步走到河边一看，见一男子正在水中挣扎。

这河并不宽，拿破仑端起猎枪，对准落水者，大声喊道："你若再不自己游上来，我就把你打死在水里！"那人见求救已无用，反而更添一层危险，便只好奋力自救，终于游上岸来。

拿破仑拿枪逼迫落水者自救，是想告诉他，自己的生命本应该是自己负责的，唯有负责的生命才是真正有救的生命。

崇拜和向别人求助容易让你盲从，失去自己的判断，我们往往轻信所谓的专家而不信任自己。在日常生活中，自己好不容易建立起来的信心和计划只要有专家一句话就给轻而易举地否定掉了。生物界有一种奇怪的虫子，叫列队毛毛虫。顾名思义，这种毛毛虫喜欢列成一个队伍行走。最前面的一只负责方向，后面的只管跟从。生物学家法布尔曾利用列队毛毛虫做过一个有趣的实验：诱使领头毛毛虫围绕一个大花盆绕圈，其他的毛毛虫跟着领头的毛毛虫，在花盆边沿首尾相连，形成一个圈。这样，整个毛毛虫队伍就无始无终，每个毛毛虫都可以是队伍的头或尾。每个毛毛虫都跟着它前面的毛毛虫爬呀爬，周而复始。直到几天后，毛毛虫们被饿晕了，从花盆边沿掉下来。毛毛虫的失误在于失去了自己的判断，盲目跟从，进入了一个循环的怪圈。

人生犹如一个大战场，你的面前也只有两条路：要么成功，要么失败。任何人的成功，都需要做出大量的努力，是没有捷径可走的。

在一次著名企业家报告会上，有一位年轻人向做讲演的企业家提出这样一个问题："能不能给我们年轻人指示一条成功直线，让我们少走弯路呢？"

这位企业家干脆利落地答道："成功就像山顶一样，哪里有什么直路可以走呢？"

事情就是这样，热衷于寻找捷径的人，往往稍微碰到一点困难的时候，心中就打退堂鼓，结果转来转去，总在山腰里打转。

即便成功有捷径，也是为很多有真正思想的人所不齿的，因为那样得来的成功，往往不能代表自己的价值。

法国作家大仲马的儿子小仲马刚开始写作的时候，寄出的稿子总是碰壁。于是大仲马便对小仲马说："你在寄稿时，写上'我是大仲马的儿子'，或许情况就会好多了。"

大仲马对小仲马的说法，可以说给小仲马提供了成功的捷径。但是小仲马却固执地说："不，我不想坐在你的肩头上摘苹果，那样摘来的苹果没味道。"年轻的小仲马不但拒绝以父亲的盛名作敲门砖，而且不露声色地给自己取了十几个其他姓氏的笔名，以避免那些编辑先生们把他和大名鼎鼎的父亲联系起来。

面对那些冷酷而无情的一张张退稿笺，小仲马没有沮丧，仍在不露声色地坚持创作自己的作品。他的长篇小说《茶花女》寄出后，终于以其绝妙的构思和精彩的文笔震撼了一位资深编辑。《茶花女》出版后，小仲马声名鹊起。

崇拜别人容易让你上当受骗。一个聪明人决定开始一项冒险。他大胆地预测一场万众瞩目的球赛（有很多人赌球），他发出10万封电子邮件，对其中的一半预测甲队胜利，而对另一半预测甲队失败。无论如何，他总会说对一半。然后下一次，他又开始预测一场新的比赛，这一次他只给上次说对了的那5万人发信，不再理会其余的5万人，预言当然还是胜负各占一半；接着再把这个游戏进行下去。在经过了三四次后，他已经在5000多人或者数千人中建立了极高的威信，这家伙神了，说得这么准！他会收到很多反馈，许多人开始重视他的意见，随着名气的增大，总会有新的崇拜者加入到队伍中来。这时，他开始收费，然后再继续向上次说对了的人群预测。由于"预测"的结果惊人的准确，他的铁杆崇拜者付给他越来越多的报酬。这个家伙成为一个名利双收的大"专家"。

虽然这个故事对众多真正的专家颇有不敬,但就是真正的专家也难免有犯错的时候。专家只是意味着对现有资料、知识占有得比较充分,过去曾经做出过成绩,在这个领域中有着一些超乎常人的判断力而已,并不意味着他事事完全正确。因此,不要迷信任何人,崇拜任何人。

我们可以尊重专家的意见,在他的基础上前进,但千万不要把他看作不可逾越的高峰。相信自己,才是最重要的。

◉化不满现状为创新激情

现实生活如果有令你不满的地方,不要只一味发泄,也不要因此自暴自弃。这时候,需要端正自己的想法,应该认识到:现实的不如意也许恰恰是激励你改变现状、开发新天地的大好契机。如果能化不满为创新,你将与成功和财富握手。

加藤信三,原来只是日本狮王牙刷公司的小职员。作为一个再平常不过的小职员,尽管他前一天夜里加班加点,很晚回家休息,尽管他头晕目眩,还想美美地睡上一觉,但是他必须马上起床,赶到公司去上早班。起床后,他匆匆忙忙地洗脸、刷牙,不料,急忙中出了一些小乱子,牙龈被刷出血来!加藤信三不由火冒三丈,因为刷牙时牙龈出血的情况已不止一次地发生过了。情绪不好的他怀着一肚子的牢骚和不满冲出了家门。

作为一个牙刷公司的职员,数次刷牙牙龈出了血,加藤的不满情绪越来越大了。他怒气冲冲地朝公司走去,准备向有关技术部门发一通牢骚。

走进公司大门时,走着走着,他的脚步渐渐地放慢了。

加藤信三曾参加过公司组织的管理科学学习班。管理科学中有一条名言使他改变了自己的态度。这条训诫说:"当你遇有不满情绪时,要认识到正有无穷无尽新的天地等待你去开发。"

当他冷静下来以后,和同事们想出了不少解决牙龈出血的好办法。他们提出了改变刷毛的质地,改造牙刷的造型、重新设计毛的排列等各种改进方案。经过论证后,逐一进行试验。试验中加藤发现了一个为常人所忽略的细节:他在放大镜下看到,牙刷毛的顶端由于机器切割,都呈锐利的直角。"如果通过一道工序,把这些直角都锉成圆角,那么问题就完全解决了!"同事们都一致同意他的见解。经过多次实验后,加藤和他的同事们把成功的结果正式地向公司提出。公司很乐意改进自己的产品,迅速投入资金,把全部牙刷毛的顶端改成了圆角。

改进后的狮王牌牙刷很快受到了广大顾客的欢迎。对公司做出巨大贡献的加藤从普通职员晋升为科长,十几年后成为公司董事长。

加藤的故事告诉我们一个很重要的经验:从不满中起步,在不满中发现。所以,在某种程度上,不满是发现的第一步,是创新的源泉,是拥抱希望的契机。

◉ 跳出世俗观念的陷阱

人都不是孤立的个体,因为我们生活于一个社会之中,社会生活是群体的生活。个人的思维方式因此很容易受到群体的影响,我们的思想和行为也可能时时受到社会世俗的约束。在我们生活的世界之中,存在着各种各样的"应该"、"必须"等条条框框,它们编织了一个很大的网,将现实生活中的人们网罗其中,而我们很多人往往习以为常、不假思索地照"章"行事。

但是,没有什么事情是绝对的。时代在进步,事物在变化,任何规则甚至法律都不能保证在任何时候、各种场合均能适用,或取得最佳效果。相比之下,具体情况具体分析的原则应成为我们生活和行事的准则。然而,你可能会发现,违反一条不适用的规定或打破一种荒谬的传统却很困难,甚至不可能。

顺应社会潮流有时的确不失为一种生存的手段。

当然,我们这里没有提出、也丝毫没有暗示,你可以任意违反法律或规则。公共秩序是文明社会的重要组成部分,法律则是维持文明社会必不可少的。但是,对于个人来说,盲从有时可能比违背规定更为有害,因为有时有些规定是荒谬的,有的传统习惯也常常是毫无意义的。在这种情况下,你如果盲目地循规蹈矩,就无法真正地按照自己的愿意去生活。

林肯曾经说过:"我从来不为自己确定永远适用的政策。我只是在每一具体时刻争取做最合乎情理的事情。"

如果一种规定或规矩妨碍着人们的精神健康,阻碍着人们去积极生活,它就是不健康的。如果你知道这种规矩是消极而令人讨厌的,而你又一直遵守规矩,那你就陷入了人生的另一种误区——你放弃了自我选择的自由,让外界因素控制了自己。生活中有两种类型的人,即外界控制型与内在控制型。认真分析一下自己属于哪种类型,这将有助于你进一步审视自己生活中的大量误区性条条框框。

一般而言,你的是非观念往往是因为那些普遍适用的"应该"标准而造成的。对于这些标准,你或许有着一些不确切的认识,例如,你可能认为,所谓对的就是好的、合理的,而所谓错的则是坏的和不合理的。其实,这种认识是荒谬的,因为世上根本不存在这种意义的"是"与"非"。这种"是"本身有一种保证:你如果以特定的方式做某件事,就肯定可以成功。然而,这种保证实际上是没有任何意义的。从现在起,你可以将某个决定视为不同的、有效的、或者是合理的,但如果你将其视为对的或错的,那你就掉进了一个陷阱。

人们为了回避未知,往往要寻求一种"稳妥",当我们面对是非选择时,也往往存在一种需要找到正确答案的心理。这也许是你愿意将事物绝对化的一种表现。在这种情况下,你总是会将世界划分为完全对立的两个方面:黑与白、是与非、好与坏、对与错,事实上,我们将世界上的事物如此绝对地分类往往是不可能的。聪明的人通常都游荡在模糊的中间地带,他们轻易不会明确地说对或错。这种喜欢黑白分明的倾向在家庭生活及其他各种人际关系中最为明显。你或许会注意到,人们平常进行的讨论总是会发展成辩论,最后无非是要证明一方是正确的,另一方是错误的。人们常常说:"你总认为自己一贯正确",或者"你从不认错"。但是,在日常讨论中,往往不存在是非问题。人是各不相同的,他们看问题的角度也不尽相同。倘若非要证实一方是正确的,结局必然是中断思想交流。

这实际就给你设置了一个陷阱,现在,只有改变这种状况,改变以绝对的是非标准来衡量一切的思维方法,你才有可能跳出去。

杰克是一位公司员工,他经常与妻子在家争吵,以至于快要发生婚姻危机。后来,他找到一位心理咨询专家,听了杰克的诉说后,专家给他提出了一条建议——"不要总是试图向你妻子表明她错了,你不妨只同她讨论讨论而不去辩明谁对谁错。只要你不再强求她接受你的意见,你也就不必自寻烦恼,不必为证实自己的正确而无休止地争吵了。"后来,杰克试着做了,果然很奏效。一旦遇到相反的观点和看法,他不再与妻子争论不休,要么与之讨论,要么回避不谈。一段时间以后,他们的夫妻关系明显得到了改善。

其实,各种是非观念都代表着一种"应该"的框框。这些条条框框会妨碍你，当你的条条框框与他人发生冲突时，尤为如此。在我们的生活中不乏一些优柔寡断之人，他们无论大事还是小事都难以做出决定，究其原因，是因为他们总希望做出正确的选择，他们以为通过推迟选择便可以避免犯错误，从而避免忧虑。有一位患者去求助心理医生，当医生问他是否很难做出决定时，他回答道："嗯……，这很难说。"

你或许觉得自己在很多事情上也难以做出决定，甚至在小事上也是如此。这是习惯于以是非标准衡量事物的直接后果。如果当你要做出某些决定时，你能抛开一些僵化的是非观念，而不顾忌什么是是非非，你将轻而易举地做出自己的决定。如果你在报考大学时竭力要做出正确的选择，则很可能不知所措，即使做出决定后，也还会担心自己的选择可能是错误的。因此，你可以这样改变自己的思维方法："所谓最好、最合适的大学是不存在的。每一所大学都可能有其利与弊"这种选择谈不上对与错、仅仅是各有不同而已。

要消除优柔寡断，你不要将各种可能的结果都用对与错、好与坏，甚至最好与最坏来衡量。所有选择的结果只是他们各自不同而已。例如，你到商店购买了一件衣服，当你穿给父母、朋友，或孩子们看了之后，他们会表露出不同的观点，而你无法判断他们哪一个人的观点是对的，哪一个是错。关键一点，你自己喜欢最为重要。

你可能会认为，错误的思想是不好的，甚至根本不应提出来，应当鼓励正确的思想。你或许会对孩子、朋友或妻子说："不对的话就不要说，不对的事就不要做。"问题恰恰出在这里，因为这种对与错、是非曲直的标准应该由谁来确定呢？这是我们每个人都无法肯定回答的问题。法律只能决定一件事是否合法，却不能决定它的对错。一个多世纪以前，穆勒在《论自由》一书中指出："我们永远无法确定我们所压制的是不是错误的意见。即使我们压制的是错误的意见，压制意见的做法比错误意见本身更为邪恶。"

衡量是否更适合生活的标准并不在于能否做出正确的选择，因为一种所谓正确的标准包含着我们前面谈到的"条条框框"，而你应当努力打破这些条条框框。这里提出的新的思维方法将在两个方面对你有所帮助：一方面，你将完全摆脱那些毫无意义的"应该"标准；另一方面，在消除了是非观念误区之后，你便能够更加果断地做出各种决定。

◉要善于利用前人的智慧

牛顿在科学上取得那么伟大的成就,当别人无比赞誉他时,他却谦逊地说:"我不过是站在巨人的肩膀上。"

牛顿的这句话,除了谦虚之外,其实还包含着深刻的启示:我们要学会利用前人已有的知识,在此基础上创新,就更可能成功。

爱迪生发明灯泡的过程,就是一个很好的例证。

爱迪生以别人已经证实的事实作为开始:一条金属线接触电之后会发热,最后还会发光,但问题却在于强烈的热度,很快就把金属线给烧断了。所以,光的寿命只有几分钟而已。

爱迪生在控制热的过程中,曾经历过上千次的尝试。而他最后所发现的方法,也是以一项其他人都不曾察觉到的普遍事实作为根据。他发现炭是经过木头燃烧、被土壤覆盖,并在土壤中闷烧,直到木头被烧焦后所得到的产物。由于土壤的覆盖,致使流向炭的氧气量,只是供其闷烧而不会燃烧。

当爱迪生想到这个事实之后,便立刻联想到对金属丝加热的念头,他把金属丝放在一个瓶子里,并抽出瓶中大部分的空气。他利用这种方法发明了第一个寿命长达8个半小时的灯泡。

这种创新方法也可以用到企业的经营管理中去。

史坦堡是杂货业的一位成功的管理人员,在经营以康乃狄格州为基地的连锁事业时,他开了为许多家提供大量货品的大型超市,为顾客提供价格低廉的服务。

这些连锁店经营得非常成功,使史坦堡在杂货这一行建立起相当好的声誉。但是,他并不因此而感到满足,他想到杂货店的经营概念是否可应用到其他方面。

他想要以现代化的经销方法,在较大的市场上开一家大型办公室用品供应店,并提供给顾客一些有价值的商品。他和凯恩(一位创办大型杂货店的先驱)成立了智囊团,并在不久之后成立了第一家大型办公室用品供应店:Staples。

史坦堡的想法立刻激发他的竞争者,并对这一行造成重大的变革。虽然市场上有强大的竞争,但是Staples的业绩却超过史坦堡想象的程度,七年的营业额就超过了 10 亿美元。

建超级市场的构想,并不是史坦堡发明的,但是他却能把超市的经营方式,应用到一个数十年来的普通市场,从而获得了巨大成功。

甚至,我们只需要把前人的成果进行杂交组合,就能创造出一种全新的东西。

地毯和指南针原来是风马牛不相干的两样东西,比利时商人范德维格却把两者"杂交组合"起来,创新成为"指南地毯"。在阿拉伯国家,穆斯林教徒无论居家或外出,每天祈祷从不间断。祈祷时一定要面朝圣城麦加。旅行在外,一般都要随带一块小地毯以便祈祷时用,同时还要费神辨别方向。精明的范德维格便将指南针巧妙地嵌入地毯,并把指南针稍加改动,不是指向正南正北,而是指向圣城麦加方向。

这样一来,教徒不管走到哪里,只要把地毯一铺,就可找到圣城的方位,方便祈祷。"指南地毯"投放市场后,立即被教徒们所接受,成为阿拉伯国家和地区的抢手货。

生活中,"东拼西凑"、杂交组合的创新比比皆是。电话机同录音机组合,创新成了录音电话机;电炉子同火锅组合,创新成电火锅;电子钟同台灯组合,创新成了电子钟台灯,等等。

创新需要我们最大限度吸收前人的成果,那些知识和成果是人类的共同财富,当然也可以为你所用。一个闭门造车的人很难搞出什么新创意,不利用前人智慧的人更不必奢谈伟大的成就。我们要善于站在前人的肩膀上,开拓全新的未来。

◉逆向思维出成果

一般人都习惯于顺向思维,习惯于按部就班地思考问题,这样可能会失去很多新发现的机会。很多的时候,如果我们能逆向思考,往往能迸发出全新的创意,创造出惊人的成果。

"按下快门,其他的事由我来做。"这是"柯达第一号"小盒型照相机面市时的广告词。

照相机,在它面世之初是被当作精密复杂的仪器来看的。一般大众与它没有缘分。但是,乔治·伊士曼——纽约罗彻斯特镇一家小银行的事务员却认定:"照相机应像铅笔一样简单,谁都可以使用。"

1881年,伊士曼用5500美元开办了摄影器材公司,这就是今天名闻世界的柯达公司的前身。1888年6月,伊士曼把"柯达第一号"送进了市场。1963年,当柯达公司在27个国家同时推出大众化的"自动式"照相机时,全世界为之轰动。

跳伞运动员从飞机上跃出,在降落伞张开前的瞬间,他完成了胶卷的装卸。老人、儿童、妇女,全部都应付自如地摆弄着柯达自动照相机。它的好处还在于售价便宜,在柯达自动照相机三种机型中,大半在50美元以上,最便宜的只售10美元。

这种"自动式"相机立即风靡世界,柯达公司大发其财。柯达成功的原因就在于"反常而行"。相机的功能开始并不复杂,可随着性能越来越好,操作使用也越来越繁琐。

这对于专业摄影者来说当然无所谓,但对普通人来说就不同了。因此一反常规,让相机的操作简单得不能再简单——只需轻轻一按便可完成照相过程,就连"傻瓜"也能操作,这便获得了轰动性的创新成果。

然而,更出人意料的还在后头。就在柯达公司赢得大众、自动相机卖好的情况下,又进一步宣称:"自动照相机的专利本公司绝不独占,我们同意所有厂商仿造它。"这绝对不是平常人愿意做的。一般人在自家产品畅销时,肯定会千方百计保守秘密,以专利垄断市场,独享其利。柯达的做法,让人疑惑它的目的所在。

然而,这正是柯达成功的又一诀窍。今天,提起柯达,人们首先想到的不是自动照相机,而是大名鼎鼎的柯达胶卷。原来,放弃专利让其他照相器材厂商共同拓展世界照相机市场,最终必然刺激胶卷的销售。

●点滴生活出灵感

米曼是美国一名普普通通的女士,她在日常生活中发现,自己穿的长筒丝袜老是往下掉。如果是逛公园或去公司上班,丝袜掉下来是多么尴尬的事,就算偷偷地拉上也是不雅。又想,这种困扰,其他妇女也一定会遇到,于是她灵机一动。

她开了一间袜子店，专门售卖不易滑落的袜子用品。袜子店不大，每位顾客平均可在 1 分半钟内完成现金交易。米曼目前分布在美、英、法三国的袜子店多达 120 多家。

碰到袜子往下掉的女士何止千千万万，但能够触发灵感要开一间袜子店，解决这小小的尴尬的人却寥寥无几。可见，做生活中的有心人，抓住每一丝灵感，将受益无穷。

再来看看茱迪的故事吧，你会更相信这一点的。

1980 年 7 月，茱迪失业了，她是两个 10 多岁女儿的母亲。她离了婚，没有固定收入，真不知如何过活？加上她中学还未毕业，又没有一技之长，怎么办呢？

茱迪先投身地产业。但不幸，她却选在了地产业最不景气的一段时间入行。结果，她失败了，但却没有气馁。

她筹足了旅费，带着两个女儿返回她们的出生地——夏威夷。

回到夏威夷，因为要找寻一件衣裳，既要有夏威夷宽裙那么舒服，款式又要适合参加非夏威夷人的聚会。于是她四处搜寻，但结果发现这种夏威夷宽裙只有一个尺码，它们的花样看来很相像，并无特别与众不同的设计。加上它们都是用夏威夷的印花布缝制成，对于用来参加其他夏威夷色彩不浓的社交场合，就一点也不适宜了。

灵感产生了，茱迪决定动手设计与众不同的裙子。她买了一块带"美国本土"色彩的花布，然后就着手为自己缝制一条有花边的宽裙。她把这条裙子裁制得宽松合身，既舒服，又不会失去设计和线条美。结果自然是非常引人注目。

她房东的妻子非常喜欢这件宽裙，于是就请茱迪为她缝制一条。

茱迪说："当然可以，不过我要先替你量尺寸。"

女房东惊异非常："度身缝制的宽裙？一条为我度身而做的夏威夷宽裙？"

茱迪答："当然啦，我擅长为人缝制度身定做的夏威夷宽裙，袖是依你手臂的长度而缝的，而肩膀的宽松也会按你的身形而做。"

毋庸置疑，这在制造和设计夏威夷宽裙上是一大突破。

当茱迪想起自己做夏威夷宽裙时，她问了自己四个问题以测验一下想法是否会成功。

第一个问题是：它是否实用，能否满足人一项重要的需要？茱迪知道夏威夷宽裙是极其实用的，因为任何大小尺码的女士都可以穿。就算过胖的人穿上了,她们的身材也会被掩饰得天衣无缝。

第二个问题是:它可以做得更美观吗?茱迪想,当然可以,这种宽裙可以做得更时髦,它们也可以有美国本土那些礼服那么多款式,这处加多一块,那处修窄一块,加层花边……

第三个问题是:它可以做成有别于其他的式样吗?茱迪认为只要她不用夏威夷的印花布,而改用美国本土流行的布料,这种宽裙就可以用来参加非夏威夷式的派对了。

她问自己第四个问题:它是否比市面上所出售的更佳,可获优质标志?她的答案当然明显不过了。这些夏威夷宽裙不但实用、美观、与众不同,而且比市面所售的,无论在手工和款式上都更为物有所值。于是茱迪就以极大的自信开办了她的公司。现在呢,茱迪一个月就能生产123件衣裙,她的办公室将从家里搬到一间170平方尺的大屋。她的裁剪师和缝制师都在家里工作,大大节省了营业开支。

下一步呢?听听茱迪的话吧。

"刚接到一个订单,就是为檀香山一所中学的200名毕业女生缝制宽裙。每年毕业日,她们的高中女生都会穿着夏威夷宽裙参加毕业典礼,年复一年。她们都是在一间夏威夷的老字号订衣裳。但今年,她们因为觉得我所做的既时髦,又有个人的特色,于是就把订单转给了我的公司。

"下一步,我就要把这些宽裙向美国本土推销,他们对这种宽裙还没有认识,只因那些设计和布料都不适合罢了。

但我已知道什么才行得通,而且我也知道怎样着手,我一定会向全美国推销我的作品。到时它们就不会是夏威夷宽裙,而是'茱迪裙'了!"

而当初茱迪把自己的想法告诉朋友时,他们都取笑她,说:"你要向夏威夷人推销夏威夷宽裙,不如去阿拉斯加向爱斯基摩人推销白雪好了。难道你看不见那些数以千计挂在成衣店、商场和游客购物地区的夏威夷宽裙?难道你不知道现在正百业不振吗?"

但茱迪实践了自己的想法,获得了成功。当灵感第一次出现时,可能像是天方夜谭,需要你有勇气跨出第一步。跨出第一步之后,你就会发现路会越走越宽阔的。

◉大胆探索神秘的未知

未知世界是神秘的,这种神秘色彩一方面能吸引人们的兴趣,另一方面又要有可能打压了人的激情。有些人容易进入这样一种误区——极力回避未知事物,成了一位谨小慎微的"安全专家"。

人的习惯思维就是,迈出每一步之前,总是希望知道自己走向哪里,达到目的之后会有什么结果。这实际是一种安逸的想法,有点惰性,也有点怯懦。你总是惧怕失败,并且变成一位尽善尽美主义者。你不愿做出任何新的尝试,不敢接受新的挑战。你为了保证成功的安全系数而放弃了自我冒险和努力。当你陷入这种误区时,你便故步自封,没有丝毫长进。须知,未知世界是冒险家的乐园,勇敢而入吧!

其实,你完全不应恐惧未知,神秘的未知并不可怕,恰恰相反,它不仅是科学与艺术的源泉,也是人发展与激情的源泉。

也许你经常有这样一种生活体验:对那些每天接触并熟知的事物,你似乎十分厌倦。如果在问题还没有提出之前,你便已经知道其答案,那么你就不会有所发展。令你印象最深的时刻,也许正是你本能地投身于生活,并兴奋地期望神秘的未来的时候。

如果你充分相信自己,你就具备了从事任何活动的信心与能力。一旦你敢于探索那些陌生的领域,就可能体验到人生的各种乐趣。想想那些被称之为"天才"的名人,那些生活中颇有作为的人,那些在政界和商界颇有影响的人物,他们都具有一个共同的特性:他们并非仅仅精通一件事情,更重要的是,他们从不回避未知事物。例如,富兰克林、贝多芬、萧伯纳、丘吉尔以及许多其他伟人,他们都是敢于探索未知的先驱者。与你一样,他们也都是普通的人,唯一的区别只不过是他们敢于走他人不敢走的路。

我国著名的文学家鲁迅先生也曾说过:"其实,地上本没有路,走的人多了,也便成了路。"

只有那些勇于探索未知的人,才能带领他人走出一条路来。你可以用新的眼光重新看待自己,打开心灵的窗户,去尝试那些你一向认为力所不及的活动;否则,你就会以同样的方式反复进行同样的活动,直到你结束自己的一生。事实上,任何一位伟人都是普通而平凡的,他们的伟大之处往往体现在其敢于探索的品质和勇气之上。

要积极尝试新事物,就必须摒弃这种观点——改变现状不如苟且偷安,因为改变将带来许多不稳定的未知因素,并存在一定的风险。也许你一直认为自己非常脆弱,经不起摔打,如果涉足一个完全陌生的领域,就会碰得头破血流,这是一种荒谬的观点。当你身处逆境时,你可以依靠自己战胜困难;当你遇到陌生事物、身处陌生环境时,你不会经不起考验,更不会一蹶不振。相反,如果消除生活中的一些单调的常规,倒会减少你精神崩溃、厌倦生活的可能。对生活感到厌倦,这会削弱一个人的意志并产生一种不健康的心理影响。一旦对生活失去了兴趣,你就可能首先在精神上垮掉。然而,如果你不断给自己的生活寻找一些未知的因素,你的生活就增添了许多调味剂,你也会变得更加充实、上进,而不会选择精神崩溃。

你也许还抱有这样一种心理意识:"这件事异常独特,让人觉得奇怪,我还是躲得远一些好。"这种心理状态使你无法获得一种积极尝试新生事物的经历。例如,当你看见几个聋哑人在相互用手势交谈时,你只是觉得十分好奇,你只在一旁观看,也许从未想到与其交谈;如果你遇到一位不会讲汉语的美国人在商场购物,遇到语言障碍,而你正好学过英语,这正是你帮助他人和锻炼自己的一个良机,而你却不敢,因为你害怕露面,担心自己说错英语或者一时搭不上腔而出洋相。于是你可能假装自己什么也不懂,或者悄悄溜走,这样避免了许多可能不利的未知因素。

你还可能认为,我们不管做任何事情,都一定要有某种理由,否则做它又有什么意义呢?这种观点纯属谬论!只要愿意,你可以去做任何事情,而不一定非得等到有一个明确合理的理由。我们没有必要在做每一件事情之前非得寻找一个理由。如果事事都要有理再做,你就不能去尝试新的经历。当你还是个孩子时,你会逗蚂蚱玩上一个小时,其理由只不过是你喜欢逗蚂蚱玩。你或者还曾因喜欢玩捉迷藏的游戏而只身一人跑到树林"探险"——其实,你当时并没想到任何理由,只不过是因为你喜欢这样。当你慢慢长大成人后,你的行为受到更多的羁绊,你每做一件事情之时都得找到一个看似合理的理由。这种"热衷"于理由的做法会阻碍你个人的成长与发展,使你不能开放自己。如果你不必再向任何人——包括你自己——就任何事情提出理由,那将是一种多么令人宽慰的解脱!

爱默生在他的一则日记中写道:"四条蛇在洞穴里爬上爬下,我看不出它们这样做的用意何在。既不是为了觅食,也不是为了交配——只是爬来爬去。"

对我们每个人来讲,应该养成一种健康的思维和习惯,想做什么就做什么,其原因很简单:因为你愿意这样做。这种思维方式将向你展现出新的活动前景,并有助于消除你迄今为止养成的生活方式——惧怕未知。

另外,我们需要计划。生活中并不存在什么"有计划的自发性",这一说法本身就是自相矛盾的。留意四周,我们不难发现,生活中总有那么一些人,他们就是在自己终生的安排和计划中了此一生,他们不能在原有生活计划上做出半点改动。合理的计划与安排本身并不会产生什么不健康的心理,但如果你过分热衷或依赖于计划而生活,你就陷入了另一种误区。我们每个人都有一个人生的目标与计划,如你 30 岁以前应在事业上有何成就,40 岁应完成什么大业,年老时应达到一种什么样的人生境界——这样你就不会盲目而碌碌无为地度过自己的一生。你也不会每天都要做出一个新的决定,也不会确信你能够改变人生计划。但请注意一点:千万不要把计划看得比你自己更加重要。

罗杰是一位 20 多岁的小伙子,他在一家公司上班,他也养成了一种"总要计划"的误区性心理。有一次,公司决定将他调到另一城市任分公司经理。可是,他被这一调动吓得不知所措。他有许多担心:我在这一新城市能干得好吗?我将住在哪儿? 我的父母和朋友怎么办? ……由于对这些未知的因素产生了一种强烈的恐惧,于是他陷入了一种惰性,最后放弃了这个机会,只是安于现状,从而失去了许多类似的发展机会。

后来,罗杰找到了一位心理咨询专家求助。他感到僵化刻板地坚持原定计划是自己无法发展的原因,但同时,他又害怕挣脱计划的束缚去尝试新的经历——他每顿早餐总是吃一样的东西,提前好几天就计划好某天该穿的衣服,书桌上的东西他总是按大小或类别摆放得整整齐齐,绝不许他人乱动,他甚至把自己的计划性强加给全家。他不让孩子们乱放东西,要妻子遵守他订下的一套死板的规定。总之,尽管罗杰干什么事情都有条有理,但他仍不是一个幸福之人。他缺乏创造性,缺乏革新精神,缺乏个人激情。事实上,他本身就是一个计划,他的生活目的只不过是根据计划把一切安排得井井有条。

在专家的几次询诊之后,罗杰开始努力自发地生活。他认识到了一点——他的计划是操纵别人的手段,是避免探索未知因素的安全途径。于是他开始了改变自己的行动,他放松了对家庭成员的要求,允许妻子和孩子按照自己的意愿行事。他甚至主动向公司申请调动部门工作。后来,他发现,原先所担忧的一切事情都不存在什么问题了。

当你上小学三四年级的时候,老师就开始教你写作文,要求你写作文时要先有一个引人入胜的开头,正文要有条有理,最后要有一个精彩的结尾。遗憾的是,你可能将这种安排与技巧用之于自己的生活,将整个人生视为一篇作文:"开头"是为进入成人期而准备的童年,"正文"便是安排、计划得有条有理的成年阶段,而"结尾"则是退休阶段和幸福的晚年。所有这些有条有理的思维使得你无法生活于现时之中。根据这一计划,生活意味着稳妥地度过自己的一生。安全感意味着知道将要发生的事情;意味着没有激情、没有风险、没有异议;意味着没有发展,而不发展则意味着死亡。那么,安全则是为死亡而备,因此,这种所谓的安全感是荒谬的。事实上,只要你生活在地球上,只要你生存于社会之中,你就永远不会得到绝对的安全。退一步讲,即使这种安全感不是荒谬的观点,那也是一种可怕的生活方式。

上面我们讲到的安全感是指人的外界保障,如金钱、房产和汽车等物质财富,或者是工作、社会地位等生活保障。

但是,世界上还存在着另一种值得追求的安全感,即内心安全感。所谓内心安全感,就是相信自己能够处理任何事情的安全感,这是唯一的持久安全感,唯一的真正安全感。财物终归会减损,经济衰退会使你耗尽钱财,但是唯有你自己可以信赖,可以依靠,而且完全属于你自己。你应该相信你的内在力量,而将财产、工作或社会地位仅仅视为给你增添愉快、满足,但却可有可无的附属之物。

现在,请你设想这样一种情形:假定此时此刻,当你正在阅读此书时,突然有人向你扑来,剥光了你的衣物,把你扔到直升机上,然后弃之于异国他乡的一个荒野之地。你既没预先得到警告,也没有带任何财物,除你自己之外,一无所有。在这种境况下,你似乎重新降世,要面临新的语言、新的风俗习惯、新的气候,而你的全部所有仅仅是你自己。在这种情况下,你将生存下去,还是因愁困而死?你去寻找吃的住的呢,还是仅仅躺在那儿哀叹自己多么不幸?如果你需要的是外部安全感,你将无法生存下去,因为你的所有个人财物都已被人剥夺。然而,如果你具有内心安全感,并且毫不畏惧未知,那你就会活下来。

◉将创新变成日常习惯

培养新习惯,在于发现新事物、新市场和新方法。通过创新,将创新变成自己的日常习惯,我们就会找到一个更广阔的天地。

某公司招聘职员,他们不重学历重智力。为此,公司给众多求职者出了一道难度颇大的智力考题。题目是:给你一批木梳,你如何尽量多地向和尚推销?

出家人剃度为僧,没有头发,木梳何用? 应聘者或疑惑不解,或愤怒不已,或怀疑命题者神经错乱。因此大多数人都非常不满地拂袖而去,只有 3 个人留了下来。

公司招考人员对这 3 个人说,这批木梳,任由自取,数量不限,各人分头去推销,销得越多越好。一周为期,回来汇报销售成果及销售方法,公司将择优录取。期限一到,3 人都回来了。

A 卖出 1 把。他汇报说:我到和尚庙向和尚们推销木梳,遭到和尚们一番责骂,有个气盛的年轻和尚还说我讥笑他们,追赶着要打,真是倒霉透了。幸好,下山路上遇上一位懒散的小和尚。小和尚歇在路旁,边喘粗气,边使劲地挠那厚厚的头皮。见我递上一把木梳,他高兴地接过去,很有兴趣地在头上扒拉起来,于是买了一把。此后又走了几处和尚庙,却处处都碰壁。

B 卖了 10 把。他不无得意地介绍起自己的推销办法。他登上一座位于高山之巅的古庙。那里香客很多,挤挤挨挨的,但长途的跋涉与山风的撩拂,把香客们的头发都给吹乱了。他灵机一动,就跑到住持那里说,香客一心礼佛,可山风一吹,头发散乱,于佛不敬;如果在每个香案前放把木梳,让善男信女们在拜佛前先梳理梳理头发,不是很好吗? 住持觉得有理,于是买了 10 把。

C 卖了 1000 把。他对这一难题也皱眉头,但坚信办法都是人想的,自己智力不差,肯定可以想出办法来。他到一座香火很旺的名刹,那里进香朝佛者众多,而且都乐于"随喜"、"添油",多有奉献。C 在佛殿之前凝思片刻,有了主意。他找到住持,摆起龙门阵:香客虔诚,慷慨施舍,祈求保佑,寺庙若向他们回赠佛家吉祥物,一可作纪念,二可暖其心,三可扩大影响,一举多得,那该多好。木梳作用于头部,乃理想吉祥之物,如果再印上大师飘逸的书法,定大受欢迎。那和尚闻言大喜,当场买了 1000 把木梳,并将亲笔写的"积善梳"、"佛光梳"印于其上。四方八面的施主和香客闻知其事，都希望得到一把佛家木梳，于是香火更旺了。大师还约请 C 下周再送一批木梳来。拿木梳卖给和尚，的确有悖常理，叫人犯难。可见，说老话，走老路，沿用老习惯只能碰壁；而机巧善变，有所发现，才能创新。让我们来思考一下众人及 A、B、C 三人的思维。

众人只知和尚没有头发，用不上木梳，便断定那里没有市场，因而不愿再作思考，不愿另寻他途，知难而退了。这是日常习惯和逻辑推理给他们的结论。事实上，创造性思维可以解决解决不了的问题。市场到底还是有的，别人不是找到了吗？拂袖而去只能说明自己思想贫乏、见识狭隘、缺乏创新常识。这是不愿动脑、不善思维和毫无创新意识的一族。

A 乐于实践，但习惯只停留于一个点，只想到直接面对和尚，只会直来直去，不善旁顾，不会变通，碰壁是必然的，挨骂也不冤枉。所卖的一把，是恰好遇上懒和尚，纯系偶然，并非创新功力所致。从习惯上说，A 只会点式思维，僵化静止，机械刻板，只知一点，目无他物，不知联想，也不会发散，属于只懂日常习惯、不善创造性思维的一类。

B 的习惯思路是一条线，由不用木梳的和尚迁移到与之相关的、需用木梳的香客，两点连线，思想开阔了许多，找到了消费者，所以取得了较好的业绩。这个联想很可贵，由直接对象联想到相关对象，扩大了视野半径，在直接对象之外找到了联结点，从而发现了市场。应该肯定，B 思维灵活，颇有创新意识，也掌握了初步的创造性思维基础知识，具备了基本的创新技能。但非常可惜，他的创造性思维能力还只是初步的。

C 的思维能力是超群的。他不仅由和尚想到香客，而且由木梳梳理头发的物质功能想到佛家吉祥物的意识功能，由平面思维进入立体思维，故而成绩十分突出。应该看到，这不是一般的"灵机一动"，而是精心构思出来的绝佳创意。其思维的习惯过程大致是这样的：由和尚用木梳迁移到香客用木梳，这是消费主体的转换，从非消费对象找到真正的消费对象；由香客在庙堂用木梳推演到香客回家用木梳，这是空间范围的扩大，从一把木梳大家用发展到一把木梳一家用；由木梳的物质功能虚化出木梳的意识功能，这是功能类别的扩大，从通用功能上升到特殊功能。如此层层拓展，消费面不知扩展了多少倍，故而销售业绩特别突出。